LA CÁMARA SECRETA

Colección dirigida y presentada por Javier Sierra

Christian Jacq

EL TEMPLO DEL REY SALOMÓN

Traducción de Manuel Serrat Crespo

Círculo de Lectores

Los herederos de Hiram

Algunos quizá se sorprendan. Pero yo no.

Que Christian Jacq dedique una de sus novelas menos conocidas al Templo de Salomón y a su mítico arquitecto Hiram de Tiro, encaja en un esquema de ideas preciso, discreto y eficaz, que ha pasado desapercibido a millones de lectores de este escritor francés.

Es raro que pese a su enorme popularidad, muy pocos sepan que el autor de *La pirámide asesinada*[1] sea un experto en magia antigua y sociedades secretas; que sus primeras obras las dedicó a la astrología y la masonería, o que una de sus principales preocupaciones tenga que ver con los ritos iniciáticos del mundo antiguo. Como otros eruditos antes que él, Jacq se dio cuenta de que buena parte de las ceremonias y creencias de cristianos, hebreos y musulmanes fueron «adaptadas» –hoy diríamos *intertextualizadas*– de fuentes egipcias. El Arca de la Alianza hebrea, por ejemplo, tiene las mismas medidas e idéntico aspecto a los cofres ceremoniales en los que los sacerdotes de Tebas paseaban a sus dioses. Por no hablar de sus respectivos calendarios festivos o la organización interna de muchos de sus rituales.

No puede extrañarme, por tanto, que en esta novela Christian Jacq descubra que Hiram de Tiro fue, en realidad, un arquitecto egipcio. Y mucho menos que estuviera vinculado a una

---

1. Christian Jacq, *La pirámide asesinada*, Barcelona, Planeta, 1997; Barcelona, Círculo de Lectores, 1999.

secretísima corporación de nueve sabios que custodiaban los secretos del *arte del trazo*. Esto es, las claves para levantar un buen templo.

Pero déjeme aclararle algo que no encontrará de forma explícita en las páginas que siguen: la aventura de Hiram en Jerusalén, aunque poco conocida para los amantes de la historia, es de capital importancia para los masones contemporáneos. Ellos, como los constructores de catedrales mucho antes, se creen los últimos herederos de sus secretos. Es más: en sus ceremonias de iniciación aún recuerdan muchas de las proezas de Hiram que Jacq incorpora en este libro, e incluso reproducen su trágica muerte tal y como es descrita en el último capítulo de *El templo del rey Salomón*.

Que la masonería es heredera de ciertos conocimientos faraónicos, es algo ya demostrado. En 1996, dos altos grados masónicos británicos, Christopher Knight y Robert Lomas, lo confirmaron con un hallazgo increíble: al final de la ceremonia de investidura del Tercer Grado para elevar a una persona al rango de Maestro Masón, se pronuncian dos frases ininteligibles que han resultado ser... ¡una oración en egipcio antiguo!

Esa letanía *(Ma'at neb-men-aa / Ma'at at-ba-aa)* se transmitía oralmente, de generación en generación, desde mucho antes que Champollion descifrara los jeroglíficos egipcios en 1822, y refieren la existencia de un «maestro de la diosa Maat» que Knight y Lomas han identificado con Hiram. Para ellos, el tal Hiram no sería sino un noble egipcio llamado Sequenra Tao que vivió tres siglos antes de Ramsés II y cuya momia fue descubierta junto a la de este faraón, oculta en el Valle de los Reyes. Las peculiares heridas que presentaba su cuerpo, idénticas a las que la tradición masónica atribuye al asesinato del arquitecto de Salomón en Jerusalén, confirman que la osada interpretación que hace Jacq de ese personaje tiene cierta base histórica.

Pero no crea el lector que su interés por la masonería se detuvo en esta novela que ahora rescatamos. Otras obras suyas como

El iniciado[1] o *El misterio de las catedrales*[2], recogen esa pasión por una «cofradía», la de los masones, aún viva hoy y de profunda raigambre faraónica. A fin de cuentas, esos modernos adoradores de Hiram tal vez sean los últimos herederos vivos de los antiguos sacerdotes del tiempo de las pirámides.

Que no es poco.

JAVIER SIERRA

1. Christian Jacq, *El iniciado*, Barcelona, Martínez Roca, 1998.
2. Christian Jacq, *El misterio de las catedrales*, Barcelona, Planeta, 1999.

EL TEMPLO DEL REY SALOMÓN

Primera parte

Resolví, pues, tomarla para que conviviera conmigo,
sabiendo que me sería buena consejera
y consuelo en mis cuidados y afanes.
Y por ella alcanzaré gloria ante las muchedumbres
y, joven aún, honor entre los ancianos.
Si la inteligencia es activa,
¿quién más activo que ella, artífice de cuanto existe?

Libro de la Sabiduría, 8,9-10 y 8,6

La sabiduría exalta a sus hijos
y acoge a los que la buscan.
El que la ama, ama la vida,
y los que madrugan para salir a su encuentro,
serán llenos de alegría.
El que la abraza heredará la gloria.

Eclesiastés, 4,12-14

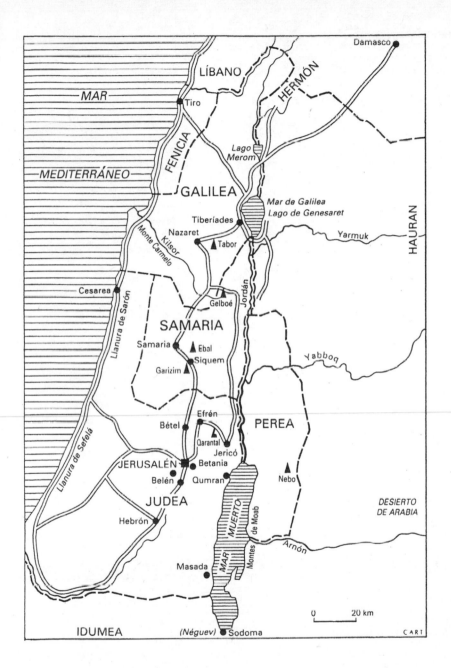

Damasco

LÍBANO

HERMÓN

MAR

Tiro

FENICIA

Lago Merom

MEDITERRÁNEO

GALILEA

Mar de Galilea
Lago de Genesaret

HAURAN

Tiberíades

Nazaret

Yarmuk

Kisor

Monte Carmelo

▲ Tabor

Jordán

Cesarea

Gelboé

Llanura de Sarón

SAMARIA

Yabboq

Samaria

▲ Ebal

▲ Siquem

Garizim ▲

Efrén

Bétel

PEREA

Llanura de Sefelá

Qarantal

Jericó

JERUSALÉN

Betania

Nebo

Belén

Qumran

▲

JUDEA

DESIERTO
DE ARABIA

Hebrón

MAR MUERTO

Montes de Moab

Arnón

Masada

0   20 km

IDUMEA

(Néguev) Sodoma

CART

Capítulo primero

Salomón pasó amorosamente la mano por el Arca de la Alianza. Sólo él, entre los hijos del rey David, era capaz de llevar a cabo ese gesto sin ser fulminado por la misteriosa energía que emanaba del santuario que contenía las Tablas de la Ley.

Durante algunos días, el Arca permanecía en Silo, en el corazón de Judea, la provincia de los reyes, donde Abraham había venerado al auténtico dios, el Único que había cambiado el destino de la humanidad al escoger Israel como tierra elegida. Silo había sido la primera capital de David, antes de establecerse en Jerusalén. El anciano monarca exigía que el Arca viajara periódicamente, recordando a los hebreos que seguían siendo nómadas en busca del Señor.

A Salomón le habían encargado que protegiera el precioso tabernáculo. A la cabeza de una escuadra formada por soldados de élite, había salido de Jerusalén, se había detenido en la caverna Macpela donde descansaban los patriarcas, había caminado entre viñas cargadas de racimos, contemplado los cultivos en terraza que ascendían por las secas y pedregosas laderas. En Judea, nada limitaba la mirada. El horizonte tenía un fulgor leonado, habitado por un sol infatigable. El paso del caminante levantaba un polvo rojizo que se depositaba en las andas.

Silo era el objetivo de la expedición. La pequeña ciudad, construida en el territorio de la tribu de Efraím, se enorgullecía de haber acogido el Arca durante la famosa batalla contra los filisteos. El santuario de Yahvé había sido llevado al centro mismo del tumulto, afirmaba la presencia divina, y dio la victoria a Israel en un gran estruendo de aullidos de dolor y gritos de alegría.

Gritos y aullidos obsesionaban a Salomón. La guerra, la violencia, la sangre… ¿Estaría su pueblo condenado a las calamidades? ¿Sería siempre Yahvé un dios vengador, ávido de enfrentamientos?

Extraños pensamientos torturaban el corazón de Salomón, joven príncipe de veinte años y de hechizadora belleza. Los adivinos habían predicho, cuando nació, que su gran frente sería morada de la Sabiduría, que ninguna arruga surcaría su rostro y sus rasgos no envejecerían. Desde su adolescencia, Salomón había dado pruebas de un sereno poder y una autoridad natural que subyugaban a sus interlocutores.

¿Quién hubiera imaginado la intensa tormenta en la que se agitaba vanamente, como un bajel privado de su timón? Salomón no podía ya conciliar el sueño. Estaba perdiendo su innata afición al estudio y a la poesía. Ni siquiera la plegaria le procuraba ya el menor consuelo.

Concluía la tercera vela nocturna. Tras la de la aparición de las estrellas y la de medianoche, venía la última, la de la aurora. Salomón había permanecido cerca del Arca, suplicando al Señor que concediera por fin la paz a Israel. ¿Por qué temblaban de miedo los habitantes de las aldeas, por qué morían tantos bajo la espada, por qué sus casas eran incendiadas y desvalijadas, por qué se acababa matando todo lo que respiraba? ¿Por qué los clanes seguían matándose entre sí, por qué guerreaba Israel contra sus vecinos?

Salomón había repetido cien veces estas preguntas.

Pero Dios permanecía mudo.

Cuando el sol atravesó la bruma con sus primeros rayos, el hijo de David se atrevió a posar la mano en el Arca.

Yahvé no le había aniquilado y, por lo tanto, había escuchado su plegaria. Algún día, alguna noche, llegaría la respuesta.

Salomón contempló el Arca.

La fuente de energía de la que Israel obtenía su fuerza era una caja de madera de acacia, de un codo y medio de altura y dos codos y medio de largo. Recubierta de oro puro, tanto en el interior como en el exterior, era protegida por las alas de los querubines sobre las que, invisible, se hallaba Yahvé, cabalgador de las nubes. Las usaba como si fueran un carro y recorría el universo hasta el jardín del Edén, cuyas puertas estaban guardadas por aquellos leones alados de cabeza humana, encarnación del valor que ninguna debilidad podía corromper.

Salomón sintió la tentación de abrir el relicario, de extraer las dos tablas de piedra en las que estaban grabados los diez mandamientos divinos, el pacto del Sinaí por el que Israel se había convertido en el fiel servidor de Yahvé. Pero aquel privilegio estaba reservado al rey. Sólo David estaba capacitado para leer el mensaje de los orígenes, contemplando la palabra del Dueño celestial.

Salomón extendió sobre el Arca un precioso paño de pelo de cabra, luego protegió las barras de acacia recubiertas de oro con pieles de carnero teñidas de rojo. De este modo, el santuario sería invisible para los porteadores. El hijo de David salió de la tienda que albergaba el Arca. La luz del día había invadido ya la verdeante llanura que se extendía al pie de la colina; en la cima había establecido el campamento. Salomón tuvo la sensación de que el mundo le pertenecía. Apartando tan loco pensamiento, dirigió los ojos al sol naciente, se dejó deslumbrar, pensando en desaparecer entre una orgía de luz.

¿No errarían siempre los hebreos[1]? Más allá de los cultivos, el desierto. Aquel desierto que separaba Israel de la civilización odiada, Egipto, que Salomón admiraba en secreto desde su infancia. ¿No eran las enseñanzas de los sabios egipcios las más profundas y sutiles? ¿Acaso Egipto no era el único gran país que gozaba las delicias de la paz y la riqueza? El hijo de David había sabido disimular su inclinación por el imperio de los faraones. No había compartido con nadie su secreto, sobre todo con su padre, que habría podido adoptar contra él una medida de destierro. Como él, Salomón era un hombre del desierto, de los infinitos espacios, un buscador de lo absoluto. Sabía que Dios sólo se reve-

1. En la época de Salomón, el término «judío» no existe. Se habla de israelitas o de hebreos.

laba realmente en el silencio y la soledad. Pero Salomón no lograba admitir que Israel se hundiese en estériles recuerdos. Para instaurar una paz duradera, los hebreos necesitaban un Estado poderoso y una capital tan brillante como la Tebas de Egipto.

Aquello era sólo infecunda imaginación.

Con los brazos cruzados, la mirada clavada en una pequeña aldea que iba despertando, el hijo de David creyó oír un grito de dolor. ¿Era presa de una de aquellas pesadillas con las que, muy frecuentemente, le abrumaban los demonios nocturnos?

Voces de hombres, ruido de combate.

Salomón avanzó hasta el borde de la meseta rocosa. En una plataforma, unos diez metros más abajo, dos infantes de su guardia personal combatían a bastonazos con increíble violencia. Con los cuerpos sudados pese al fresco matinal, vestidos con un simple paño, se golpeaban para matarse. Sus camaradas asistían entusiasmados a la escena, alentando a los dos campeones.

Éstos unían el insulto al esfuerzo físico, esperando debilitar así la resistencia del otro. «¡Daré tu carne a los pájaros del cielo y las bestias de los campos!», aulló el más bajo de los contendientes, de gruesas piernas y anchos hombros. Su bastón se elevó muy arriba, dibujó una extraña curva y cayó sobre el cráneo del soldado que le había desafiado, obligándole a responder con las armas. El golpe fue decisivo. El vencido se derrumbó, con el rostro cubierto de sangre.

El drama se había desarrollado con tanta rapidez que Salomón no había tenido tiempo de intervenir. El vencedor gritó de alegría, arrojando su bastón sobre el cadáver del vencido.

–¡Que este perro se pudra entre la carroña! –exigió–. Que rapaces y roedores sean sus sepultureros. Que sus huesos sean basura dispersada por el viento.

De pronto, uno de los soldados divisó a Salomón. Palmeó el hombro de su vecino, que avisó a sus compañeros. En pocos segundos, se hizo el silencio.

–Que este hombre suba hasta mí –ordenó el hijo de David señalando al triste héroe.

Éste lanzó angustiosas miradas a su alrededor. Nadie acudió en su ayuda. Obedeció tomando, con vacilante paso, el abrupto sendero que llevaba a la cima de la colina. Enfrentarse con Salomón le inquietaba más que luchar a muerte contra un coloso. Conocía la aversión que sentía por la violencia el hijo de David.

—Señor —afirmó hincando la rodilla en tierra—, no he traicionado la ley. Me ha desafiado, sólo he respondido de acuerdo con la costumbre.

Salomón sabía muy bien que a los hebreos les gustaban las justas y los duelos. Asistía mucho público. La hazaña de David derribando a Goliath había popularizado el uso de la honda. Numerosos jóvenes morían, año tras año, con la frente destrozada por un proyectil.

—¿Por qué has matado a tu adversario? —preguntó Salomón.

La pregunta sorprendió al soldado.

—No tenía elección, señor. ¿Acaso no combatió el Ángel con Jacob antes de darle el nombre de Israel? Somos guerreros. Y en un combate hay que llegar hasta el fin.

El vencedor estaba exaltado. No sentía el menor remordimiento. Mañana, en parecidas circunstancias, actuaría del mismo modo. Si le castigaba, Salomón provocaría el indignado descontento de los soldados de su guardia.

—Vete —ordenó.

Sonriente, el homicida se marchó. Pensaba festejar su victoria con los camaradas y no olvidaría agradecer a Yahvé la fuerza de su brazo.

Salomón, tras haber pedido al jefe de su guardia que se acercara al Arca con una escuadra, bajó al pie de la colina. Se sentó en una roca y ocultó el rostro entre las manos.

La paz era sólo un sueño. Un espejismo en el que quería creer para darse una razón de vivir. Tenía que mirar la realidad cara a cara. Sólo sería un príncipe elegante, que arrastraría su aburrimiento por el palacio real y compondría poemas que algunos cortesanos se verían obligados a apreciar.

El cristalino sonido de una campana se extendió por el aire matinal.

Salomón se sobresaltó.

David había prohibido el uso de aquel instrumento desde que la campana que le habían ofrecido los ángeles había callado. Cuando el rey presidía su tribunal, repicaba en presencia del inocente y permanecía muda cuando el culpable desaparecía. De este modo, la justicia, procedente del mismo Dios, era dueña absoluta de Israel. Pero David había pecado. Y la campana enmudeció, obligando al soberano a pronunciar sus propias sentencias, a riesgo de equivocarse.

David no presidía ya el tribunal. El viejo soberano aguardaba desesperadamente que la campana se manifestara de nuevo. La campana de David… ¿Era eso lo que Salomón oía? Se levantó y caminó hacia una gruta de la que parecía salir el repique. Se introdujo en aquel mundo oscuro y húmedo. El sonido aumentaba.

Se transformó en una voz poderosa, muy grave, demasiado grave para ser humana. Una profunda serenidad invadió el corazón del hijo de David. Supo que aquella invisible presencia era la de Dios.

Salomón escuchó con todo su ser. Arrodillándose, murmuró una plegaria: «No te pido, a Ti, Poderoso entre los poderosos, fortuna ni larga vida. Pero concédeme la inteligencia necesaria para encontrar el camino de la paz y saber distinguir el bien del mal».

Una intensa luz llenó la gruta, obligando a Salomón a cerrar los ojos. La grave voz, que sólo había emitido vibraciones, calló.

Cuando el hijo de David salió de la gruta, el sol había llegado al cenit. Los soldados de la guardia vociferaban y corrían en todas direcciones. El jefe se lanzó hacia su dueño.

–¡Señor! Os hemos buscado por todas partes. Acaba de llegar un mensajero de Jerusalén. Debéis regresar de inmediato. Vuestro padre se está muriendo.

Capítulo 2

Jerusalén se levantaba sobre la colina de Sión. La ciudad aparecía como una fortaleza a la que murallas y fortificadas puertas hacían inexpugnable. Sin embargo, David se había apoderado de ellas, lanzándose al asalto de los altos muros tras haber organizado el asedio. El rey había obtenido allí su más hermosa victoria, dando a Israel una nueva capital. Limitada en tres de sus lados por austeros valles, rodeada de torrentes de abruptas pendientes donde los uadi, que las tormentas llenaban de agua, excavaban sinuosas venas, la plaza fuerte estaba protegida por el relieve. David no había considerado necesario añadir nuevas fortificaciones, salvo en el espolón norte. En el promontorio del Ofel, de casi setecientos metros de altura, se erguía la Sión de David.

Salomón penetró en Jerusalén por una de las puertas fortificadas, permanentemente custodiadas por soldados armados. La capital de Israel le procuraba más angustia que gozo. ¿Por qué tenía un aspecto tan ingrato, por qué ocultaba sus encantos bajo aquel rostro cerrado y agresivo? Los palacios de los ricos, que formaban la ciudad alta, ofrecían una nota de alegría, en exceso discreta, a aquel inquieto universo.

Tan animada y ruidosa por lo común, Jerusalén se había encerrado en un cerco de silencio. De pie en un carro tirado por dos caballos, Salomón respondió al saludo que le dirigía el responsable del puesto de guardia instalado sobre el acceso principal. En aquel lugar, la muralla tenía triple grosor. Al revés de lo que solía ocurrir, los soldados no dejaban entrar en la ciudad los rebaños de ovejas que se dirigían a las granjas de los barrios bajos.

Salomón, nervioso, fue directamente al palacio de su padre, azuzando a los caballos. Calles y callejas estaban desiertas. Los habitantes habían cerrado los postigos de madera en las estrechas aberturas que dejaban entrar la luz en sus moradas. La noticia se había extendido rápidamente por todos los barrios, sembrando la desesperación. Con la desaparición de David se abriría un período turbulento durante el que los ambiciosos combatirían para conquistar el poder. El pueblo sufriría las consecuencias de sangrientos enfrentamientos. Las madres pensaban ya en esconder a sus hijos. Muchos hombres tenían la intención de refugiarse en la campiña, temiendo la llegada de salvajes hordas que querrían imponer, a punta de espada, su favorito.

El palacio del rey era sólo una casa más vasta y sólida que las demás. Construida en piedra calcárea, tenía gruesas paredes y se levantaba sobre la roca que constituía el mejor de los cimientos. Ni las tempestades ni las lluvias se llevarían la residencia del soberano, que su hijo habría deseado más rica y suntuosa. El mortero de arcilla utilizado para unir las piedras era tan basto como el propio edificio. En Israel no existía arquitecto alguno con genio suficiente para erigir un inmenso palacio que rivalizara en belleza con el del faraón.

David sólo había aceptado un lujo: suelos de guijarros en las estancias principales y un magnífico entablado de cedro en su alcoba. Los pobres se limitaban a la tierra batida. Para expiar sus pecados, el monarca habría preferido imitarlos, pero su esposa, Betsabé, se había opuesto.

El lugar disgustaba a Salomón. Le parecía glacial e inhóspito. Y cuando había decidido revelárselo a su padre, esperando convencerle para que construyera una mansión digna, por fin, de él, el porvenir se oscurecía. ¿David, cuyos cantos habían alegrado el corazón de Dios, no era acaso inmortal?

Salomón nunca había pensado en la desaparición de su padre. David encarnaba la autoridad suprema. Sin embargo, no estaba exento de críticas. No había conseguido restablecer la paz, convertir a Israel en una nación coherente y bastante poderosa como para mantener alejados a sus enemigos. Obsesionado por sus pasadas faltas, se había encerrado en su sufrimiento, pensando más en sí mismo que en su pueblo. Pero aquellos reproches contaban muy poco ante el amor de un hijo por su padre. Salomón habría dado la vida para preservar la de David. Nunca había discutido una orden del rey, aunque no estuviera de acuerdo con lo que se le pedía.

Fue Natán, preceptor de Salomón, quien le recibió en el umbral de los aposentos reales. Natán había sido el maestro espiritual del joven, mucho más que David. Creyendo que su discípulo era amado por el Señor y que la Sabiduría lo había marcado con su sello, le había consagrado la mayor parte de su tiempo, iniciándole en el significado de los textos sagrados y en la práctica de las ciencias secretas.

Salomón aprendía deprisa. Cuanto más descubría, más deseos de descubrir sentía. Las frivolidades de la existencia no le interesaban. Trabajar bajo la dirección de su preceptor le parecía la más envidiable de las vidas.

Natán, anciano de alta estatura y barba blanca, iba vestido con una larga y alba túnica de escote cuadrado. No llevaba joya alguna, ninguna marca distintiva de su alta función en la corte. Pero su mera prestancia revelaba su rango. Su humor era de un perfecto equilibrio y su rostro, por lo común, no revelaba sus emociones.

Sin embargo, esta vez estaba marcado por la fatiga. A la fina sonrisa del preceptor, seguro de sí mismo y de su saber, había sucedido una expresión de inquieta gravedad.

Salomón le tomó del brazo.

–¿Cómo está mi padre?

–Muy mal. Por eso he mandado a buscaros.

–El Arca está de regreso en Jerusalén. Su presencia le salvará.

–Dios os escuche.

Por un instante, la voz de la gruta llenó la cabeza de Salomón. Se dominó lo bastante como para que no se advirtiera.

–¿Puedo verlo?

–Vuestra madre os espera –repuso Natán.

El preceptor introdujo a Salomón en una pequeña estancia de desnudos muros. Betsabé estaba sentada en una silla baja. Con los ojos cerrados, parecía dormir. En cuanto su hijo entró, se levantó y lo tomó en sus brazos.

–¡Salomón, por fin!

–No he podido venir más deprisa, madre.

–No te reprocho nada. Tenía tanto miedo...

–¿Por qué?

–El mal merodea, hijo mío. Israel está en peligro. David no ha muerto todavía y algunos se proclaman ya reyes.

Aquella a la que el pueblo llamaba «la gran dama» había conservado, con más de sesenta años, una excepcional nobleza. Delgada, esbelta, con el rostro de rasgos tan finos que habían seducido a David hasta el punto de desagradar a Yahvé, reinaba sobre una corte abandonada por su esposo.

–¿Qué esperáis de mí, madre? Bien sabéis que os protegeré contra cualquier agresor, aunque sea un pretendiente al trono.

Betsabé se apartó de su hijo. Le costaba disimular su angustia.

–Amo a David y David me ama... Cómo podría...

–Ya no es tiempo de sentimientos –declaró Natán–. El rey agoniza. Si no actuáis deprisa, será Israel quien perderá la vida.

Conteniendo sus lágrimas, Betsabé salió de la pequeña estancia y se dirigió a la alcoba donde agonizaba su esposo.

Salomón intentó en vano comprender el sentido de aquellos extraños acontecimientos.

–¿Qué ocurre, Natán?

El preceptor se mostró severo.

–Ha llegado la hora de revelaros el secreto que comparto, desde hace mucho tiempo, con vuestra madre. Un secreto que afecta el porvenir del país.

Un frío atroz, tan intenso que estuvo a punto de arrancarle un grito de dolor, transió los ojos de Salomón.

–¿Y en qué me afecta?

–Sólo os afecta a vos, Salomón. David prometió a su esposa que os elegiría como sucesor.

—¿A mí?

Salomón enmudeció. Convertirse en soberano de Israel, sentarse en el trono de David, asumir la carga de llevar al pueblo de Dios por el camino de la Sabiduría... Jamás sería capaz de hacerlo.

—¿Quién imaginó tamaña locura?

—El que mejor os conoce: vuestro preceptor. Desde que erais niños, descubrí en vos la grandeza de los reyes. Se lo confié a vuestra madre. Ella había llegado a la misma conclusión.

—Y mi padre...

—David reconoció lo acertado de nuestra propuesta. Dio su palabra. Hoy debe hacerla oficial. Seguidme.

Salomón no protestó. Desconcertado por la noticia, se dejaba guiar por su preceptor.

Ambos hombres penetraron en la alcoba del monarca.

David, con los ojos clavados en la llama de la antorcha, tenía el cuerpo cubierto por una estola de lana. Las tablas de cedro crujieron bajo los pasos de Salomón, que se colocó junto a su madre, a la cabecera del lecho.

El rostro del moribundo estaba deformado por el sufrimiento. Había desaparecido cualquier rastro de seducción. Sólo quedaba ya el peso de setenta años destinados a amar, rogar y combatir.

—Rey de Israel —dijo Betsabé con voz temblorosa—, juraste a tu sierva que mi hijo Salomón reinaría después de ti y se sentaría en tu trono. Israel tiene los ojos fijos en ti. Espera que des a conocer el nombre de tu sucesor.

—Que Natán salga de mi habitación —ordenó David sin mover la cabeza.

El preceptor obedeció.

El viejo soberano se incorporó, como si recuperara milagrosamente su pasado vigor. Contempló a su esposa.

—Por la vida de Dios, que me ha librado de todos los peligros, cumpliré lo que he jurado. Acércate, hijo, y dame tu mano.

Salomón obedeció, sorprendido por la firmeza del tono. Estuvo convencido de que David vencería la enfermedad, que viviría todavía muchos años a la cabeza de su pueblo.

El hijo colocó su mano diestra en la de su padre, que la estrechó con fuerza.

—Te transmito la realeza, Salomón, la que Dios me confió y de la que me mostré indigno. La muerte es la cuerda cortada por Su mano, la estaca arrancada, la tienda arrastrada por el viento del desierto. Mi alma está dispuesta a cruzar el cielo para comparecer ante mi juez. Guerreé y vencí. Que esos tiempos hayan pasado para siempre. Tú, que llevas el nombre de Salomón, «paz para él», obtenla en esta tierra. Conviértela en vínculo entre Israel y el cielo. Mi corona está manchada de sangre. Cabezas cortadas yacen a los pies de mi trono. Por eso no pude construir la casa del Señor. Cumple esa tarea, hijo mío. Busca sin cesar la Sabiduría, la que fue creada antes de los orígenes, antes de que nacieran el mar, los ríos y las fuentes. Antes de que se levantaran las montañas, antes de que los días se separaran de las noches, antes de que la luz saliera del caos y los cielos estuvieran firmemente establecidos. Con la Sabiduría mide Dios el universo y con ella fundó la Tierra, gracias a ella traza los senderos que recorren los astros. Sin ella, no construirás nada.

La mano de David tembló. Puso los ojos en blanco. Salomón le ayudó a tenderse. La muerte lanzaba un nuevo ataque.

—Betsabé —pidió el rey en un soplo—, convoca inmediatamente el consejo de la Corona… Quiero hablar con sus miembros. Mi hijo permanecerá a mi lado.

La esposa de David no tardó en reunir a los tres dignatarios que componían el consejo: Natán el preceptor, Sadoq el sumo sacerdote y Banaias el jefe del ejército. Éste era un coloso cuya impresionante musculatura contrastaba con la delgadez del sumo sacerdote. Todos sabían que Banaias se había convertido en el hombre más poderoso de Israel. Sin su consentimiento, el futuro rey sería sólo una marioneta desarmada. El jefe del ejército casi nunca hablaba. Había servido a David con la más absoluta fidelidad. Pero nadie sabía lo que pensaba con respecto a la sucesión.

David solicitó a Salomón que le incorporara, pese al intenso dolor que sentía en esta posición. Quería expresarse como un monarca y no como un moribundo.

–Vosotros sois mi consejo –anunció con una energía casi arisca–, y os revelo mi última decisión: Salomón es el nuevo rey de Israel. Quien se atreva a atribuirse este título y no le preste juramento de fidelidad, será ejecutado.

Sadoq fue el primero que inclinó la cabeza. Luego lo hizo Natán. Banaias, que vestía una coraza de plata, pareció reflexionar. La garganta de Betsabé se secó. Si el jefe del ejército había elegido otro pretendiente, su espada atravesaría muy pronto el corazón de los parientes de David.

–La voluntad del rey es la de Dios –dijo Banaias con voz ronca–. Que Salomón ordene y obedeceré.

David sonrió. Su rostro recuperó de pronto aquel encanto al que nadie podía resistírsele. El hechizador apartaba la horrenda máscara que le aguardaba.

–Retiraos… Tú, Salomón, quédate.

En cuanto estuvieron solos, el rey apartó con sequedad a su hijo. Asombrado por este cambio de actitud, Salomón vio que en los ojos de su padre se encendía una llama ardiente, casi juvenil, por la que pasaba el ángel de la locura.

–Te consagro mis últimos instantes, hijo… Promete que me obedecerás.

–Soy tu servidor…

–¡No, Salomón! Ahora eres el rey. Tu único señor es Dios. Pero yo, tu padre, tengo que pedirte algo.

El hijo de David se arrodilló y estrechó entre sus manos la del agonizante, cuya respiración se hacía cada vez más rápida.

–Habla y lo haré.

–Gracias te sean dadas, Salomón… Puedes ofrecerme la paz que necesito… Sabes que Joab, el infame traidor, mató a seres que me eran muy queridos, a uno de mis sobrinos entre ellos. ¡Véngame, Salomón! Aplica la ley: ojo por ojo, diente por diente, vida por vida. Suprime a ese asesino. Como rey, eres pues supremo.

Actuarás como te parezca oportuno... Pero por amor a mí, por amor a tu función, no dejes que las canas de Joab bajen en paz a la morada de los muertos.

La voz de David se quebró. Su busto se inclinó. Dios acababa de llevarse el alma del poeta con la voz de miel.

Capítulo 3

Alrededor de la cisterna, los espectadores aullaban. Animaban a su campeón, el hombre más valeroso de Israel, Banaias. En el fondo de la vacía tina, resbalando en un aceitoso charco, se enfrentaba con un león capturado en las montañas. Durante el período de luto que separaba la muerte de David de la coronación de Salomón, el jefe del ejército había considerado oportuno distraer al pueblo demostrándole que su seguridad estaba defendida por un bravo más fuerte que una fiera. Banaias tenía fe en su poder desde que había derribado a un gigante egipcio, arrancándole la lanza con la que le amenazaba y rompiéndole la cabeza a bastonazos. Con las manos ensangrentadas, el israelita no había sentido dolor alguno. La embriaguez de la victoria le hacía invulnerable.

Incapaz de encontrar un apoyo, el león, furioso, atacó a contratiempo. Banaias, acostumbrado a entrenarse en aquella superficie, evitó las zarpas y tomó a la fiera por detrás, encerrando su nuca en la tenaza de sus enormes manos con dedos rígidos como piedras. El aullido de victoria se confundió con el agónico estertor del animal.

La muchedumbre aclamó a Banaias. Apenas tenía tiempo para lavarse y vestirse antes de ir a palacio, donde Salomón le había convocado. Cuando pasó por la calle que llevaba a la residencia real, numerosos ciudadanos saludaron al coloso.

Salomón recibió a Banaias en un austero despacho. Ambos hombres permanecieron de pie. El militar sintió que el hijo de David, vestido con una túnica azul sin costuras, no era ya un príncipe elegante que sólo se preocupaba por la poesía. La gravedad de su expresión, incluso en un hombre joven, revelaba la intensidad de sus preocupaciones.

–¿Estás decidido, Banaias, a servirme como serviste a mi padre?

–Pertenezco a una familia de soldados, majestad. Nací en los confines del desierto, donde se aprende a combatir y a defender la propia vida.

Salomón contempló largo rato a Banaias con sus ojos de un azul profundo. El soldado se sintió subyugado.

–Te nombro jefe supremo de mi ejército y jefe de mi guardia privada –declaró el hijo de David–. Hablaremos a menudo. No te alejes nunca de la corte. Puedo necesitarte en cualquier instante.

Un enorme orgullo dominó a Banaias. David, ciertamente, había reconocido ya su valor. Pero Salomón hacía mucho más.

–Por el santo nombre de Yahvé, me comprometo a ser fiel a mi señor tanto en la alegría como en la pena –juró.

Salomón ocultó su júbilo. Acababa de conseguir la primera victoria de su reinado. Pero ¿cómo podía disfrutar la auténtica felicidad si se sentía obsesionado por la atroz exigencia de su padre muerto?

–Tengo que consultarte, Banaias.

El nuevo jefe del ejército emitió una especie de gruñido.

–Sé combatir, señor, pero no aconsejar a un rey.

Salomón tomó a Banaias del brazo y le llevó fuera del despacho. Atravesaron un corredor y avanzaron por una terraza que dominaba las mansiones de los ricos. Los blancos muros brillaban al sol. En aquel atardecer, la ciudad estaba inquieta. ¿Necesitaría pronto un soberano capaz de gobernar?

–¿Cuáles son los crímenes que Dios condena, Banaias? Rebelarse contra Él, ser idólatra, proferir blasfemias, no celebrar la Pascua, no respetar el sabbat, no circuncidar al propio hijo, entregarse a la magia negra... Pero ¿es un crimen ejecutar las órdenes del rey?

–¡Naturalmente que no! –protestó el jefe del ejército.

–Puesto que así lo crees, Banaias, encuentra a Joab, el enemigo de David.

–Y cuando lo haya encontrado...

–Que tu brazo aplique mi sentencia: la muerte.

–Antes de que nazca el sol de mañana, señor, te habré satisfecho.

Cuando Banaias se hubo marchado, Salomón sintió deseos de gritar de angustia. ¿Cómo negarse a cumplir la última voluntad de David?

El futuro rey de Israel cenó en compañía de su madre, pero no probó alimento alguno. Despidió a los músicos y ordenó que el mayor silencio reinase en palacio.

–¿Por qué tantos tormentos, hijo mío? Dios ha querido que sucedas a David. Cualquier rebeldía es inútil. Respeta su deseo y conocerás días serenos. Permíteme..., permíteme que te presente una petición.

Salomón abandonó su sopor. Su madre adoptaba la actitud de una sirvienta para con su dueño. Ya no le consideraba su hijo sino su rey. Un mundo estaba derrumbándose. Se abría un universo. Tenía que descubrir sus leyes.

–Habla, madre.

–Adonías, un cortesano, ha pedido como esposa una concubina de David. Implora tu consentimiento.

Salomón, pálido, se levantó.

Con el reverso de la mano derramó una copa de vino. Nunca Betsabé había visto a su hijo presa de tan frío furor.

–¿Sois consciente, madre, del significado de esta petición? ¡Las concubinas de mi padre son hoy las mías! ¡Lo que Adonías reclama es el trono!

Salomón no se equivocaba. La petición del cortesano encubría una tentativa de golpe de Estado. Betsabé había cometido un error imperdonable.

–Quien se hace culpable de proclamarse rey en lugar del rey, se condena a desaparecer –recordó.

Cuando Banaias volvió a palacio, Salomón contemplaba la estrella polar. Con la mirada fija en el eje del mundo, del que pendía un hilo invisible que unía el cielo y la tierra, había intentado olvidar los asuntos humanos para llenarse de aquel campo de celestes luces que se extendía hasta el infinito.

Banaias permaneció en la penumbra. Salomón no se volvió.

–He fracasado, señor –murmuró con su voz ronca.

–¿Me has desobedecido acaso?

–Cuando Joab supo mi llegada, se refugió junto a un altar, en la campiña. Un lugar sagrado. Se puso fuera del alcance de mi espada. Será preciso aguardar...

–Nadie puede levantar la mano contra el hombre que busca refugio junto a Dios, salvo si se trata de un criminal –dijo Salomón–. ¿No es éste el caso, Banaias? Joab mató al sobrino de David. Hizo asesinar a sus amigos. ¿Crees que merece tu indulgencia? ¿Crees que Dios aceptará protegerle?

Cuando Salomón levantó de nuevo los ojos a la estrella polar, el caballo de Banaias cruzaba ya una de las fortificadas puertas de Jerusalén.

De acuerdo con las costumbres del luto, Salomón no se había lavado ni afeitado y debajo llevaba ropas viejas.

Mientras un cortejo de plañideras expresaba ruidosamente su pena, el hijo de David se aproximó al cadáver de su padre, puesto en una narria de madera en medio de la explanada que se abría ante el palacio. Los despojos mortales habían sido lavados con aceite oloroso y perfumados con mirra y madera de áloe.

Una túnica púrpura cubría el cadáver. A su derecha, el arpa con la que se acompañaba para cantar; a la izquierda, la espada con la que había combatido. En la frente de David brillaba una diadema.

Salomón besó a su padre en la sien. Era el último beso, el del amor filial que sobrevivía más allá de la muerte. Así, el alma del anterior soberano pasaba a la del futuro rey.

Betsabé encabezaba el cortejo, seguida por las plañideras que entonaron una melopea apoyada en una melodía de flauta de lúgubres tonalidades. La viuda era el símbolo vivo de Eva que, tras haber introducido la muerte en la especie humana, tenía que abrirle paso hacia el otro mundo.

Cuanto más avanzaba la procesión, más se animaban las mujeres, cubriéndose la cabeza de polvo y lanzando desesperados gritos. Betsabé, cuyo majestuoso porte impresionaba a la muchedumbre que se apretujaba en el recorrido que llevaba a la tumba, no tomó el camino habitual de los funerales, que iba hasta el valle de Josafat, a más de cincuenta codos de la ciudad, sino que se dirigió hacia la más alta muralla de la fortificación.

A media altura se había excavado un profundo sepulcro, de bóveda rebajada, al que se accedía por una rampa. En su interior, la piedra había sido toscamente tallada. Salomón, Banaias y Sadoq, el sumo sacerdote, tiraron de la narria. El hijo de David penetró solo en la tumba y meditó largo rato junto al cadáver que reposaba en una banqueta calcárea. A su cabeza había un envoltorio de aromas que evocaban el suave olor del Edén ofrecido a David.

En cuanto Salomón abandonó la última morada de su padre, Banaias obstruyó la abertura con un bloque de piedra que los albañiles ajustaron disimulándolo. La memoria de los siglos olvidaría, los huesos y las carnes se descompondrían pero David seguiría presente en las fortificaciones de su capital, dispuesto a defenderla contra las tinieblas.

En el ágape que reunió a Salomón, Betsabé y los miembros del consejo de la Corona, el único alimento fue un pan de luto consagrado por el sumo sacerdote. Cada comensal tenía derecho a un vaso de vino.

Al servir a Salomón, Banaias se inclinó y murmuró a su oído:

–Se ha hecho, señor. El criminal ha sido castigado.

El jefe del ejército había arrancado a Joab del altar, donde se agarraba aullando con los dedos ensangrentados. Luego, lo había degollado. Más tarde, se había dirigido a casa de Adonías, infligiéndole la misma suerte por alta traición y maquinación contra el rey, obedeciendo así las órdenes de la viuda de David. El monarca difunto descansaría, pues, en paz.

El vino ritual abrasó la garganta de Salomón.

Al día siguiente, sería coronado.

CAPÍTULO 4

La mula de hermoso pelaje gris perla trotaba cadenciosamente por el camino de Gihón, donde se hallaba la fuente principal utilizada por los habitantes de Jerusalén y donde había sido construido el santuario del Arca. En sus lomos, Salomón, magnífico con su túnica roja de hilos de oro, se preparaba para la ceremonia de la coronación que crearía, a los ojos de Dios y de su pueblo, el nuevo rey de Israel.

Bajo un tierno sol, pronto hubieron recorrido el trayecto. Salomón comulgaba con el animal, gracias al ritmo de su carrera, olvidando todo lo que no fuera el instante presente.

Ante el Arca estaban el sumo sacerdote, Sadoq, y Natán, el preceptor. Llevaban túnicas sin teñir. Sadoq había tenido que renunciar a su lujoso ropaje oficial pues, en aquella sagrada jornada, sólo el rey debía aparecer con toda la riqueza de sus atributos.

Salomón bajó de la mula y le acarició el cuello. Luego dio nueve pasos, deteniéndose entre Sadoq y Natán, frente al Arca descubierta. Un cordón de soldados mantenía alejados a los cortesanos. Lo que en Gihón ocurriría sólo debía ser contemplado por Dios y sus más próximos servidores.

Sadoq y Natán alzaron sobre la cabeza de Salomón un cuerno lleno de aceite y vertieron lentamente el contenido en el occipucio del soberano.

–El espíritu desciende sobre ti –reveló el sumo sacerdote–. Hace sagrada tu persona. En adelante, la gracia divina inspira tu corazón. Tu pasado ha desaparecido. Te conviertes en el Mesías de Israel, su salvador y su rey.

Natán entregó a Salomón el cetro de oro y ciñó su frente con una diadema de oro.

Tras haber saludado a los dos querubines que custodiaban el Arca de la Alianza; el sumo sacerdote la abrió. Sacó las Tablas de la Ley y las alzó ante Salomón, que las vio por primera vez tal como habían sido grabadas por la mano de Dios.

—¡Eterna es la Ley del Eterno! —proclamó Sadoq.

Salomón, coronado y con los brazaletes de David en las muñecas, se instaló en el trono. Leyó el decreto de Yahvé que le reconocía como monarca y establecía con él un pacto de alianza que sólo podrían destruir la indignidad y la muerte.

Se abrieron las puertas de la sala.

Sonaron las trompetas. El pueblo, reunido bajo la colina, gritó unánimemente «¡Viva el rey Salomón!», feliz por haber escapado a una guerra civil. La fiesta disiparía las últimas angustias.

Salomón se acostumbraba al trono de marfil y de oro, con el respaldo rematado por dos cabezas de toros. Dos cuerpos de león servían de brazos. El rey había adoptado espontáneamente la actitud que le permitía ocupar con dignidad la ilustre sede.

Dignatarios y cortesanos rindieron homenaje a Salomón mientras el vino corría a ríos por las calles de Jerusalén. Todos advirtieron la sorprendente prestancia de un hombre tan joven que no parecía sentir temor alguno a reinar.

Dos condenas a muerte, una pronunciada por su padre y la otra por su madre. Dos ejecuciones antes de que empezara el reino de Salomón. El ritual de la coronación había borrado su pasado. Pero ¿cómo apartar esos actos de su memoria? ¿No roerían su conciencia, día tras día?

Salomón se había instalado en un palacio que no le gustaba. Inquietantes sombras brotaban de las paredes. Hasta aquel día, el hijo de David no había emitido crítica alguna sobre el modo como Israel había sido gobernado. El silencio era su ley. La función que Yahvé le había confiado le obligaba a ser lúcido, aun al precio de laceraciones cuya gravedad sólo él conocía.

¿Quién había sido el famoso rey Saúl? Un campesino que se alimentaba del producto de sus tierras, conducía él mismo sus rebaños, le gustaba dormir al aire libre y consideraba Israel sólo como un campo fértil. El mundo exterior no le interesaba. Los demás pueblos eran sólo ladrones que pretendían despojarle.

¿Quién había sido David, si no un pastor embriagado por danzas campesinas y rústicos juegos, un insaciable enamorado que había preservado el modo de vida tradicional de los hebreos, olvidando que el universo se modificaba a su alrededor? David, como sus predecesores, había creído que su país era un islote emergiendo de un océano hostil.

Construir un nuevo palacio: ésa sería la primera tarea de Salomón. El rey de Israel no podía residir en tan modesta morada, que apenas le diferenciaba de sus más ricos cortesanos. Era preciso dar a la monarquía el brillo que merecía. El dueño del Estado hebreo no debía ya ser comparado a un jefe de clan.

Salomón se sentó en los peldaños de la escalera que llevaba a la capilla real, tan pobre y desnuda que Dios no debía de complacerse mucho residiendo allí. Pero David se había negado obstinadamente a construir otro santuario. El Arca de la Alianza tenía un abrigo seguro, ¿por qué aspirar a más?

El rey evitó la sombra de un serbal arbustivo donde solían refugiarse los genios malignos. Tenía que pensar en organizar su gobierno, en poner a su lado hombres responsables, de amplias miras, ambiciosos para Israel y no para sí mismos. Lo que Salomón estaba concibiendo, le asustaba. ¿Tendría la audacia de concretar sus proyectos? ¿No chocaría con tan violenta oposición que le obligara a renunciar?

Una mujer se sentó a su lado; su madre, Betsabé, desprovista de todo ornamento en señal de luto.

–Has evitado la mala sombra, hijo mío. Tu reino deberá extenderse a plena luz. No olvides que los humanos, aunque sean tus súbditos, prefieren las tinieblas.

–Os sentaréis a mi diestra, madre. Sois la gran dama de Israel y seguiréis ejerciendo vuestra influencia en la corte.

–No, hijo mío. Precisamente quería hablar de eso contigo, sin más tardanza. Me limitaré a los honores. No eres rey para compartir tu poder. Tú, y sólo tú, tomarás las decisiones. Mis consejos sólo podrían importunarte. He cometido una falta grave. Pertenezco a una época ya pasada, la era de David a la que, en lo más profundo de tu corazón, juzgas con la mayor severidad.

Salomón no protestó.

–Hasta hoy creí percibir la realidad –prosiguió ella–. Privada de la presencia de David, necesito descanso. Permite que me retire a la quietud del palacio.

Salomón no deseaba obligar a Betsabé a reconsiderar una decisión que había meditado durante largo tiempo.

La reina abrió la mano derecha, en la que había un anillo de oro, y se lo puso en la palma de la mano izquierda de su hijo.

–Una manzana de oro en un cincelado de plata, como la palabra de un sabio –dijo Betsabé–. ¿No es acaso tan perfecta como ese anillo que perteneció a David y, antes, a nuestro padre Adán? Guárdalo cuidadosamente, Salomón. Cuando le des vueltas en tu dedo, conocerás el mensaje del viento, más allá de las cumbres de las montañas. Tu espíritu sobrevolará esos paraísos donde crecen inalterables cosechas, donde de los pámpanos nacen perlas. Hablarás el lenguaje de los pájaros, percibirás las intenciones de los seres, someterás los espíritus. Las bestias salvajes se prosternarán a tus pies y lamerán tus sandalias. Éste es el anillo del poder. Te servirá mientras obedezcas a Dios. Tu pensamiento se extenderá de un extremo al otro de la Tierra y llegará al cielo. Pero si abandonas el camino de la Sabiduría, te convertirás en la más miserable de las criaturas. Así lo quiere el destino de los reyes.

Salomón contempló el extraño objeto. Era un sello en forma de estrella en cuyo interior se habían grabado las cuatro letras que formaban el nombre secreto de Yahvé. Al hijo de David le habría gustado obtener más explicaciones de su madre, pero ésta se levantaba ya para regresar a sus aposentos.

Natán copiaba en un papiro de calidad un texto muy antiguo cuyo original estaba pulverizándose. Trataba de la salida de los hebreos de Egipto. No le sorprendió ver entrar a Salomón en la biblioteca.

–Esperaba vuestra visita, majestad.

–¿Por qué, Natán?

–Porque vuestro reinado ha comenzado en el momento de la unción. Tenéis grandes designios y no perderéis tiempo para llevarlos a cabo.

–¿Cuáles? –preguntó el rey intrigado.

Natán apartó varios rollos de papiro que llenaban un anaquel. Descubrió un enorme rubí y lo presentó a Salomón.

–David me confió esta piedra preciosa el día siguiente de su entronización. Es el secreto de los reyes. Según los primeros profetas, el jefe de los ángeles se lo entregó a Moisés en la cima del monte Sinaí. Es la prenda de la Alianza. Por su presencia, el aliento de todo ser vivo celebra al Eterno. El monarca que la posee reina sobre las criaturas del aire, del agua y de la tierra. Cuando desea su apoyo, basta con levantar esta piedra hacia las nubes y llamarlas. ¿Lo deseáis, dueño mío?

Salomón: tendió la mano y la cerró sobre el rubí.

–¿No es esta piedra celestial... la base sobre la que debe levantarse el templo de Dios?

Natán pareció ignorar la pregunta.

–A menudo hemos hablado de ello, preceptor. Me gustaría abandonar la capilla y construir un nuevo santuario. Mi padre rechazaba violentamente esta idea. Vos la aprobabais.

–En efecto –reconoció Natán.

–Múltiples templos pequeños por todo el país... no bastan.

–Es cierto –confesó el preceptor.

Salomón se sorprendió. Natán sonreía.

–Tenía gran influencia sobre vuestro padre. Renuncio a ejercerla sobre vos. Yo impedí a David iniciar una gran obra en Jerusalén.

–¿Por qué?

–Porque el edificio de David se habría derrumbado, a causa de sus pecados.

El rey no tuvo tiempo de meditar sobre las palabras de su preceptor. Apenas hubo salido de la biblioteca de Natán le abordó Banaias. El jefe del ejército estaba sumido en la angustia.

–Señor..., los tres hijos de un jefe de clan solicitan vuestro arbitraje. Si no obtienen satisfacción, amenazan con lanzar sus tropas unas contra otras.

El peligro era real. Si Salomón fracasaba en su intento de conciliación, habría decenas de muertos. Y se vería obligado a mandar sus propios soldados contra los rebeldes.

–Convócales en la explanada. Allí pronunciaré la sentencia.

Banaias estaba aterrado. ¡Un juicio! David no se habría atrevido a utilizar ese procedimiento. Habría intentado apaciguar a los querellantes y, en caso de fracaso, habría hecho contra ellos una guerra expeditiva.

Los cortesanos se habían reunido para asistir al juicio. Muchos apostaban por el fracaso del rey, que le condenaría a renunciar al trono. Despertaban decepcionadas ambiciones.

Salomón se sentó en una silla de tijera, en el centro de la explanada, frente a tres jóvenes que llevaban en sus brazos el cadáver de un anciano de negra barba.

–¿Qué deseáis? –preguntó el rey.

–Lo que se me debe –respondió el mayor de los tres hermanos–. Mi padre, en su lecho de muerte, reveló que sólo uno de nosotros tres era su hijo y que le legaba la totalidad de sus bienes.

Entregó el alma antes de designarlo. Sé que soy su hijo. Estos dos impostores niegan mi derecho.

–Nadie puede conocer el secreto de los muertos –afirmó el menor–. Repartamos.

–Me niego –dijo el tercero–. La voluntad de mi padre debe ser respetada.

–Entregad a Banaias el cadáver de vuestro padre –ordenó Salomón–. Lo atará a una columna, al final de la explanada. Dará un arco y una flecha a cada uno de vosotros. Apuntaréis al cadáver. El que tire mejor, será el heredero.

Unos murmullos se levantaron de la concurrencia. Los tres litigantes estaban obligados a aceptar.

El mayor fue el más rápido. En cuanto Banaias se apartó del cadáver, disparó. El proyectil le traspasó la mano. El menor, satisfecho por aquel tiro mediocre, apuntó durante algún tiempo. La flecha se clavó en la frente del muerto, el tiro era perfecto. El más joven tendió el arco, apuntando hacia el corazón. Furioso, arrojó el arma al suelo.

–Es indigno –protestó–. No seré el asesino de mi padre, aunque sólo sea un cadáver. Prefiero ser pobre.

Entonces abandonó la explanada a grandes pasos. Salomón le llamó.

–Quédate y sé el digno heredero de un jefe de clan. Sólo tú puedes ser su hijo.

–¡Viva el rey Salomón! –gritó Banaias.

Pronto resonaron cien voces más.

CAPÍTULO 5

El mayordomo de palacio, encargado de organizar la vida de la corte real, estaba muy nervioso. Por cuarto día consecutivo, se negaba a abrir las puertas de la morada del soberano a los cortesanos que pedían audiencia. Las protestas, cada vez más numerosas y acerbas, iban ampliándose. Pero el mayordomo, hombre jovial y panzudo, permanecía inflexible. Llevando la llave de la puerta principal al hombro y custodiando el sello real, hablaba cada mañana con el monarca que le indicaba el nombre de las personas que aceptaba recibir. El alto dignatario esperaba, en el umbral, mientras duraban las audiencias. La jornada era, a menudo, larga y fastidiosa. Pero su posición despertaba tantas envidias que aceptaba de buena gana los inconvenientes.

Salomón había trastornado sus hábitos encerrándose en su gabinete de trabajo, donde el mayordomo de palacio le llevaba las listas de los funcionarios que formaban la administración del país. Salomón las estudiaba con extremada atención.

Aquella actitud sólo podía anunciar profundos cambios. El propio mayordomo de palacio no se hacía ya muchas ilusiones. El nuevo rey estaba decidido a modificar la jerarquía. El heraldo era también de su opinión; antiguo granjero de tez bronceada que debía su fortuna a David, tenía por misión indicar al rey lo que ocurría en el país y dirigir las ceremonias oficiales. Su porvenir le preocupaba. El silencio de Salomón no presagiaba nada bueno.

Mientras el ocaso ofrecía a Jerusalén sus últimos fulgores, Salomón convocó al mayordomo y al heraldo. Incómodos, ambos dignatarios comparecieron juntos ante el monarca, a cuyo alrededor había varios papiros desenrollados. El rostro del rey no revelaba su fatiga.

–Los funcionarios nombrados por mi padre permanecerán en sus puestos –indicó Salomón–. La administración es correcta. Añadiré doce prefectos que, por turnos, avituallarán la casa real. Proporcionarán, cada día, cebada y paja para los caballos y las bestias de tiro. Traerán harina y llevarán al matadero diez bueyes cebados, veinte de pasto y un centenar de corderos. Que mis cocineros repartan equitativamente los alimentos. Tú, heraldo, harás públicas mañana estas decisiones.

El dignatario, radiante, se retiró. Conservaba su puesto.

El mayordomo de palacio, inquieto, se atrevió sin embargo a hacer una pregunta.

–Señor, ¿a quién recibiréis mañana?

–Sólo a uno, Elihap.

–Temo que vuestro deseo...

–No es un deseo, sino una orden –rectificó Salomón–. Elihap forma parte del personal de este palacio. Está al servicio del rey de Israel.

–Es que... Elihap es de origen egipcio y...

–Continúa.

–Sin duda vuestro padre lo ignoraba y lo contrató porque hablaba varias lenguas.

–Es una cualidad.

–Sin duda, señor, pero Elihap cometió una grave falta.

–¿Cuál?

–Cuando su padre falleció, poco antes de la muerte de David, quiso enterrarle según los ritos egipcios. Protestamos y...

–Lo amenazasteis incluso –añadió el rey.

–Sin duda interpretó mal nuestra advertencia.

–¿Dónde está ahora?

–Elihap huyó –reveló el mayordomo de palacio.

–Se oculta. El heraldo y tú tenéis que encontrarlo antes de que amanezca.

45

–Majestad...

La mirada de Salomón no toleró réplica alguna.

Elihap fue introducido en el gabinete privado de Salomón poco después de que amaneciera. Era un hombre cansado el que se arrodilló ante el soberano. Sin embargo, bajo los harapos se advertía un orgullo que la adversidad no había doblegado. Calvo, de unos cincuenta años, alto y con ojos negros y penetrantes, Elihap no temblaba ante el monarca que iba a pronunciar su condena.

–¿Jerusalén reina efectivamente sobre Israel? –preguntó Salomón.

La pregunta sorprendió a Elihap. Apelaba a sus competencias de antiguo secretario de palacio.

–No, majestad. Las provincias disponen de una real autonomía con respecto a la capital.

–¿Cómo se perciben los impuestos?

–Bien en especies o bien en forma de trabajos realizados en las obras del rey.

–¿Cuántas hay?

–Muy pocas. Dos o tres en las provincias, una en Jerusalén para la restauración de una parte de la muralla sur.

–Siéntate ante ese escritorio, Elihap.

Con manifiesta alegría, el egipcio recuperó su cálamo, un rollo de papiro y un recipiente lleno de tinta negra. Adoptó fácilmente la postura del escriba, con el busto erguido y las piernas cruzadas ante él.

–Vas a ser mi secretario y mi hombre de confianza –indicó Salomón–. Tú escribirás los decretos. Comencemos por el que precisa tus atributos. Redactarás la correspondencia interior y exterior de palacio, recogerás y anotarás el producto de las contribuciones, dirigirás la cancillería.

Elihap redactó con mano rápida y segura.

–¿Cuál es tu dios? –preguntó Salomón.

El egipcio dejó el cálamo en el escritorio. La trampa se abría ante él. No la evitó.

—Venero al dios Apis. Es lo que mi nombre significa: «Apis es mi señor». En él se encarna el dios supremo.

Al pronunciar aquellas palabras, Elihap se condenaba. En el país del dios único, celoso de su supremacía, nadie tenía derecho a exponer semejantes creencias. Pero el egipcio no quería seguir viviendo como un recluso ni negar el camino de su corazón.

—¿Cuál es la naturaleza de ese dios supremo? —interrogó el rey.

—Es Luz —repuso el secretario—. El toro Apis es el símbolo terreno de su poder. Por ello el faraón lleva en su paño una cola de toro.

—También el dios de Israel es Luz. Escucha lo que tu fe te enseña, Elihap. Pero aprende a contener tu lengua. Toma de nuevo tu cálamo. Tenemos mucho trabajo.

Olivos e higueras protegían el valle del Cedrón de los ardores del sol. El lugar era dulzura y paz. Los ruidos de la capital se rompían en la ladera de las colinas circundantes. Sin embargo, pocos eran los que se aventuraban por aquellos apartados lugares. Allí, en efecto, se había dispuesto un cementerio donde dormían famosos héroes, como Absalón.

El rey Salomón oraba al Señor ante la tumba de Natán.

El preceptor había muerto una noche de plenilunio, durante su sueño. Su rostro revelaba una serenidad perfecta, la de un servidor que había sabido no ser servil. Con su desaparición moría la adolescencia de Salomón. En adelante, no tendría ya confidente, no tendría amigo con quien hablar, no tendría a nadie con quien compartir sus dudas y angustias. Natán lo había educado, lo había formado para su oficio de rey sin inculcarle la vanidad de creer que presidiría algún día los destinos de Israel. Había desaparecido tras su enseñanza para ampliar mejor la conciencia de su alumno. Había consagrado su vida a lograr que Salomón se formara lejos de los rumores y las intrigas de la corte.

El rey había excavado con sus propias manos la tumba de su preceptor. Había rechazado la presencia de las plañideras para comulgar, en el perfumado silencio del valle del Cedrón, con el alma de quien lo había alzado hacia su verdadero ser.

Salomón ignoraba si se mostraría digno de las esperanzas de Natán. Solo, abandonado por sus íntimos, obligado a reinar sin poder compartir la responsabilidad, intentaría construir su pueblo y su país para gloria del Altísimo.

Lo juró sobre la tumba de Natán.

Capítulo 6

¿Acaso no había proclamado David: «Crearé Jerusalén para mi gozo y a sus habitantes para mi alegría»? ¿No le había dado su nombre ordenando a sus fieles que vivieran allí para ganar su salvación? ¿No se había instalado en esa ciudad para convertirla en ciudad santa, el centro de la revelación? David había vivido en ella porque estaba situada en el límite de los dos reinos de Judá e Israel, afirmando su vocación conciliadora. ¿No recibiría Jerusalén, en el interior de sus muros cubiertos de oro, en sus calles empedradas de rubíes, al final de los tiempos, a los elegidos? Aquel admirable destino, que Salomón quería hacer realidad durante su reinado, podía ser contrariado por un grave acontecimiento. La sala del trono acababa de ser invadida por los ricos que hablaban en nombre de las quince mil almas que habitaban la capital.

–La situación es desesperada, señor –declaró el heraldo que había recibido las quejas–. La ciudad alta carece de agua. La única fuente, la de Gihón, ha sido contaminada y no podrá utilizarse antes de un mes. La penuria llegará pronto a los barrios bajos. Pueden producirse motines.

David se había enfrentado al defectuoso abastecimiento de agua de la capital. Había respondido con una durísima represión a las tentativas de levantamiento.

–No enviaré mis soldados contra los habitantes de Jerusalén –dijo Salomón–. Tienen razón, la situación es intolerable.

Sentado al pie del trono, Elihap, el secretario egipcio que había asumido oficialmente su función, anotaba las frases que se decían en tan excepcional audiencia.

–Confío a Banaias una misión pacífica –anunció Salomón–. Los hombres empleados en los trabajos de las obras de provincia formarán equipos de porteadores para traer hasta Jerusalén el agua de las fuentes situadas a una hora de camino. En cuanto Gihón haya recuperado su pureza, haremos canalizaciones para almacenar el agua en depósitos.

El heraldo, hablando en nombre de un anciano notable, presentó una objeción.

–Serán necesarios varios meses, señor, para realizar vuestros proyectos.

–Algo menos de un año, debido a los pocos equipos de obreros de que disponemos.

–Las cisternas están vacías –recordó el mayordomo de palacio–. ¿Qué será de nosotros en los días próximos?

–Hoy lloverá. Confiad en Dios y en su rey.

Salomón se levantó. La audiencia había terminado.

Jerusalén esperaba, ansiosa.

Un gran cielo azul desplegaba su intensa luz sobre la ciudad. Los ancianos conocían los signos de la naturaleza lo bastante como para saber que tardaría mucho en llover. Salomón se había equivocado comprometiéndose y desafiando al Señor de las nubes. El hijo de David era sólo un fanfarrón que se arrepentiría de sus pretensiones.

A mitad del día, Salomón subió a lo alto de su palacio. Desde la más alta torre de vigía, permanentemente ocupada por un arquero que fue despedido, se acercó al firmamento que debía ofrecer el agua salvadora.

–Tú que reinas en la luz, escucha mi plegaria –musitó el rey–. ¿Cómo va a sobrevivir tu país si tus cielos se cierran y nos privan de la lluvia? Escúchame. No siembres la desgracia en tu ciudad. Haz que llueva sobre la tierra que diste en heredad a tu pueblo.

Salomón dio tres veces la vuelta al anillo de oro que llevaba en el dedo meñique de la mano derecha. Llamó a los espíritus del viento y les ordenó que produjeran la aparición de una tormenta.

Cuando la primera nube negra, con el vientre hinchado como un elefante del país de las maravillas, surgió de las montañas del norte, Salomón dio las gracias al Señor.

El alfarero, avisado por sus aprendices, salió presuroso de su vivienda con el suelo de tierra batida. Se ciñó un paño a la cintura y contempló el increíble espectáculo.

Salomón, su secretario Elihap, Banaias el jefe del ejército y una escuadra de soldados acababan de descabalgar ante su taller, en el centro de una pequeña aldea de Judea que nunca había tenido el honor de ver detenerse un rey.

Desde que Salomón había obtenido agua en cantidad suficiente para llenar las cisternas de Jerusalén, su fama había llegado a todas las provincias. Aunque los sacerdotes formularan algunas reservas, evocando una feliz coincidencia, los más humildes clamaban su creencia en una nueva era de prosperidad que transformaría Israel en aquel paraíso que Moisés había soñado.

El rey se demoró junto al torno del alfarero. ¿Cómo no pensar en el trabajo de Dios creando la especie humana con aquel instrumento, perfecto entre todos, arrancando a la arcilla las vivas formas que moldeaba con su mano y su espíritu? En Egipto era el dios carnero quien creaba al mundo en su torno. Los hebreos habían conservado aquel simbolismo, sus artesanos habían aprendido el oficio en la tierra de los faraones. Salomón soñaba en el universo que quería extraer del caos. ¿No se debían al alfarero tanto los objetos más cotidianos como los jarrones más refinados, tanto las pequeñas jarras como las grandes vasijas para el grano, las lámparas como los juguetes? Salomón imitaría al artesano. Daría a su pueblo la riqueza material. Pero ésta sólo perduraría si surgía de la abundancia espiritual. Por ello el rey intentaba franquear una nueva etapa al reunir, lejos de sus feudos, a los jefes de las doce tribus de Israel. Rubén, Simeón, Leví, Judá, Zabulón, Issacar, Dan, Gad, Aser, Neftalí, José y Benjamín. Aquellos hombres, ricos y poderosos, grandes terratenientes, habían rivalizado en elegancia para encontrarse con su rey en aquel lugar indigno de su grandeza. Sus particulares tocados, utilizando peinetas de oro o de marfil, habían compuesto refinados peinados con flotantes rizos o largos mechones aceitados que caían por la espalda. Los cinturones, ciñendo al talle túnicas de vivos colores, estaban adornados con diamantes y rubíes. Junto a los jefes de tribu, Salomón parecía casi un hombre del pueblo.

Les rogó que se sentaran en las esteras que Banaias había colocado al pie de una higuera cuya sombra no tocaría a nadie. Sus invitados, intrigados, se preguntaban la razón de aquella extraña convocatoria. Salomón les ofreció un plato de pepino, cebolla y lechuga. Algunos comieron con apetito, otros desconfiaron. Los reyes habían utilizado a menudo el arma del veneno para librarse de sus adversarios. ¿No se afirmaba, acaso, que Salomón deseaba reinar como monarca absoluto?

–He plantado viñas, creado huertos y vergeles, construido depósitos de agua para regar las plantaciones, os he dado servidores, rebaños de bueyes y ovejas –indicó el monarca–. Gozáis de un bienestar desconocido hasta hoy. ¿Por qué desconfiáis de mí?

–Nos has enriquecido, pero tal vez sea sólo una artimaña para adormecer nuestra vigilancia –dijo el jefe de la tribu de Dan–. No eres hombre que conceda regalos sin pedir nada a cambio.

–Dices verdad –admitió Salomón–. Nadie discute vuestros derechos. Sin vosotros, las provincias estarían abandonadas. Pero debéis fidelidad al rey.

–¿Quién se atreverá a rebelarse contra ti? –se indignó el jefe de la tribu de Leví–. ¡Combatiré a quien lo haga!

Sus pares, con mayor o menor celeridad, aprobaron inclinando la cabeza.

–Sé que cuento con vuestra lealtad, pero no me basta –juzgó Salomón.

Los jefes de clan se miraron mutuamente sorprendidos.

–Mientras sigáis siendo rivales, Israel será un Estado débil. Vuestra única oportunidad de conservar lo que habéis adquirido es el rey. Convertiré Jerusalén en una verdadera capital. Haré de nuestro pueblo el más poderoso y el más glorioso. Necesito vuestra absoluta sumisión. Seguiréis dirigiendo vuestros clanes, pero seréis mis obedientes vasallos. Si necesito hombres, me los enviaréis poniendo el interés del país por encima del vuestro. Si reclamo nuevos impuestos, los cobraréis por mí y guardaréis parte de ellos. Responderéis diligentemente a todos mis deseos. No por mí sino por Israel. Quiero vuestra respuesta, aquí y ahora.

Salomón había hablado en un tono muy suave, amistoso, pero el vigor de sus frases estaba intacto. Los jefes se reunieron tras la casa del alfarero, donde el rey se había instalado aguardando su decisión.

El artesano decoraba una jarra para vino. Pese a la presencia del monarca, prosiguió su trabajo.

–¿Qué esperas de tu rey, alfarero?

–La felicidad de mis hijos.

–¿De qué depende?

–De la paz, señor. Es la madre de todas las alegrías. La gloria que nace de la guerra es la desgracia de los humildes. Pero ¿qué rey lo recuerda?

–Salomón no lo olvidará.

La deliberación duró tres horas.

Tres horas durante las que el soberano miró cómo giraba el torno del alfarero, cuya música le encantaba. Aquellos momentos iban a ser inolvidables recuerdos o el postrer sobresalto de la existencia del guía de Israel... La visión de las hábiles manos liberó de angustia y tinieblas el espíritu del rey. Se sintió aéreo, indiferente a su porvenir.

El jefe de la tribu de Dan, en nombre de las otras once familias, presentó a Salomón el resultado de sus deliberaciones.

–Fui el último en convencerme –confesó–. Pero hay unanimidad. Aceptamos.

–Sin una gran visión, el pueblo vive sin horizontes –dijo Salomón–. Afortunado quien percibe el pensamiento del rey, pues puede ver a lo lejos.

El jefe de la tribu de Dan escrutó el alma de Salomón.

No descubrió la vanidad de un tirano sino la voluntad de un rey.

53

Capítulo 7

Salomón había unificado Israel. Jerusalén, el centro religioso de David, se había convertido en la capital de un reino cuyo dueño indiscutible era el joven soberano a quien se atribuían poderes mágicos. Los jefes de las tribus se felicitaban por su decisión. Desaparecido el fantasma de la guerra civil, terminados los conflictos internos, todos pensaban sólo en vivir más felices, en hacer más fértil la tierra o más productivos los talleres. Los ricos se enriquecían, los pobres se hacían menos pobres. Y el sumo sacerdote recordaba que Natán había visto la Sabiduría inscrita en la frente de Salomón.

El rey trabajaba sin descanso. El palacio, tan apagado y frío en la época de David, parecía una colmena en perpetua actividad. Elihap no dejaba de anotar los decretos reales que, a pequeñas pinceladas, modificaban la administración y la volvían eficaz. Salomón había comprendido Israel en menos de dos años de reinado. Desde la cumbre del Estado hasta el más minúsculo poder local, lo conocía todo de su país. El secretario particular había demostrado su notable competencia, aprovechando sus bien establecidos expedientes o las precisas informaciones que se habían acumulado en el transcurso de los meses.

La primera etapa de la obra de Salomón estaba concluyendo.

Tenía que iniciar la segunda: construir, transformar los soldados en obreros, cerrar los cuarteles y abrir talleres. Parecía indispensable convencer a Banaias. Israel conservaría un cuerpo de élite, capaz de defender la Corona, pero reduciría su esfuerzo bélico.

54

Varios decretos reales estaban ya listos cuando fue convocado el jefe del ejército. El rostro del coloso, tan poco expresivo por lo común, revelaba un profundo desamparo. Salomón supo enseguida que algo grave había ocurrido.

Banaias era incapaz de hablar. Entregó al rey una tablilla de madera cubierta por un texto redactado por el gobernador de Damasco. Estaba escrito en arameo. Salomón lo leyó dos veces.

–¿Qué..., qué decidís, señor?

–Primero tengo que reflexionar. Luego, decidiremos juntos.

El jefe del ejército se retiró.

Elihap consideró necesario quebrar el monólogo interior del rey.

–¿Ha cometido una tribu algún acto belicoso, majestad?

–Es desastroso, Elihap. Un general arameo, un verdadero satán, ha atacado la población de Damasco; se niega a someterse a mi autoridad y ha diezmado nuestra guarnición, que ocupaba el oasis vigilando las rutas procedentes de Palestina y Fenicia. ¡El rebelde ha proclamado la independencia de su reino de Damasco!

El secretario comprendía la decepción de Salomón. Aquel golpe de mano arruinaba sus proyectos. David no había perdido Damasco.

–Entonces, es la guerra, majestad.

–No, Elihap. Me niego. Si intento recuperar Damasco, será necesario combatir contra los aliados del arameo. El círculo infernal volverá a comenzar.

–En ese caso, será la vergüenza. Os reprocharán vuestra debilidad. Vuestra obra se derrumbará.

–Un día..., necesito un día. Tráeme un mapa detallado del país.

¿Dónde estaba la Sabiduría? ¿No se escondía acaso en un abismo tan profundo que era necesario defender con una cuerda de luz trenzada por los ángeles, más larga que el tiempo? ¿Era necesario encerrarse en una jaula de claridad y sumirse en el abismo insondable cuyo fondo no podía alcanzarse todavía tras doce veces treinta días y doce veces treinta noches? Sólo Dios había recorrido el camino de la Sabiduría y conocía el lugar donde moraba.

Estudiar el mapa de Israel fue, para Salomón, una inesperada enseñanza. Lo que había imaginado era sólo una pretenciosa utopía. Disminuir el ejército había puesto en peligro el país. La toma de Damasco era una advertencia divina que devolvía al rey al buen camino.

Salomón convocó a Banaias y Elihap. Aquel consejo de guerra restringido bastaría.

—Damasco se ha perdido —consideró—. Es sólo un oasis sin valor. El revés se olvidará muy pronto, tanto más cuanto los territorios que controlamos son ya más numerosos que cuando vivía mi padre. Ese maldito arameo turbará por mucho tiempo mis sueños. Sin embargo, me ha descubierto que es urgente reforzar nuestro dispositivo de defensa. Comenzaremos fortificando Palmira, luego reorganizaremos el ejército. Cuando sea lo bastante numeroso, impresionará al enemigo y ya no tendrá que utilizar sus armas.

Banaias no comprendía el discurso de su rey. ¿Por qué privar de combate a los soldados? Pero confiaba en el juicio de Salomón.

Corderos de gordas colas, de más de diez kilos, pasaron ante la silla de mano de Salomón, colocada bajo un cenador. A mediados de otoño, la campiña de Jerusalén alegraba la vista. El calor de mediodía era agradable tras el frescor matinal. Después de varias semanas de labor, el rey disfrutaba unas horas de reposo, lejos de palacio.

«Tenemos un gran rey», afirmaban los hebreos, cada vez con más fuerza, cada vez en voz más alta. Pero Salomón tenía conciencia de reinar en un pequeño país que nada era frente al gran

Egipto. Israel..., el bosque, la llanura y el desierto, un cielo de fuego, rocas abrasadas por el sol, ríos que trazaban su curso entre riberas, áridas a veces, herbosas otras. Apenas una hora de camino separaba las desecadas soledades de las verdeantes extensiones. Una tierra santa, ofrecida por Dios, de Dan a Bersabee, de las laderas del Hermón a las estepas de Moah. Un pueblo que el rey había defendido contra sí mismo y al que debía preservar de los peligros exteriores.

Tras haber conseguido la instalación de una red de canalizaciones que llevaba el agua a Jerusalén, Salomón se había preocupado del estado de las vías de comunicación. La gran carretera que llevaba a la capital había sido empedrada con basalto; los demás caminos, seguros ya para los mercaderes, habían propiciado el establecimiento de continuas relaciones económicas entre las provincias, así como el paso de los carros del ejército cuya misión había impresionado a los espías extranjeros.

Una vez suprimidos los conflictos internos, Salomón había reorganizado tranquilamente su ejército, repartiendo sus treinta mil infantes en unidades de cincuenta, cien y mil hombres dirigidos por oficiales. Las guerras que David había hecho contra los filisteos, los edomitas, los amonitas, los moabitas y los arameos habían desembocado en la formación de un imperio israelita que, sin poder compararse con el del faraón, poseía sin embargo una indiscutible coherencia. En varios discursos a los distintos regimientos, Salomón les había advertido de que no haría una política de expansión territorial sino de defensa del país, santuario de Yahvé. Por ello, el más poderoso ejército que Israel hubiera poseído nunca se encargaba de construir o consolidar ciudadelas tras haber demolido las más antiguas. Morrillos bien tallados habían sustituido los bastos ladrillos. El trabajo era a menudo burdo, pero tenía la ventaja de ser robusto. En todos los puntos estratégicos del reino velaban, ahora, fortalezas que hacían por fin seguras las fronteras.

El secretario particular de Salomón había redactado un texto que se había difundido mucho: «El rey ha colmado Israel de riquezas, de carros y de soldados; ha erigido ciudadelas en las llanuras y en los montes. Ha hecho esculpir en sus muros figuras de ángeles y héroes, con cuerpo de bronce y piedras preciosas. Todos los caminos llevan a Jerusalén, nuestra madre protectora».

Gracias a los resultados de su política, el rey descansaba sin temor en la pacificada campiña. Los hebreos descubrían encantados el gozo de vivir seguros, lejos de los bandidos y de los sangrientos conflictos entre facciones. Las madres podían permitir a sus hijos jugar libremente en los huertos y los campos. Los campesinos regresaban cantando a sus casas, sin temer ya ser agredidos en un recodo del camino. El pueblo murmuraba que el siglo de Salomón no podía compararse a ningún otro, que toda una generación ignoraría la guerra. Un milagro que nunca se había producido desde que reyes reinaban en Israel.

Salomón esperaba mucho más. Quería consolidar aquella paz durante varios siglos.

Su éxito dependería de la primera batalla que libraría Megiddo, la más reciente de las fortalezas reconstruidas, contra la que los beduinos rebeldes preparaban un asalto. Sin tener en cuenta la opinión de sus consejeros, el rey había decidido mandar en persona sus tropas. No había otro medio de saber si el modo de defensa que había imaginado era lo bastante disuasivo.

Una ráfaga de cálido viento acarició la nuca de Salomón. La cima de las montañas se teñía de ocre. Los adolescentes se bañaban en un brazo de agua. Un campesino llevaba al mercado su asno cargado de cestos llenos de racimos de uva.

Pero se acercaba el momento de ir al combate.

Salomón había movilizado toda la guardia real, compuesta en su mayor parte de mercenarios extranjeros. En Jerusalén sólo quedarían veteranos, mandados por oficiales israelitas, para asegurar la protección del palacio durante la ausencia del monarca. Los cuerpos de élite irían a Megiddo bajo sus órdenes directas.

Salomón se dirigió a los establos, que se abrían en un amplio patio empedrado con calcáreo y provisto de una cisterna de piedra que contenía más de diez mil litros de agua. Desde su última visita, un mes antes, los trabajos habían adelantado mucho. Cada establo, dividido en cinco unidades, tenía una entrada independiente y se accedía al conjunto por un amplio camino empedrado que hacía fácil la llegada de alimento para los caballos y la limpieza de sus alojamientos. Cada animal estaba atado a un pilar con un número. Entre los pilares, ángeles de yeso. Ventilación e iluminación quedaban aseguradas por unas aberturas regulables practicadas en el techo.

–¿Quién es el responsable de estos edificios? –preguntó Salomón.

El secretario consultó el registro que nunca abandonaba.

–Jeroboam, majestad.

Dos guardias fueron a buscar a un hombre pelirrojo de unos treinta años. Con la frente cruzada por una cicatriz producida por la coz de un caballo, aplastada la nariz, la barbilla angulosa dividida por un hoyuelo, Jeroboam era un atleta casi tan impresionante como Banaias. Con los pies desnudos, el paño manchado con la arcilla que le servía para formar las junturas entre las losas de calcáreo, vacilaba de emoción al acercarse al rey.

–¿Dónde naciste? –preguntó Salomón.

–En las montañas de Efraím, señor. Mi padre ha muerto. Mi madre se quedó en el pueblo.

–¿Qué título tienes?

–Inspector de las obras. Fui formado en una milicia agrícola y, luego, en el equipo que restauró las fortificaciones de Jerusalén. Más tarde, me pusieron a cargo de los caballos. Di ideas. Me escucharon. Trabajo aquí desde hace dos meses.

Salomón miró al hombre de arriba abajo: vivo, autoritario, ambicioso.

–Mandarás a los obreros de las tribus de Efraím y de Leví. Cuando hayas terminado esos establos, me propondrás los proyectos que tienes en la cabeza.

Una amplia sonrisa iluminó el desagradable rostro del coloso pelirrojo. Ante él se abría una formidable carrera.

Salomón examinó de cerca las murallas de la fortaleza de Megiddo, reconstruida por unos soldados convertidos en albañiles. Con la ayuda de algunos hombres del oficio, habían sustituido los ladrillos por morrillos bien tallados y ajustados. El conjunto parecía sólido.

Elihap, al lado del soberano, observaba la llanura por donde llegaría el ataque de los beduinos. Tenía vértigo y se sentía incómodo en lo alto de aquella torre donde soplaba un fuerte viento. Banaias aguardaba la orden de su rey para lanzar a sus más valerosos hombres contra el enemigo.

Salomón, con una diadema de oro en sus negros cabellos y un cetro en la mano derecha, fue el primero en distinguir la nube de polvo que anunciaba la llegada del adversario.

Los hebreos tendieron sus arcos.

—Abandonad las murallas —ordenó Salomón—. Dejad que se acerquen.

El comandante de la guarnición no habría actuado así. Además, el rey no tenía reputación de guerrero.

Los jinetes beduinos, aullando, lanzaron sus flechas contra los muros de la fortaleza. Los hebreos no respondieron y eso les convenció de que su número era ínfimo.

—Quitad las barras que cierran la puerta principal —exigió el monarca.

—¡Majestad!

El comandante no siguió protestando. Su actitud era ya un insulto a la persona real. Pero ¿por qué se arriesgaba tanto Salomón? ¿Por qué se ofrecía a los golpes del adversario?

Los beduinos forzaron fácilmente la puerta de acceso que no estaba defendida. Seguros de haber obtenido una fácil victoria, lanzaron gritos de alegría. Pero el primer recinto daba a un segundo, más amplio y menos elevado. Los arqueros hebreos aparecieron en las almenas y atravesaron el pecho a los desorientados beduinos, prisioneros en un estrecho espacio donde sus caballos caracoleaban enloquecidos.

No hubo supervivientes en las filas del agresor. Ningún hebreo resultó herido. La trampa tendida por Salomón había funcionado perfectamente. La victoria de Megiddo sería cantada por los poetas de la corte y la gloria del rey de Israel se extendería por el universo, sembrando el temor en el vientre de sus enemigos.

Capítulo 8

El informe redactado por Elihap no permitía duda alguna. El arma del futuro era el carro de tres hombres, en el que irían un arquero, el auriga y su adjunto, que protegería a sus camaradas con un amplio escudo. Los mejores caballos se hallaban en las remontas egipcias y también los arsenales egipcios fabricaban los mejores carros. Un caballo egipcio valía ciento cincuenta siclos[1]. Un carro de guerra egipcio, seiscientos siclos. Para garantizar la seguridad de Israel, Salomón necesitaba al menos cuatro mil caballos y tres mil carros.

–Toma un papiro –ordenó el rey a su secretario.

Elihap apartó los sellos y tablillas que llenaban su escritorio. Rechazó un papiro proporcionado por una fábrica de provincias que utilizaba las plantas que crecían en las marismas, junto al Jordán, y eligió un ejemplar procedente de Menfis, la gran ciudad comercial del Bajo Egipto.

–No los hay más hermosos, majestad. Lo reservaba para una ocasión excepcional. ¿Preferís acaso una tablilla de madera o de cera?

–El texto que debo dictarte es demasiado largo, Elihap. Cuando se escribe al faraón de Egipto, no hay que ser avaro con las fórmulas de cortesía.

Salomón advirtió una emoción intensa en los ojos de su secretario. Elihap mezcló negro de humo y goma, disolviéndolos en el agua para obtener una hermosa tinta negra. Limpió el sello real que pondría al pie de la misiva.

1. El siclo es una moneda de plata.

—Tu mano parece vacilar —advirtió Salomón.

—Escribir al faraón... ¿No será una empresa condenada al fracaso?

—Sólo él puede vendernos los caballos y los carros que necesitamos. Sin duda rechazará mi primera proposición. Espero que sienta deseos de responder con otra.

—¿Por qué va a aceptar fortalecer vuestro ejército?

—Porque sabe que deseo la paz. Por fuerte que sea, la situación del Egipto del faraón Siamon no es muy buena. ¿No estará interesado en rechazar la guerra?

El secretario asintió con la cabeza. De hecho, Siamon veía su poder atacado por el sumo sacerdote de Tebas, muy implantado en el sur de Egipto, donde las tradiciones religiosas permanecían más vivas. Por ello, el faraón había instalado su capital en Tanis, en el Delta, no muy lejos de la frontera noroeste del país.

—¿Qué sabes de él? —preguntó Salomón.

—Es un hombre enigmático que cumple sus funciones con mucho rigor. Como la mayoría de sus predecesores, trabaja sin descanso y conoce muy bien sus asuntos.

—¿Tiene un temperamento belicoso?

—¿Cómo puede un faraón no soñar en la grandeza? Egipto no tiene ya el esplendor de los tiempos de Ramsés, pero sigue siendo ambicioso. Siamon debe pretender conquistar de nuevo Asia. El camino de sus victorias pasará por Israel. Temo por ello que vuestra misiva sea para él motivo de hilaridad.

Elihap había hablado sin ambigüedad alguna. Salomón apreció su sinceridad.

—Eso creo yo también, secretario, pero me gusta lo imposible. El nombre de ese faraón se parece demasiado al mío como para que nuestros destinos no se crucen. Puesto que es «el amado de Maat», la diosa que encarna el orden del mundo y la verdad, comprenderá mis intenciones. Manos a la obra, Elihap. Comencemos: «El rey Salomón a su hermano, el faraón de Egipto».

Hacía más de un mes que la preciosa misiva había sido confiada al correo real. A Salomón, cuyo sueño era cada vez más ligero, le costaba disimular su irritación. Acortaba sus audiencias y se permitía largas meditaciones en la capilla de palacio. Sabía que los hebreos detestaban Egipto, país en el que, según la historia, habían sido sometidos a esclavitud. Pero sabía también que la monarquía faraónica, estableciendo un vínculo sólido entre el cielo y la tierra, era un extraordinario modelo que colocaba en el trono a un ser inspirado por la divinidad. Sólo un rey heredero de esta tradición podría llevar a su pueblo por el camino de la Sabiduría y la felicidad. De este modo, Salomón, prescindiendo de las reacciones sentimentales y los rencores pasados, había moldeado el Estado hebreo y su administración de acuerdo con el ejemplo faraónico.

Salomón estaba convencido de no traicionar a su pueblo. Esperaba, sin embargo, una señal de Yahvé que le confortara en su elección: convertirse en el faraón de Israel. La respuesta del Señor de las nubes le llegó una noche, cuando se cruzó con un anciano encargado de barrer los peldaños del trono. Una pregunta cruzó por la cabeza del rey. Una pregunta que se sintió obligado a formular al modesto servidor.

–¿Qué piensas tú de Egipto?

El barrendero reflexionó.

–Viví allí. Y mi padre también. Y el padre de mi padre. Y nuestros antepasados. Todos dijeron lo mismo: es un país maravilloso. Comen bien y no hay privaciones. Allí éramos felices. Amamos Egipto tanto como lo odiamos. Es un vecino demasiado poderoso para Israel... De modo que el odio debe prevalecer sobre el amor. Es estúpido, oh rey. Pero la naturaleza humana está hecha así. Nadie podrá cambiarla.

–¿No es la más alta montaña la que merece el ascenso? La sabiduría ha hablado por tu boca. Deja tu escoba y contrata a un joven para que te reemplace. El palacio se encargará de tu vejez.

–Por fin ha llegado la respuesta del faraón –anunció Elihap.

–Léemela –exigió Salomón.

–No es un papiro, majestad, sino una noticia que ha traído Banaias. El ejército egipcio ha vencido a los filisteos, ha tomado la ciudad de Gézer y se dirige hacia la frontera de Israel.

Salomón palideció. No sólo había fracasado sino que provocaba también una reacción violenta por parte del más temido adversario. La existencia de Israel estaba en peligro.

–Que mis regimientos se reúnan –ordenó el hijo de David–. No moriremos sin combatir.

Lleno de ardor, Banaias marchaba a la cabeza de las tropas israelitas. El prestigio de Salomón era tan grande, tan ejemplar seguridad ofrecían sus fortalezas, que la victoria sobre los egipcios parecía cierta.

Salomón no compartía ese optimismo. El ejército egipcio no era tan ingenuo como los beduinos. Si su vanguardia caía en la trampa de los sucesivos recintos, no ocurriría lo mismo con el grueso de sus tropas. Al vencer a los filisteos en Gézer, el faraón Siamon había probado su calidad de estratega. Invadir Israel le costaría muchas vidas. Pero tenía la ventaja del número y del armamento.

Pese a la confianza que tenían en su rey, los soldados hebreos se estremecieron cuando vieron desplegarse a los egipcios en un largo frente. Delante de los infantes, decenas de carros tirados por los caballos. Todos conocían la precisión de los arqueros egipcios, que tenían fama de diezmar al adversario. El propio Banaias perdió un poco de su ardor.

En lo alto de la torre fortificada donde se habían colocado Salomón, su secretario y el jefe del ejército, reinaba un angustioso silencio. Tendrían que luchar uno contra seis, rechazar continuamente las escaleras que los asaltantes apoyarían en los muros de la ciudadela, impedirles que pusieran los pies en el interior. ¿Cuánto tiempo podría durar la resistencia?

Se destacó un carro y avanzó lentamente hacia las posiciones israelitas. Aquel comportamiento era insólito. El carro se detuvo a buena distancia. Bajó un oficial superior que arrojó al suelo, ostensiblemente, su espada y su escudo. Luego, caminó por el desierto y se inmovilizó a un centenar de metros de la frontera.

–¡Señor, permite que lo degüelle! –suplicó Banaias.

–Aguarda aquí mis órdenes.

El rey hizo abrir la puerta de la fortaleza y avanzó hacia el oficial egipcio. Pronto ambos hombres estuvieron frente a frente.

–Que los dioses velen por ti –dijo el egipcio–. Soy el comandante en jefe de los ejércitos del faraón cuya vanguardia tienes ante los ojos.

–Que Yahvé bendiga al dueño de Egipto. ¿Por qué te acercas tanto a la frontera de mi país?

–¿No enviaste una carta al faraón, señor? ¿No le pediste caballos y carros?

–No pido nada. Deseo comprárselos. Su precio será el mío.

–Mi señor quiere conocer el secreto de tu corazón, rey de Israel. ¿Deseas la paz o la guerra?

–Un rey sólo se desvela en presencia de otro rey –dijo Salomón.

El general egipcio se inclinó.

–La verdad habla por tu boca. El faraón te recibirá enseguida, si lo deseas.

–Así sea.

Ante la aterrorizada mirada de los hebreos, su soberano montó en el carro del dignatario egipcio.

Salomón no era inconsciente del peligro. Si el faraón lo tomaba como rehén, se apoderaría de Israel sin un solo golpe. Pero jamás un rey de Egipto había actuado así. ¿No era acaso hijo de Maat, el orden cósmico, que odiaba la mentira y la cobardía?

El viento del desierto azotó el rostro de Salomón. El general había lanzado sus caballos al galope, evitando con habilidad los montones de piedras que habrían podido volcar el vehículo.

Unos minutos más tarde, se detuvo ante una tienda blanca cuya entrada era custodiada por dos infantes provistos de lanzas. A invitación de su guía, Salomón penetró en la morada del faraón.

Éste, vestido con un paño de hilos de oro, con un amplio collar de cornalina al cuello, salió al encuentro de su huésped.

–Me siento feliz al recibir a mi hermano –dijo Siamon calurosamente–. La sabiduría de Salomón es ya famosa.

–La reputación es, a menudo, ilusoria. Mi hermano el faraón pertenece a un linaje más ilustre que el mío. La sabiduría ha sido su alimento durante siglos y siglos.

Siamon sonrió.

–¡Que mi mesa esté siempre servida con semejante alimento! ¿Me hará mi hermano el honor de aceptar una copa de vino blanco del Delta?

–Su reputación es demasiado sólida como para ser ilusoria. ¿Quién rechazaría semejante placer?

Los dos monarcas se sentaron en sillas de cedro, frente a frente. El propio faraón sirvió a su huésped. Salomón pensó que había despedido a su servidor no sólo para honrarle de modo especial, sino también para hablar con él en el mayor secreto.

–Israel es un Estado floreciente –dijo el faraón.

–Dios lo ha querido –indicó Salomón–. Mi país es joven, no tiene experiencia. ¿Qué puede esperar si carece de modelo?

–¿Y cuál es el modelo?

–¿Hay alguno mejor que Egipto?

–Sin embargo, nuestros dos pueblos no se aprecian demasiado –objetó el faraón.

–Los hebreos aman y detestan Egipto con idéntica pasión –explicó Salomón–. Su rey puede inclinar el fiel de la balanza en un sentido o el otro. Yo he elegido el mío y no cambiaré.

Siamon era un hombre de raza, de rostro fino y ojos marrones, siempre vivaces. No parecía disponer de gran fuerza física, pero Salomón no confió en esa apariencia. Siamon no era un faraón indeciso sino un auténtico jefe de Estado. Su sentido de la diplomacia ocultaba una decidida voluntad, que el menor obstáculo debía de exasperar.

–He vencido a los filisteos en Gézer –recordó el señor de Egipto–. Es una victoria importante, pero no decisiva. Los filisteos son temibles guerreros que combatirán hasta que su pueblo se extinga. Muchos egipcios morirán. Soy responsable de su existencia. Esperan de mí vivir felices y no morir en combate.

Ambos monarcas degustaron el vino blanco del Delta. Un notable caldo que hechizaba el paladar. Salomón comenzaba a descubrir la estrategia de su interlocutor.

–La carta del rey de Israel es muy extraña –prosiguió el faraón–. ¿Por qué desea mi hermano adquirir tantos carros y caballos, si no para preparar la guerra contra Egipto?

–Es, precisamente, para evitarla –rectificó Salomón–. Israel está en peligro. Si su ejército es fuerte, sus vecinos pensarán en la paz y no en la guerra.

–Es una visión absolutamente egipcia, hermano mío. Mis gloriosos antepasados pensaron del mismo modo. Mi demostración militar contra los filisteos no tenía más valor que el del ejemplo. ¿Debo conducir mi ejército al asalto de mis adversarios o debo dejarlo así?

–¿Necesitáis mi ayuda? –preguntó Salomón con gravedad.

El rey de Israel había medido la incongruencia de su pregunta. Sobrepasaba los límites de la cortesía. La reacción del faraón dependería de su sinceridad.

Siamon sirvió de nuevo vino.

–Sí, hermano mío. Te necesito. Si Egipto e Israel firman una alianza, la muerte y la aflicción retrocederán. Los filisteos se verán cogidos en una tenaza y estarán obligados a deponer las armas. La paz reinará tan lejos como alcanza la suave brisa del norte.

Aceptar la propuesta del faraón significaba invertir la política exterior de Israel, imponer a los hebreos el reconocimiento de un vecino envidiado y detestado como amigo de excepción. Los egipcios se convertirían en protectores de los hebreos.

Salomón se jugaba el trono.

El rey de Egipto, silencioso, exigía una respuesta.

–La situación no es tan sencilla –consideró el rey de Israel–. Mi país, incluso con caballos y carros no tendrá la fuerza de Egipto. Lo que mi hermano me propone significa un gran cambio...

Siamon miró atentamente a Salomón.

–Naturalmente, el rey de Israel espera garantías por parte del faraón de Egipto.

–Claro –repuso Salomón–. De lo contrario, el rey de Israel sería un ingenuo. El faraón le despreciaría.

–¿No es la verdad la principal de las garantías? Israel quiere vivir seguro, Egipto también. Tememos un ataque libio. Un día u otro, esos chacales se lanzarán al ataque. Debemos proteger también nuestras fronteras asiáticas. Levantándome contra Israel no podré realizar la política que me parece mejor. ¿Bastan esas explicaciones?

–Se lo agradezco al faraón, pero...

–¡Pero Salomón necesita más para quedar satisfecho! –exclamó indignado el faraón–. ¿Está en situación de exigir?

Salomón aguantó la mirada de su anfitrión.

–Mi hermano debe decidirlo –anunció con calma.

–Quiero la paz –afirmó el monarca egipcio–. Deseo ardientemente que la construyamos juntos. Mi hermano obtendrá la garantía que desea.

Capítulo 9

Poco antes del alba, Salomón salió del palacio de David. Aquella mañana no se respetaría el ceremonial. El jefe de protocolo tendría que acomodarse a las circunstancias. El rey necesitaba reflexionar, lejos de aquel sitio.

Vistiendo una túnica blanca, Salomón condujo personalmente su carro. Tomó la dirección de Etam[1], lugar retirado donde se había edificado una residencia de verano, rodeada de un parque en cuyo centro brotaba un manantial salutífero.

En aquella estación, el lugar estaba desierto. El sol nacía cuando Salomón penetró en él.

Abandonando el carro, caminó hasta el extremo del promontorio rocoso que dominaba la fuente. Antaño, los campesinos ofrecían allí sacrificios a Yahvé. El rey, recuperando gestos ancestrales, recogió algunas hierbas, hizo un ramillete y lo levantó hacia el cielo. Así el Señor recibiría el inmaterial perfume de la naturaleza que había creado.

El agua brotaba casi con furia. Lágrimas de plata saltaban en los rayos de luz. Siguiendo uno de ellos con la mirada, Salomón escuchó la voz de Dios: «Te ordeno construir un templo sobre la montaña santa, decía. La Sabiduría creará tu obra. Estará siempre a tu lado, como estuvo junto a mí cuando creé el mundo. Ella y sólo ella traza los rectos senderos de quienes están en la Tierra».

Salomón recordó la historia que su preceptor le había contado varias veces. Al principio de los tiempos, el cielo se había abier-

1. Ein Atan.

70

to. Brotó una piedra que cayó al mar. En aquella superficie sólida se constituyó la Tierra. Dios había colocado el tendel sobre el vacío y organizado el caos con el nivel. El arquitecto de los mundos separó la luz de las tinieblas.

Construir un templo... La vocación de Salomón tomaba forma. La llamada que sentía en lo más profundo de sí mismo, desde hacía tantos años, era la del futuro edificio destinado a Yahvé. Para ser un gran rey, debía convertirse en constructor. Salomón pensó en la célebre pirámide escalonada del faraón Zóser: iniciando una obra gigantesca, había unificado definitivamente su país. Israel necesitaba un templo. Un magnífico santuario a la gloria del dios único. Una mansión sagrada que sería el sol del reino.

Ebrio de alegría, Salomón corrió hacia su carro y tomó el camino de Jerusalén.

Los soldados que formaban la guardia privada del soberano habían sido puestos en estado de alerta. Nadie sabía dónde había ido Salomón. El mayordomo de palacio, torpemente, había intentado ocultar su desaparición, que suponía un auténtico escándalo.

La explanada estaba llena de religiosos y dignatarios que exigían explicaciones. Algunos no vacilaban en calificar al rey de cabeza de chorlito, fuego fatuo o ave de paso.

Cuando reapareció Salomón, resplandeciente en sus vestiduras blancas, los rumores se acallaron. Sus súbditos, mirándole asombrados, permanecieron inmóviles. Todos aguardaban la explicación de aquel misterio.

Elihap, con un rollo de papiro sellado en la mano derecha, atravesó la muchedumbre de cortesanos, caminó hacia el rey y se inclinó presentando el precioso objeto.

—He aquí lo que el profeta Natán, vuestro preceptor, me pidió que os entregara.

—¿Por qué has elegido este momento?

—Dios inspiró a Natán. El testamento de David tenía que seros entregado el día en que salierais de palacio al amanecer para regresar, solo en vuestro carro, cuando el sol hiciera brillar la pureza de vuestras ropas. Así habló el profeta.

La declaración de Elihap sembró el espanto en la concurrencia. Salomón no podía ser considerado ya un hombre. ¿No sería uno de aquellos ángeles que tomaron forma humana para realizar en la Tierra la voluntad de lo alto? Cuando Salomón penetró en la residencia de David, no sabía todavía que su prestigio se había hecho inmenso y que nadie pensaba ya en discutir su autoridad. Sólo tenía un deseo: leer aquel texto que le habían ocultado durante tanto tiempo.

El rey desenrolló el papiro en las losas de la sala del trono. Era la escritura de su padre.

Vivo en un palacio modesto –explicaba David–, y el Arca de Yahvé está instalada bajo una simple tienda. Quise construir una noble morada para el dios único. Pero el profeta Natán se opuso siempre con gran vigor. Si hubiera intentado llevar a cabo mi proyecto, Yahvé me habría fulminado. De este modo, en mi reinado, Dios se ha limitado a viajar de morada en morada, mientras yo derramaba mucha sangre sobre la tierra. Pero he preparado el porvenir. Un enorme tesoro está oculto en los sótanos de palacio. Servirá a mi hijo Salomón para construir el templo que mi corazón deseaba y que mis ojos no podrán ver. He reunido materiales, lingotes de oro, de bronce, y de hierro. He erigido un altar en el emplazamiento del futuro santuario. Compré el terreno que hoy pertenece a la Corona. Hijo mío, cuando leas estas líneas, muéstrate digno de la tarea que heredas. Por fin compartes mi secreto.

Salomón convocó a su secretario.

–El texto está incompleto –afirmó–. Debe acompañarlo una enseñanza oral. Sólo tú puedes haberla recibido.

–Es cierto, señor. Por eso me alejé de palacio hasta saber qué rey pensabais ser.

–¿Eres consciente del impudor de tus palabras?

–Ciertamente, mi señor. ¿Hubierais actuado vos de otra manera?

A Salomón no le era fácil manejar al egipcio. Pero apreciaba su rectitud y su falta de cobardía. Natán, el profeta, no se había equivocado concediéndole su confianza y permitiendo que un joven monarca desvelara sus intenciones.

–¿Dónde se halla el altar que servirá de primera piedra al templo?

–Tendréis numerosos adversarios –profetizó a su vez Elihap–. Construir un edificio como el que planeáis contraría las costumbres de los nómadas, profundamente arraigadas en el alma de Israel.

–Es cierto –reconoció Salomón–. Pero mi padre me ha confiado una misión. La cumpliré. Este país necesita un templo. El más magnífico de los templos.

–El altar se encuentra en la roca de Jerusalén, señor, en la cima septentrional de la montaña. Hace varios años que el lugar está prohibido. Lo hace casi inaccesible el barranco que lo separa de las primeras casas.

–La antigua era para batir el grano, allí donde Noé ofreció un sacrificio y Jacob vio una escalera que unía la tierra y los cielos... ¿Es ése el lugar, Elihap?

–Sí, señor. Natán creía que la roca era la piedra primordial a cuyo alrededor se formó el mundo. De su seno mana la fuente del Paraíso que asciende hasta el sol y regresa, convertida en lluvia, a la tierra. Esa lluvia en cuyo dueño os habéis convertido.

–La piedra primordial... ¿No la tienen también los egipcios, en Heliópolis?

–Hay tantos lugares sagrados como centros del mundo –respondió el secretario–. Vos debéis manifestar el de vuestro pueblo.

Salomón abandonó el palacio de David. Ayudado por dos soldados que tendieron cuerdas a modo de pasarelas, cruzó el precipicio y pasó el resto del día, hasta el ocaso, en la majestuosa roca donde se erigiría su templo.

Desde lo alto de la montaña de Jerusalén, contempló su capital y su país. Al norte, Samaria y Galilea. Al este, el Jordán, el mar Muerto y el desierto. Al sur, Judea. Al oeste, las llanuras que llegaban, a la costa mediterránea. Salomón reinaba sobre aquellas tierras, aquellos montes, aquel río, aquellos mares, aquellas tribus que él había unificado. Desde que David consagró un altar en aquella roca que ocupaba toda la anchura del promontorio, nadie había contemplado Israel desde tan arriba y hasta tan lejos.

David había elegido bien el lugar. Tenía el poder, la belleza y el misterio necesarios para la casa de Dios. El Arca de la Alianza abandonaría en poco tiempo sus vagabundeos. Pronto los hebreos contemplarían el santuario que les anclaría para siempre en el amor del Altísimo.

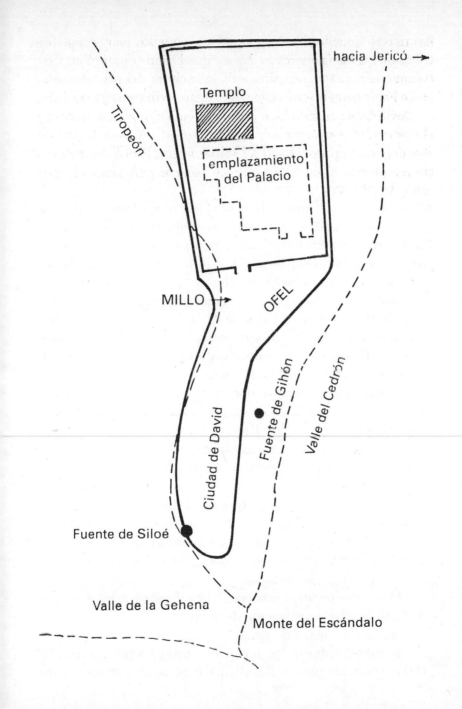

hacia Jericó →

Tiropeón

Templo

emplazamiento del Palacio

MILLO

OFEL

Fuente de Gihón

Valle del Cedrón

Ciudad de David

Fuente de Siloé

Valle de la Gehena

Monte del Escándalo

Capítulo 10

El día siguiente al primer sabbat de otoño se vio marcado por una sucesión de imprevistas audiencias. Salomón, que esperaba una señal del faraón y creía todavía en su palabra, estaba de mal humor. Estudiaba el plano dejado por David para el futuro templo de Jerusalén, pero lo consideraba imperfecto. Su padre sólo había pretendido hacer una capilla más grande, sin genio arquitectónico.

¿Dónde encontrar un maestro de obras? Los hebreos habían aprendido a pavimentar las carreteras, a construir o consolidar muros de fortaleza, pero ignoraban los secretos del ensamblaje de las piedras eternas destinadas al santuario.

Cuando anunciaron a Jeroboam, portador de una noticia lo bastante importante como para atreverse a turbar las meditaciones del rey, éste se sintió lleno de un nuevo impulso. ¿No sería aquel joven jefe de los trabajadores el arquitecto que Israel necesitaba? El pelirrojo atleta, con el torso desnudo y un paño de cuero ciñéndole la cintura, era presa de una viva exaltación. Cuando el rey le dio la palabra, se expresó volublemente.

–¡Señor, los establos están terminados! Vuestros caballos se sentirán felices. Los encargados de alimentarlos y limpiarlos circularán con facilidad. ¡No hay en parte alguna nada tan perfecto!

–Enorgullécete, Jeroboam.

–¡Mi rey, tengo otros proyectos! Los llevaré a cabo si pones a mis órdenes número suficiente de obreros.

–Te escucho –dijo Salomón.

¿Deseaba Jeroboam ver Jerusalén coronada por un templo? ¿Había conocido el porvenir del país? Si así era, se convertiría

76

en el acto en el maestro de obras encargado de trabajar junto al monarca.

–Quiero construir el nuevo palacio del rey de Israel –declaró Jeroboam con seguridad–. El pueblo murmura que la casa de David es indigna de Salomón. Utilizaré ladrillo y madera, en varios pisos, con una inmensa terraza y...

–¿Crees que este edificio es el primero que debe construirse?

–¡Sin duda, mi rey!

–¿No habrá otro más urgente?

–¡Claro que no!

–Piénsalo bien, Jeroboam.

Con los labios prietos, y la mirada ansiosa, el coloso buscaba en vano la respuesta que complaciera a Salomón. Éste se mostró paciente. Pero lo que leyó en el alma de su interlocutor le disuadió de ofrecerle algo más que su presente función.

–Abandona la idea del palacio, Jeroboam. Pronto necesitaremos grandes establos. Elige un terreno cercano a Jerusalén, prepara planos y organiza la obra. Trabajarás a las órdenes del mayordomo de palacio.

Vejado, Jeroboam se vio obligado a retirarse. Apenas hubo abandonado la sala de audiencia cuando entró el mayordomo de palacio, tan turbado como su predecesor.

–¡Majestad, vamos a la catástrofe!

–¿Por qué?

–Vuestro secretario, Elihap, se ha apoderado de muchas contribuciones que me correspondían para el mantenimiento de la corte. Solicito un castigo ejemplar.

–En ese caso, debería ser castigado el rey. Elihap ha actuado siguiendo mis órdenes.

Asustado, el mayordomo de palacio retrocedió dos pasos.

–Perdonadme, majestad..., ignoraba que... Pero cómo puedo continuar...

–Esperaba que me lo dijeras mucho antes. Eso me prueba que no examinas a menudo tus cuentas. Aguza tu inteligencia. El dinero que Elihap reúne servirá para la construcción del templo.

Los gastos de la corte se reducirán al mínimo sin que eso altere su grandeza.

Feliz de haber escapado a un funesto destino, el dignatario corrió hacia su despacho. Tropezó con el antiguo sumo sacerdote, Abiatar, que solicitaba una urgente entrevista con Salomón.

Abiatar, nombrado por David, era el único descendiente de una ilustre familia de religiosos que había vivido en Silo, el más famoso de los lugares santos antes que Jerusalén se convirtiera en capital de Israel. Abiatar había escapado a la matanza de los partidarios de David que Saúl había ordenado. Él había conseguido, también, salvar el Arca y las vestiduras rituales del sumo sacerdote. Avisado de la presencia del anciano, Salomón salió a su encuentro y ofreciéndole el brazo, lo llevó a una de las terrazas cubiertas. Abiatar caminaba trabajosamente.

–Eres un hombre joven, Salomón, y yo estoy casi muerto.

–Fuiste amigo de mi padre y compartiste sus pruebas –reconoció el soberano–. La bendición de Dios está en ti.

–Soy el guardián de la tradición, Salomón. Salgo de mi discreción para ponerte en guardia. Tu padre nunca quiso construir un templo. El edificio sería un sacrificio. El Arca no debe permanecer encerrada en Jerusalén sino seguir viajando por las provincias. No profanes la costumbre. Expulsa de la ciudad a los extranjeros, cuyo número no deja de crecer. Líbrate enseguida de este egipcio, Elihap, que es un mal consejero.

–¿Acaso la construcción de un templo turba al clero?

El anciano Abiatar se sentó en uno de los rebordes de la terraza, de espaldas al sol.

–¡Ten la seguridad de que no va a admitirlo! Tu padre lo dividió en veinticuatro clases que se reparten el servicio divino. Un templo les obligaría a reunirse en Jerusalén, a abandonar sus provincias. Nada debe cambiar. La fuerza de Israel está en su pasado. Querer destruirlo sería traicionar la voluntad divina.

Salomón admiró la roca que dominaba Jerusalén.

–¿Conoces tú esa voluntad, Abiatar?

–¡Sé hacer que hablen los oráculos!

–Es una de las faltas que te reprocho. Un sumo sacerdote debe preocuparse por el ritual, no por la magia. Tu sucesor, Sadoq, no comete tales imprudencias.

El vigor del tono sorprendió a Abiatar.

–Y hay algo más grave –prosiguió Salomón–. Sé que apoyaste a mi enemigo Adonías, cuya ejecución deploro aunque, lamentablemente, fuera indispensable.

El anciano titubeó. Salomón impidió que cayera.

–Has merecido la muerte, Abiatar. Considerando tu avanzada edad, me limito a enviarte a un pueblo, al norte de Jerusalén, de donde no saldrás nunca. Si desobedeces, no esperes clemencia alguna.

El antiguo sumo sacerdote se levantó sin ayuda.

Con mirada de niño extraviado, observó a un monarca de brillante juventud que barría el mundo de ayer, reduciéndolo a la nada mejor que si lo hubiera incendiado. Salomón, sin embargo, no se había permitido agresividad alguna. Su expresión seguía siendo tranquila y sonriente, como si hubiera cantado un poema sobre los apagados colores del otoño.

–Sadoq, mi sucesor... ¿No ha intentado convencer al rey de que se equivocaba?

–Sadoq es también un hombre de edad –recordó Salomón–. Es prudente. Si se opusiera a un soberano que él mismo coronó, ¿cómo le juzgaría Dios? No importan los sacerdotes. El rey debe guiar a su pueblo hacia la luz. ¿No es ésta la enseñanza que recibiste?

Abiatar inclinó la cabeza.

Salomón le vio abandonar la terraza, sabiendo que nunca vería de nuevo al anciano.

Capítulo 11

Tras haber despertado el poder divino en el Santo de los santos del templo de Tanis, el faraón Siamon se recogió. Sólo la luz oculta en el misterio de aquel lugar únicamente accesible al rey de Egipto inspiraría su acción en esta jornada, en la que iba a tomar una decisión capital.

Precedido de su portasandalias, cruzó el gran patio al aire libre. El cielo estaba nuboso, el aire iba cargado de los aromas marinos exhalados por el Mediterráneo. Un carro llevó a Siamon del templo al palacio. Apreció una vez más la belleza de Tanis, surcada por numerosos canales flanqueados de árboles y jardines. Los arquitectos se habían inspirado en Tebas la magnífica para recrear, en el norte, una ciudad de majestuosas villas donde era agradable vivir.

Cuando el faraón entró en la sala del consejo, el sumo sacerdote de Amón, el primero de los ritualistas y el general en jefe se levantaron para saludar al dueño de Egipto. Éste se sentó en un trono de madera dorada, con el respaldo adornado por una escena de coronación.

–Amigos míos, he sabido de fuente segura que el rey Salomón ha decidido construir un inmenso templo en la roca de Jerusalén –comenzó.

–Es absurdo –consideró el sumo sacerdote–. Israel no es un país pobre, pero no tiene la fortuna necesaria para llevar a cabo semejante proyecto.

–Desengáñate. David acumuló las riquezas que utilizará su hijo.

–¿Y por qué quiere imitarnos? Los hebreos son nómadas –recordó el ritualista–. No necesitan un gran santuario para albergar a su dios.

–Salomón ha comprendido que debía convertirse en constructor para hacer de Israel un gran reino –expuso el faraón–. Le apoyaremos.

El general no ocultó sus reticencias.

–Haberle vendido carros y caballos fue ya una generosidad de vuestra majestad. ¿Por qué ayudarle más todavía?

–Para que consolide la paz –repuso Siamon–. El templo de Jerusalén evitará guerras. Si el rey de Israel le consagra todos sus esfuerzos, nuestros dos países comulgarán en lo sacro. Pero Salomón es tan prudente como astuto. Sólo aceptará un tratado de alianza a cambio de una prueba de nuestra buena fe.

–¿Cuál, majestad? –interrogó el sumo sacerdote.

–Salomón conoce nuestras tradiciones. Sabe que sólo una boda puede sellar un pacto de paz.

Los tres confidentes de Siamon estaban aterrados. Lo que Siamon sobrentendía era imposible.

–¿No estará pensando el faraón en... dar su hija a un hebreo?

–Es el único medio de convencer a Salomón de que odiamos la guerra tanto como él. Sé, como vosotros, que la hija de un faraón nunca se ha casado con un extranjero. Pero debemos ser lúcidos. Egipto se debilita. No soportaría el peso de varios conflictos. Nuestra alianza con Israel garantizará nuestra seguridad en el nordeste. Podremos consagrarnos a la protección de nuestra frontera del oeste.

El análisis del faraón era acertado. El general no podía oponerle argumento alguno.

–Israel carece de la piedra, la madera y el oro indispensables para la construcción de un gran templo –estimó el ritualista–. ¿Va a proporcionárselos el faraón?

–Sería un error –dijo Siamon–. Eso haría que Salomón dependiera demasiado de Egipto. No lo aceptaría. Actuaremos de un modo encubierto. Salomón se verá obligado a dirigirse al rey de Tiro.

–Que no puede negarnos nada –reconoció el general.

–Además de un aliado contra las expediciones de los nómadas, Israel será un importante colaborador económico –indicó el faraón–. Nos permitirá acceder a rutas comerciales que no controlamos.

Después de examinarla, la alianza con Salomón sólo presentaba ventajas. Sin embargo, el faraón seguía preocupado.

–¿Hay algún obstáculo? –preguntó el sumo sacerdote.

–Un obstáculo importante –repuso Siamon–. Debemos conocer los misterios que Salomón encerrará en su templo.

–Sería necesario que un egipcio aceptara convertirse a la religión de Yahvé –objetó el ritualista–. No podéis exigir algo así, majestad.

–No seré culpable de tal fechoría –prometió el faraón–. Salomón carece de otro material, humano esta vez: el maestro de obras capaz de construir su templo. El arquitecto que erigirá el santuario de Yahvé será un egipcio.

La Casa de la Vida del templo de Tanis vivía una desacostumbrada agitación. Por lo común, en el lugar reinaba el silencio y estaba consagrado al estudio y la meditación. Allí trabajaban quienes aprendían los jeroglíficos y componían los rituales. Arquitectos, escultores, médicos y grandes administradores habían pasado un tiempo más o menos largo en los talleres de la Casa de la Vida para aprender su oficio.

Pocos eran los iniciados que permanecían constantemente en aquel lugar donde se transmitía la sabiduría de los antepasados. El mundo exterior no tenía demasiado atractivo para ellos. Habían elegido consagrar su vida a lo sacro y no preocuparse ya de los asuntos humanos. Se sorprendieron pues cuando, al caer la noche, apareció el dueño de Egipto, el faraón en persona.

El rey había sido alumno del sabio que dirigía la Casa de la

Vida. Éste hizo entrar al soberano en una sala de columnas provista, a todo su alrededor, de banquetas de piedra. Una decena de adeptos estaban sentados allí.

–He solicitado esta reunión porque necesito consultaros –dijo el rey–. Israel se ha convertido en una gran nación. La gobierna un monarca excepcional, Salomón, que desea construir un templo a la gloria de Yahvé. Ningún arquitecto hebreo es capaz de hacerlo.

–¿Qué importa? –preguntó un adepto–. Israel es nuestro adversario.

–Lo era –rectificó el faraón–. Salomón quiere terminar con la hostilidad que nos opone.

–Desconfiad de los hebreos –recomendó otro adepto–. Son arteros.

–Salomón desea la paz. Ayudémosle.

–¿De qué modo?

–Enviándole un arquitecto que sea capaz de construir el templo de Yahvé –repuso el faraón.

–Imposible. Nuestros secretos deben permanecer en Egipto.

–Nada será revelado –afirmó Siamon–. Permanecerán ocultos en la construcción. La forma será la que Salomón desee.

El maestro de la Casa de la Vida se dirigió al faraón.

–Habéis tomado ya la decisión, majestad. ¿A quién habéis elegido?

Siamon, acostumbrado a dominar sus emociones, se vio obligado a recuperar el aliento.

–A Horemheb, hijo de Horus.

Las miradas se dirigieron a un adepto de unos treinta años, amplia frente y poderosa musculatura. Aprendiz a los doce años, había pasado su adolescencia en las canteras de Karnak. Convertido en maestro de obras tres años antes, había elegido perfeccionar su arte estudiando los tratados de Imhotep, el más grande de los arquitectos, conservados en los archivos de la Casa de la Vida.

Horemheb no departía fácilmente. No emitió comentario alguno.

–Conozco el peso del sacrificio que te impongo –dijo Siamon–. Salir de Egipto es una prueba que pocos, por sabios que sean, serían capaces de afrontar. Si mi decisión te parece injusta, recházala.

Horemheb se inclinó ante el faraón.

El maestro de la Casa de la Vida se levantó.

–El rey y yo hemos hablado mucho tiempo antes de adoptar la posición que hoy defendemos. Tal vez nos equivoquemos. Tal vez Salomón y los hebreos disimulen su pasión por la guerra. No es seguro que nuestro arquitecto tenga éxito. Pero si consigue edificar ese templo en Jerusalén, la sabiduría de nuestros antepasados se transmitirá a otra nación que, a su vez, la transmitirá a las futuras generaciones. Esta empresa descansará en los hombros de un solo hombre. Que medite y se prepare. Dejémosle solo.

Siamon fue el último en salir de la sala del consejo. Se volvió hacia el inmóvil Horemheb.

–Esta noche partiremos hacia Menfis –anunció.

En la clara noche, la Gran Pirámide del rey Keops parecía una inmensa montaña cuyo paramento de un blanco calcáreo refulgía a través de las tinieblas.

Siamon y el maestro de obras penetraron en su interior tras haber recorrido las silenciosas avenidas del templo superior. Horemheb conocía el plano del prodigioso edificio que ningún constructor podría igualar nunca. El faraón le ordenó que descendiera a la sala subterránea y fuera a buscar los objetos rituales que, muchos siglos antes, habían sido depositados allí.

El maestro de obras se agachó y se deslizó por el estrecho conducto de granito que llevaba hasta las entrañas de la tierra.

Cuando volvió a salir con su precioso fardo, el faraón le abrazó.

–En adelante te llamarás Hiram –le dijo.

Capítulo 12

Nagsara, la hija del faraón Siamon, estaba aterrorizada. A sus dieci-
siete años, nunca había abandonado Egipto ni la corte real, donde había vivido entre cómodos lujos, alejada del mundo exterior
y de sus viles realidades. Al no estar destinada a reinar, Nagsara
había gozado de la cultura ofrecida a las mujeres de la alta sociedad: poesía, danza, música, participación en los ritos de la diosa
Hathor, servicio del templo, paseos por la campiña y por el Nilo,
suntuosos banquetes. La adolescencia de la hija del faraón trans-
curría en una sucesión de placeres y fiestas. Cuando lo hubieran
decidido, Nagsara se casaría con el hombre de quien se hubiera
enamorado y le ofrecería dos hijos, un muchacho y una niña. Luego
los días felices se sucederían sin cesar, corriendo al ritmo de las estaciones, bajo la protección del sol divino.

Los sueños de felicidad de la joven princesa se habían roto brutalmente cuando su padre la había llamado a palacio del modo
más oficial, en presencia de sus consejeros. Le había comunicado
su decisión: para servir los intereses de Egipto, Nagsara iría a Jerusalén donde se convertiría en la esposa del rey Salomón, sellando
así el pacto que abriría una era de paz y de amistad.

Trastornada, la joven no tuvo ni siquiera fuerzas para recor-
dar que aquella práctica era contraria a la tradición y que ella sería la primera hija de un faraón entregada en matrimonio a un
extranjero.

Nagsara sollozó durante todo un día. Pensó en arrojarse al vacío, desde lo más alto de palacio. Pero el suicidio correspondía a los
condenados a muerte. Ningún ser humano tenía derecho a supri-

85

mirse, so pena de aniquilar su alma y ser incapaz de cruzar las puertas del más allá.

Hasta su partida, Nagsara había vivido en una bruma parecida a la que invadía las calles de Tanis durante las mañanas de invierno, y que sólo se disipaba a la hora en que triunfaba el sol. Pero el corazón de la hija del faraón, prisionero de una noche helada, había perdido el camino de la luz.

Ella, tan risueña por lo general, tenía un rostro triste y fatigado. Languidecía, se había dejado maquillar y vestir sin reaccionar. Su peluquera lloraba. Naturalmente, había embellecido los rasgos todavía infantiles de Nagsara, pero sin alegrarla. La trenzada peluca, perfumada con jazmín, era una obra de arte. Los negros ojos de la princesa, sus labios realzados con carmín, sus mejillas algo maquilladas de naranja, sus largas pestañas le daban un rostro encantador. Pero ¿para qué hacer seductora a una condenada a la peor de las penas, el exilio?

Desde su partida de Tanis, Nagsara había cerrado los ojos esperando que aquel falso sueño la llevara al mundo de los dioses. Cuando los abrió de nuevo fue para descubrir la carretera empedrada de basalto que llevaba a Jerusalén, por la que circulaba su carro tirado por empenachados caballos. Le seguía una hilera de vehículos cargados de regalos para Salomón. La princesa estaba protegida por una tropa de élite y llevaba una numerosa servidumbre encargada de satisfacer sus menores deseos. Pero ¿qué deseo podía tener una hija del faraón prometida a un rey extranjero, al que temía más que a un demonio nocturno?

En aquel comienzo de invierno, el cielo se había revestido de una túnica de inquietante gris. El cortejo había desafiado la lluvia y el viento, tras haber abandonado las claras alboradas y los dorados ocasos de Egipto.

Un olor a pescado agredió la nariz de Nagsara. Era día de mercado en la capital de Israel. Las callejas hedían, y eran tan estrechas que el carro pasaba con dificultad. Nagsara lanzó un grito de espanto cuando una decena de mendigos, excitándose unos a otros, se agarraron a las rejas de madera que servían de ventanas.

86

Harapientos, aullando injurias, con las manos sucias, querían tocar a la hermosa egipcia llegada de un país legendario. Los arqueros les apartaron con brutalidad. Huyeron pisoteando a un leproso que no había podido correr con bastante celeridad.

Entre las casas de los ricos, cubiertas de tejas, y las de los pobres, con techos de cañas y tierra batida, los soldados intentaban en vano hacer respetar una apariencia de orden. La excitación había llegado al máximo. La muchedumbre manifestaba una ruidosa alegría, pasmada al comprobar que el rumor no había mentido: ¡una hija de faraón venía a ofrecerse al rey de Israel!

No había grandes avenidas, como en Tebas o Menfis, sino una sucesión de pequeñas arterias entrecruzadas, algunas de las cuales tenían peldaños para facilitar el ascenso de los asnos cargados de alimentos. A Nagsara le pareció entrar en un mundo cerrado, asfixiante, del que sería prisionera para siempre.

Había perdido los jardines que precedían las mansiones de los nobles egipcios; se habían desvanecido los árboles y los matorrales floridos. Habían desaparecido las construcciones de madera, cubiertas de follaje, bajo las que se tomaba el fresco.

La marcha del carro se vio interrumpida por el paso de unas ocas y gallinas salidas de una granja situada en pleno centro de la capital. El incidente no arrancó a Nagsara sonrisa alguna, pero un perfume conocido tranquilizó por unos instantes su nerviosismo: el de las flores de un jazmín gigante que adornaba los muros de un patinillo donde se amontonaban utensilios de cobre. Era un milagro en aquella estación. La muchacha adoraba ese olor que le recordaba sus juegos de infancia junto al estanque de palacio.

Unas vueltas de rueda más y el maravilloso aroma fue sustituido por la pestilencia que emanaba de negruzcas humaredas. Las amas de casa quemaban los desechos y los excrementos; otras cocinaban carne o pescado. La brutalidad de los olores de Jerusalén había disipado enseguida un instante de sueño.

De pronto, Nagsara se mordió la muñeca hasta casi hacerse sangre. Luego, advirtió que se comportaba como una alocada, indigna de su rango. Le indignó que una hija del faraón pudiera presentarse al rey de Israel en tan despreciable estado. El amontonamiento de las casas, la falta de espacio, no podían hacerle olvidar que entraba en la capital de un Estado poderoso, gobernado por un monarca de creciente fama. En aquel lugar, Nagsara era Egipto. Se convertía en heredera y responsable de la nobleza de su país.

El cortejo se vio obligado a detenerse al pie de una calderería. Los obreros habían cerrado el camino con sus utensilios. Golpeaban a martillazos el metal, modelaban calderos. Apostrofados por los soldados dejaron libre el paso a regañadientes. Un aguador se acercó al carro.

−¡Bebed, princesa! ¡Ved qué fresca está!

Nagsara aceptó. Y a cambio del odre dio al mercader una copa de plata.

El aguador blandió su magnífico trofeo y alabó la bondad de la egipcia que daba riquezas a la gente del pueblo. Nagsara acababa de conquistar el corazón de un barrio de Jerusalén. Pese a la desesperación que la roía, decidió no seguir siendo una niña languideciente.

Pronto comparecería ante Salomón, cuya belleza e inteligencia tanto le habían alabado.

No le decepcionaría.

Al cabo de dos horas de pacientes y atentos esfuerzos, los servidores del sumo sacerdote Sadoq acababan de vestir a su señor con las ropas rituales. Con las esquinas de la barba sin cortar, como exigía la costumbre, Sadoq iba tocado con un turbante de franjas violeta cubierto con una tiara de oro en la que una inscripción proclamaba: «Gloria a Yahvé». Sobre su túnica de lino, un sobrepelliz violeta adornado con granadas entre las que colgaban campanillas de oro cuyo agridulce sonido alejaba las fuerzas demoníacas. Por encima de todo, una prenda única, la efod, tejida con hilos de oro y carmesí, fijada en los hombros del sumo sacerdote con broches dorados cerrados por dos ónices. En la efod se había prendido el famoso pectoral de doce piedras preciosas, entre ellas el topacio, la esmeralda, el zafiro, el jaspe, la amatista, el ágata, el carbunclo y la sardónice, que simbolizaban las doce tribus de Israel. Unido al pectoral, un pequeño saco que contenía dos dados. Arrojándolos, el sumo sacerdote revelaba los Números utilizados por Dios para construir el mundo.

El flaco Sadoq, vestido de este modo, suscitaba una admiración cercana al temor. Precedido por dos sacerdotes, fue introducido en la sala del trono donde le aguardaba Salomón.

—¿Por qué has pedido audiencia, Sadoq? ¿No debías velar por los preparativos de mi boda?

Altivo, el sumo sacerdote repuso en tono cortante:

—Esta unión disgusta a Yahvé, majestad. ¿Por qué no elegís esposa entre vuestras concubinas? Esta egipcia no comparte nuestra fe. Será una mala reina y atraerá la desgracia sobre Israel. Renuncia a ese matrimonio y no descontentes a tu pueblo. Dios habla por mi boca.

La mirada de Salomón fulguró. El ardor que iba dominándole le impulsaba a abofetear al insolente religioso que le debía obediencia absoluta. Pero el rey de los hebreos debía conservar, en cualquier circunstancia, el dominio sobre sí mismo.

—¿Y si no te hago caso, Sadoq, qué sucederá?

—Me negaré a celebrar el impío matrimonio, majestad. Compareceré ante el pueblo y me despojaré de mis ornamentos rituales ante los ojos de los creyentes. Les explicaré que el sumo sacerdote de Yahvé arroja así la mala suerte sobre la cabeza del rey y de la egipcia.

Sadoq, con un rictus en los labios, triunfaba. Salomón creía haber nombrado a un hombre de paja que cumpliría al pie de la letra sus instrucciones. Advertía ahora que el sumo sacerdote ejercía un poder real. Sadoq pensaba convertirse en un personaje de inmensa altura, casi igual al rey que, en adelante, se vería obligado a consultarle antes de tomar una decisión.

A Sadoq le extrañó la tranquilidad de Salomón. Esperaba una reacción violenta que habría utilizado en su beneficio, estigmatizando la vehemencia de un monarca demasiado joven. Pero éste, débil o razonable, ni siquiera intentaba luchar.

–Toma los dados que detentas, Sadoq.

–Los dados, pero...

–Antes de lanzarlos sobre las losas de esta sala, demuéstrame que hablas en nombre de Dios anunciándome los números que van a salir.

–Es una leyenda, señor, nada más, y...

–El cinco y el siete, Sadoq, el cinco, número del hombre, y el siete, número de la mujer. Si mi previsión es justa, Dios bendecirá mi boda con la hija del rey de Egipto. Lanza los dados, sumo sacerdote.

Vacilante primero, Sadoq los sacó de la bolsa de cuero. Los estrechó en la mano derecha y, luego, los lanzó; rodaron mucho tiempo, resonando sobre las losas.

Salomón no se movió.

Sadoq se desplazó, haciendo repicar las campanillas de oro de su vestido de gala. Aquel metálico canto le pareció diabólico al ver los números que el azar había elegido.

El cinco y el siete.

Capítulo 13

Nagsara, hija de faráon, estaba segura de que iban a recibirla con los honores debidos a su alta cuna. El menor de ellos era la presencia de su futuro esposo, el rey Salomón.

Cuando el carro se detuvo ante un edificio gris, contiguo al palacio, un hombre panzudo, que llevaba en el hombro una llave y un sello, la ayudó a bajar.

—Soy el mayordomo de palacio —declaró bondadosamente—. Bienvenida a Israel.

Nagsara se indignó.

—¿Dónde está el rey?

—Vendrá pronto. Los preparativos de la boda le han retrasado.

—¡Es una grave injuria! No soy su criada.

El mayordomo de palacio se sintió impresionado por la virulencia de aquella mujer, más bien pequeña y de mediocre belleza. Como había supuesto, la presencia de una hija del faraón en la corte de Israel no tardaría en provocar conflictos y escándalos.

—Por favor, seguidme, majestad. Debo mostraros los lugares donde viviréis.

Nagsara miró a su alrededor. Los soldados egipcios eran poco numerosos. A la guardia de Salomón le costaría poco reprimir una revuelta. La hija del faraón no tenía medio alguno para responder inmediatamente al desprecio que sufría.

Siguió, pues, al mayordomo de palacio. Su decepción fue inmensa. La morada de rugosos muros en la que la introdujeron era menos lujosa que la más modesta casa de Tebas. No había jardín interior, ni estanques, ni sala con columnas. Estancias cuadradas, sin elegancia, sin decoración, indignas de una alteza real. La cólera hervía en el pecho de Nagsara cuando oyó unas risas. Dos jóvenes vestidas de corto apartaron una cortina, salieron de una habitación y pasaron corriendo ante la egipcia. Las siguió una tercera mujer, de más edad. Irónica, contempló a Nagsara como si fuera un animal curioso y, luego, se retiró a otra habitación de la que salían picantes efluvios.

–¿Quiénes son?

–Las otras esposas de Salomón –respondió el mayordomo de palacio–. Antes, pertenecieron a su padre, David. Tiene una veintena…, moabitas, edomitas, sidonias e incluso hititas. La que ha estado observándoos hace unos instantes es una amonita. Procede de la ciudad de Amón, que controla la ruta de Jerusalén a Damasco. Es una importante posición estratégica. De modo que esa esposa secundaria ocupa un lugar preeminente entre las concubinas. Desgraciadamente para ella, su edad... Salomón necesita una nueva reina, muy joven…

–Y yo seré la que...

Nagsara no se atrevió a terminar la frase. ¿Acaso ese rey monstruoso había decidido convertirla en su esclava, someterla a sus más bajos instintos? El faraón había previsto un matrimonio diplomático que se saldaría en una existencia de reclusa. Tan mísero destino parecía agradarle a Nagsara comparado con el que ahora divisaba.

–Me niego a convertirme en la perra de vuestro rey –anunció al mayordomo de palacio–. Si me toca, habrá guerra. Mi padre jamás aceptará que me traten así. No viviré aquí, en compañía de tan horribles mujeres.

–Majestad...

–Os prohíbo que me dirijáis la palabra. Salomón es un ser indigno. En Egipto, seríais menos que un pescador del Delta. No volveré a salir del carro.

Nagsara se dirigió al vehículo. Sólo dio algunos pasos. En el umbral del edificio estaba Salomón, que había asistido a la llegada de la hija del faraón.

Sonreía apacible. Nagsara le contempló. Los azules ojos del rey de Israel eran los de un hechicero. Arrebataba el alma. Una extraña madurez aparecía bajo la juventud de los rasgos.

—Perdonad mi retraso —imploró con voz cálida—. La falta de cortesía es inaceptable en un rey. Podría explicaros que he tenido que enfrentarme con el sumo sacerdote que se opone a nuestra boda, pero ¿podría convenceros?

—Un gran rey no depende de ninguno de sus súbditos, y menos aún de un sacerdote —repuso Nagsara.

Había querido mostrarse agria, pero sus ojos desmentían sus palabras. En realidad, escapaba a duras penas a la fascinación que iba apoderándose de ella. Salomón no era una bestia brutal sino un hombre de maravillosa belleza.

—Tenéis razón —reconoció el monarca—. Este lugar no corresponde a vuestra nobleza. Pero Jerusalén no es Tanis ni Tebas. Tengo la intención de hacer que mi capital sea magnífica. ¿Me concederéis un poco de vuestra paciencia? Se os reservarán aposentos especiales para evitar el contacto con las concubinas.

Nagsara habría querido protestar, afirmar con fuerza que tales disposiciones resultaban insuficientes, que ella era la garante de un tratado de paz y no la mujer que compartía el lecho con un rey extranjero, pero las palabras no pudieron superar la barrera de sus labios.

—Descansad, Nagsara, y preparaos para el gran banquete con el que celebraremos nuestra unión.

Natán, el preceptor, había comunicado a Salomón el secreto del marfil que fabrica el elefante, de la miel que prepara la abeja, de la perla que engendra la ostra, del veneno de la víbora. Le había enseñado el significado del vuelo de los halcones, el arte de elegir los frutos, el nombre de las estrellas a las que enviaba besos para agradecerles su brillo. Ofrecía aceite sagrado al sol, perfume a la luna. Había arrojado piedras preciosas al mar, para que los brillantes de las olas resplandecieran más. Natán había enseñado a Salomón cómo alejar los fantasmas y los demonios, golpeando pieles de felino con varitas de avellano. El discípulo había recibido del maestro el conocimiento del gallo que anunciaba el nacimiento de la luz, el de la golondrina mensajera de la benefactora lluvia, el del búho capaz de ver la claridad en las tinieblas, el de la grulla que marcaba las estaciones. Salomón había compartido el misterio del águila, capaz de mirar de frente al sol.

Cuando esas ciencias hubieron pasado al espíritu y la sangre del joven, Natán le transmitió el medio de conocer el porvenir. No la mala adivinación, triste herencia de los ángeles caídos, sino la astrología, el arte de los reyes que se practicaba desde la noche de los tiempos.

Salomón trazó un zodíaco en la arena. Observando el cielo nocturno, descubrió los planetas e inscribió su posición en los signos. Sólo el rey tenía derecho a conocer el porvenir, no para sí mismo sino para la comunidad de seres de la que se encargaba. Salomón leyó el tema astrológico de aquella jornada, que había visto a la hija de un faraón llegar a Jerusalén y abrir una nueva era que ni David ni sus predecesores habían imaginado. Luego, apeló a un remoto futuro, solicitó al cielo la visión de alejados mañanas.

Las respuestas fueron equívocas. Nunca le habían parecido tan complicadas, formando una red inextricable como las calles de Jerusalén. ¿Anunciaban la felicidad o la desgracia, el éxito o el fracaso? Si el zodíaco y los astros se negaban a hablar, ¿no debía el propio Salomón tomar las iniciativas sin retroceder ante peligro alguno? Borrando sus trazos, al rey de Israel le pareció privarse de una preciosa ayuda. Como el marino que se zambulle en la tormenta, sólo podía confiar en su intuición para evitar los escollos.

Salomón había abandonado la tierra de la ilusión. Su boda conmovería el alma de su pueblo. Al arrojar los dados, jugaba el juego del Señor de las nubes. Pero ¿acaso un hombre, por más rey que fuera, conocía sus reglas?

Capítulo 14

–Los hebreos huelen mal –dijo la princesa Nagsara a su peluquera–. Quema incienso y mirra. Exijo que esta miserable morada esté perfumada constantemente.

Las sirvientas de la hija del faraón trabajaban sin descanso desde primeras horas de la mañana preparando a su dueña para el banquete de la noche, que celebraría el matrimonio de Estado. Utilizando un peine de oro, la peluquera había arreglado los finos cabellos de Nagsara, que se miraba sin cesar en un espejo de cobre de superficie perfectamente pulida.

Pese a los mesurados consejos del mayordomo de palacio, Nagsara había rechazado hacer la menor concesión a la moda hebrea. Se vestiría a la egipcia y se mostraría con el esplendor de una reina nacida de la más antigua y más respetada de las civilizaciones. Así, antes de abandonar sus apartamentos y dirigirse a palacio, Nagsara hizo que le pusieran en la cabeza un cono de perfumadas esencias que iría fundiéndose en su peluca durante toda la velada. Por prudencia, colocó en su sandalia un minúsculo vaporizador de piel. Con una simple presión del dedo del pie, liberaría delicados aromas.

Nerviosa, la princesa verificó una vez más su tocado, que consideró insuficientemente rizado. Su maquillaje tampoco le gustaba. Peluquera y maquilladora tuvieron que ponerse de nuevo a trabajar, manipulando espátulas, peines y cucharas para maquillaje. Adelgazaron el dibujo de los labios, subrayaron la línea de las cejas con una pasta de un negro azulado. Azulearon también las pestañas y tintaron de rojo las uñas de las manos y los pies.

95

Satisfecha por fin, Nagsara aceptó el vestido de fino lino que le habían regalado, antes de su partida, las tejedoras de Tanis. El anochecer era fresco y se puso en los hombros una estola de lana.

Salomón le había enviado los soldados de su guardia personal, al mando de Banaias, y un carro de madera dorada provisto de un confortable asiento y cubierto por un dosel. En el interior del palacio, el rey había hecho derribar dos muros, creando así un gran espacio donde se habían instalado mesas bajas.

El soberano recibió a cada uno de sus invitados, les dio el ósculo de la paz y les lavó los pies. Se sentaron en el lugar que el mayordomo de palacio les indicaba, unos con las piernas cruzadas sobre almohadones, otros en sillas de madera. En medio de la sala, la mesa de honor, aislada y soberbia. Sus dorados refulgían a la luz de las grandes antorchas.

Cocineros, coperos, paneteros habían trabajado con ardor para que el banquete se recordara como el más suntuoso de la historia de Israel. Sobre manteles de colores se habían dispuesto copas y vajilla de plata, cucharas de marfil y de madera. En platos de arcilla, alcaparras, menta, romero, ajo, cebolla, cilantro y azafrán. Nadie se atrevía a tocar esos entrantes. Los ojos estaban clavados en la puerta de acceso a la sala del festejo.

Apareció Nagsara, hija del faraón Siamon. La futura reina de Israel, con la magnificencia de su vestido de lino y sus joyas de oro, ridiculizó a las mujeres de los cortesanos. La legendaria belleza de Egipto penetraba en Jerusalén, brutalmente reducida al rango de pequeña ciudad provinciana.

En aquella mujer que levantaba ya celos y codicias, Salomón veía sólo una paz que salvaría millares de vidas. Nagsara advirtió la frialdad de aquel que iba a ser su marido. Con su túnica roja y azul, bordada con hilos de oro, el rey de Israel la contemplaba sin ternura. Sus pensamientos se dirigían a la alianza entre dos países, no al amor de una joven princesa.

–¿Querrá el poderoso soberano de Israel escuchar la voz de mi país? –preguntó con dulzura–. Los cantos y las danzas me recordarán la tierra donde nací. Disiparán mi pena, me harán olvidar que he dejado para siempre mi familia y derramarán alegría en los corazones.

Entraron unas tañidoras de arpas, laúdes y tamboriles. Les siguieron unas danzarinas vestidas con un sencillo paño de fibras vegetales que se levantaba con cada uno de sus movimientos. Se agitaron cadenciosamente, al hechizante ritmo de la orquesta. Los comensales, deslumbrados por tanta audacia, no apartaban los ojos de los menudos pechos y las ágiles piernas. Los oídos se dejaban seducir por una suave música mientras Salomón, tomando las manos de la princesa, la invitaba a sentarse junto a él.

—Os haré construir una hermosa morada en el recinto del templo —murmuró.

—¿Cuándo estará terminada?

Salomón no respondió, fingiendo admirar las evoluciones de las danzarinas: Nagsara, furiosa contra sí misma, se mordió los labios. Su estúpida pregunta había importunado al hombre que, ahora, deseaba conquistar. Su padre, el faraón Siamón, contra quien había alimentado un sentimiento de rebeldía, no le había reservado un destino nefasto. ¿Sabría agradecerle que le permitiera vivir unas horas en las que iba a convertirse en esposa de tan seductor monarca? ¿Era amor ese éxtasis que aniquilaba a todos los seres, con excepción de uno solo?

Se sirvió ternera bien cebada, pichones, perdices, codornices asadas con fuego de leña y, manjar de excepción, un cordero lechal asado con sarmientos. Más delicadas eran todavía las langostas cocidas con agua y sal, a las que los cocineros habían quitado las patas y la cabeza tras haberlas secado al sol. Otras habían sido confitadas con miel. Los coperos no dejaban de escanciar un bermejo vino.

Al finalizar la última vela, el mayordomo de palacio exigió silencio. Salomón tomó la mano derecha de Nagsara. El heraldo proclamó su boda, sellando el tratado de paz y de amistad que unía a Egipto e Israel y los convertía en aliados contra un eventual agresor. Las aclamaciones saludaron el acontecimiento. Luego prosiguió el ágape, más ruidoso y desenfrenado.

Salomón había apartado su mano. Nagsara se sorprendió.

–¿No somos marido y mujer, señor?

–Así lo quiere la ley de los reyes. Pero ¿cómo puedo obligaros a amarme?

–Una mujer de Egipto nunca acepta la coacción.

Nagsara lamentó enseguida sus vivas palabras. Se comportaba como un ser huraño, indomable, cuando habría deseado manifestar su confianza. ¿Qué genio malo la obligaba a traicionarse así?

Salomón tomó de nuevo la mano de su esposa. El suave contacto de sus dedos hizo temblar a Nagsara.

–Recuerda tú, que te conviertes en reina de Israel, que el aliento de nuestra existencia es una humareda que se disipa en el cielo –le aconsejó–. Cuando desaparece, nuestro cuerpo se reduce a cenizas, nuestro espíritu se desvanece como el aire. Nuestra vida pasará como la estela de una nube, como la huella invisible de una sombra. Nuestros pensamientos sólo habrán sido chispas brotadas de los latidos del corazón. Goza el instante y no pienses en otra cosa. ¿Qué importan la miseria y la vejez? Aquí, son ilusiones. El bermejo vino que te ofrezco es el mensajero del sol que lo ha madurado. Deja que se introduzca en tus venas, que sea la luz que ilumine tus gestos.

Nagsara aceptó la copa que Salomón le ofrecía. Tras haber bebido con delectación, se la presentó a su vez. Cuando él se la llevó a los labios, la princesa degustó aquella consumada comunión. Con una ligera presión del pie, liberó el perfume oculto en su sandalia, que formó una invisible barrera entre la pareja y los demás comensales.

Nagsara estaba sola, cruelmente decepcionada. Al finalizar el banquete, sus servidores la habían acompañado a sus aposentos. Salomón se había quedado con sus invitados. Sin duda había concluido la noche en el lecho de una de sus numerosas concubinas. El naciente amor había sido escarnecido. No sólo iba a ahogar el sentimiento que crecía ya en ella sino que rechazaría, también, con el mayor vigor, a aquel monstruo, si intentaba acercarse.

Cuando la peluquera anunció la llegada del rey de Israel, Nagsara, despreciando cualquier protocolo, se negó a recibirle.

Salomón forzó la puerta de su esposa.

Furiosa, la joven se irguió ante él.

–¡Salid inmediatamente de mi casa! –ordenó.

–También es la mía –dijo tranquilo Salomón, sujetando las muñecas de Nagsara que intentaba en vano golpearle.

–¡Marchaos, os lo ruego!

–Lo haré, tierna esposa, pero no sin vos. Tengo tantas maravillas que mostraros. Nuestro carro está listo. Yo mismo lo conduciré.

–Quiero quedarme aquí.

La agresividad de Nagsara disminuía. El contacto de Salomón le encantaba. No podía resistir el extraño calor que la invadía.

–Dejadme sola –imploró.

–¿Por qué me rechazáis?

–¡Porque os detesto! –Nagsara se separó de Salomón–. ¡Me habéis insultado, ridiculizado! ¡Me tratáis como a una de esas perras concubinas! Encerradme en este palacio y abandonadme.

El rey pareció sorprendido.

–No comprendo, Nagsara. ¿Tan graves faltas he cometido?

La princesa, con el rostro enfurruñado, se apartó.

–Vuestra ausencia, esta noche...

–Se trata de eso... ¡El protocolo, hermosa Nagsara, sólo el protocolo! No tenía elección. Mis pensamientos estaban con vos. ¿Lo dudáis acaso?

Las últimas resistencias de la egipcia se derrumbaron. Aceptó el brazo de Salomón.

–Pero... apenas estoy vestida, yo...

–La reina de Israel está así muy bella. No perdamos más tiempo.

Nagsara subió al carro junto a su esposo. Cuando él la tomó del talle, se puso rígida. Su victoria era demasiado fácil. La manipulaba como si fuera una de aquellas muñecas de trapo que tanto gustaban a las niñas. Salomón no la forzó, limitándose a sujetarla

99

para que no cayera. La pareja cruzó pequeñas llanuras amenizadas por bosquecillos de arbustos que ocultaban apacibles aldeas. Entre el vallejo de las moreras y el cerro de los melocotones se extendían numerosas viñas. Salomón se detuvo al pie de las terrazas que contenían la tierra, impidiendo los deslizamientos. Llevó a Nagsara hacia un lago que dominaba una colina boscosa. En la orilla, los pescadores reparaban sus redes manejando hábilmente la aguja. En el suelo reposaban algunos anzuelos de cobre. El esparavel, lastrado con plomo, era una gran red que los más hábiles sabían arrojar con un solo gesto desde las amplias barcas que resistían las corrientes. Los hombres cantaban. Habían conseguido una buena pesca y devolvían los peces impuros, los que no tenían aletas ni escamas. Su patrón ofreció a la pareja real un lucio que estaba asándose al fuego. Nagsara rechazó un alimento que satisfizo a su esposo.

Luego se marcharon, cruzaron una olorosa landa, poblada de retama y acanto. Unos pájaros revoloteaban entre las ramas de los árboles de la mostaza, cuyo grano era pulverizado por los cocineros para convertirlo en condimento. Dejando que su mano colgara fuera del carro, Nagsara se hirió con un cardo gigante. Salomón depositó en el pinchazo un largo beso. A la vista del mar de Galilea[1], la joven esposa olvidó su dolor. Se trataba sólo de un pequeño lago en forma de arpa. Un buen nadador lo atravesaba en menos de una hora. Pero su belleza era tal que la más hastiada mirada se iluminaba al verlo. Sus aguas, de un azul zafiro, eran surcadas por barquitas de pescadores que vivían en las casas blancas construidas entre los jazmines y las adelfas que adornaban las orillas. Las colinas, de un tierno verde, los protegían de los vientos que, en aquel hermoso día, hacían bailar las flores.

–Aquí nada ha cambiado desde el nacimiento del mundo –reveló Salomón–. Sólo reina la paz. Tras ver este mar tranquilo, con los colores de la eternidad, he querido ofrecérselo a mi pueblo y al vuestro.

1. El actual lago de Tiberíades.

Nagsara dejó de luchar contra sí misma. Sentía emociones que la habían rozado, en los jardines de El Fayum, a orillas de los estanques por donde bogaban jóvenes príncipes de cuerpo perfecto.

Apoyó su cabeza en el hombro de Salomón. Sintiéndola abandonarse, permaneció inmóvil mucho rato antes de abrazarla y ofrecerle un primer beso.

La mirada de Nagsara había cambiado. Lloraba y reía al mismo tiempo. El pasado moría en ella, arrastrado por la brisa que rizaba el curso del Jordán hacia el que la llevaba el rey. Éste condujo a su esposa por un estrecho sendero que dominaba las marismas antes de trepar entre bloques de basalto y hundirse en un paisaje formado por escarpadas riberas y espesos matorrales.

Nagsara no se atrevió a interrogar a Salomón sobre la meta de su escapada. Le gustaba dejarse guiar por quien la había hechizado. Cayendo de lo alto de un acantilado sobre un islote poblado de ibis, una cascada derramaba en el aire ligero su voz cristalina. El mundo se convertía en un limpio sueño, más suave que la miel. Las adelfas cerraban el camino. Salomón apartó las ramas, descubriendo un curioso estanque de agitadas aguas. Una cigüeña emprendió el vuelo en un promontorio. Nagsara retrocedió, posando el pie en una tierra blanda y húmeda de la que brotaban juncos y papiros. Pero un tibio líquido acarició sus pies.

–Manantiales calientes –explicó Salomón–. Los más secretos de Israel. Venid a bañaros. Harán desaparecer vuestra fatiga.

El rey quitó la ropa a la princesa antes de desnudarse también. Luego, con los labios unidos, la tomó en sus brazos y se zambulló en los manantiales. Dorados por el sol poniente, con el cuerpo acariciado por un delicioso burbujeo, el rey y la reina se amaron en la embriaguez de su deseo.

Capítulo 15

El sueño no se rompía. Nagsara no se separaba de Salomón, que había olvidado a sus concubinas. La nueva reina de Israel había conquistado la corte con su porte y su elegancia, aunque los celos de las altas damas hacia aquella extranjera no desaparecieran. El rey, atento a los impulsos de su joven esposa, había abandonado los asuntos cotidianos a su secretario y al mayordomo de palacio. Ambos hombres no se apreciaban. Se tendían trampas, de modo que estalló un abierto conflicto. Salomón se vio obligado a intervenir.

Cuando se sentó en su trono, tras una nueva jornada amorosa pasada en los manantiales, el rey se negó a escuchar las recriminaciones de ambos dignatarios. Algo le pareció evidente: el gran monarca era capaz de una excepcional jugada diplomática, pero olvidaba su misión en los juegos del amor.

Salomón despidió al mayordomo e hizo que su secretario se quedara.

–¿Has hecho el inventario de las riquezas acumuladas por mi padre, Elihap?

–Sí, señor.

–¿Son suficientes para financiar la construcción de un gran templo?

–De ningún modo.

–¿Hay algún arquitecto hebreo capaz de hacer los nuevos planos y organizar la obra?

–Sabéis muy bien que no, nos faltan materiales de calidad y madera de cedro. Nuestros carpinteros y nuestros canteros son insuficientes y no tienen experiencia. Renunciad a ese templo. Fracasar en la empresa apagaría la gloria que habéis obtenido gracias a la alianza con Egipto.

«Renunciad...» La palabra horrorizaba a Salomón. Olvidando el templo, había perdido toda dignidad. El adorable cuerpo de Nagsara, el orgullo de haberse casado con una hija del faraón, le habían hecho olvidar sus deberes. ¿Cómo el hijo de David había podido comportarse de un modo tan despreciable?

El templo sería garantía de la unión de Israel y Dios, de la tierra y el cielo. Sólo él haría duradero el acuerdo con Egipto. Sería un lugar de paz que ninguna barbarie se atrevería a destruir. Salomón no se satisfaría con una felicidad humana.

Renunciar... sería destruirse a sí mismo, aceptar una horrible muerte que le roería el corazón. Pero sólo podría conseguirlo haciendo que Israel fuera más rico, transformando un pequeño país en una potencia comercial y encontrando en otra parte a los hombres y los materiales que necesitaba.

Salomón aceptaba aquel desafío a lo imposible, aunque fuera al combate con menos posibilidades que David contra Goliath.

–¿A quién compró mi padre los metales preciosos que ocultó?

–Al rey de Tiro –repuso Elihap.

–Haz que dispongan un barco. Mañana partiré a Tiro.

Dirigiéndose precipitadamente a la gran ciudad marítima, capital económica de la antigua Fenicia, al oeste del lago Merom y al sur de Biblos, Salomón no respetaba la costumbre que establecía que dos monarcas intercambiaran cartas y embajadores antes de encontrarse.

Hombre prudente y astuto de unos sesenta años, el rey de Tiro tenía fama de temible negociador. La prosperidad de su ciudad se debía al comercio y a la hábil explotación de las riquezas naturales de la región que controlaba.

Tiro estaba protegida por una diosa buena, heredera de la sonriente Hathor de Egipto, que velaba sobre los marinos y sus barcos. El capitán que le ofrecía un sacrificio antes de hacerse a la mar tenía la seguridad de poder escapar a la cólera del mar y llegar a buen puerto. Aunque su madre fuera una israelita de la tribu de Neftalí, el rey de Tiro se había negado a convertirse a la religión de Yahvé, que consideraba intolerante y guerrera. Ciertamente, había aceptado vender madera de cedro a David para la construcción de un templo. Pero aquel utópico proyecto había sido abandonado enseguida. Salomón no se había apresurado a revitalizar las relaciones con Fenicia. ¿Se preparaba, tras su alianza con Egipto, para invadir una región tan próxima como Israel?

Cuando le anunciaron la llegada de Salomón, el rey de Tiro advirtió que el general del faraón Siamon, que acababa de abandonar su palacio, no le había mentido al predecir una próxima intervención del monarca hebreo. Egipto había dictado al fenicio su conducta, garantizándole su protección a cambio de una perfecta obediencia. Lo que se solicitaba al rey de Tiro no mancillaba su honor. Por lo tanto, actuaría de acuerdo con las instrucciones recibidas para no enemistarse con el imperio de las riberas del Nilo.

Salomón se presentaba solo, sin bajeles de guerra, sin ejército, sin cohorte de servidores. Astuta gestión, estimó el fenicio. Se colocaba así bajo la protección de su anfitrión, quien debería velar por él como si fuera sagrado.

¿Justificaría el hebreo la halagadora reputación que le precedía? ¿No afirmaban los poetas que conocía el lenguaje del cedro y del hisopo, el de los pájaros del cielo y los animales de los campos, de las criaturas que se arrastran por el suelo o nadan en las aguas? ¿No se exageraba la sabiduría de tan joven monarca?

El palacio del rey de Tiro estaba construido, con gruesos bloques, sobre un promontorio que dominaba el puerto donde estaban ancladas numerosas naves mercantes. Amplias aberturas permitían al sol lanzar sus rayos a las salas adornadas con coloreados mosaicos. La presencia militar era débil y discreta. Tiro afirmaba ser una ciudad abierta a todos, sin espíritu partidario, donde todas las naciones tenían derecho a comerciar. Todos estaban interesados en preservar Tiro y su flota, a dejar que circulara el hierro, la plata, el estaño y el plomo, a realizar allí fructuosas transacciones. ¿Acaso el puerto fenicio no enriquecía a los reyes, aunque fueran adversarios? ¿Los pilotos fenicios, de excepcionales dotes, no eran reclamados por los más ilustres marinos? Pero tal vez Salomón, de ambiciones vastas como el océano, hubiera decidido modificar aquella situación en beneficio de su país.

Salomón iba acompañado sólo por su secretario, que se mantenía a unos pasos, llevando el escritorio y el cálamo. El rey de Tiro les recibió en la más agradable terraza de su palacio, iluminada por un suave sol de invierno. Les ofreció vino de palma y fruta confitada.

El encanto de Salomón actuó inmediatamente sobre el espíritu del rey de Tiro, acostumbrado sin embargo a recibir a príncipes y monarcas. Una inteligente y pausada voz se añadía a su admirable rostro, de sorprendente serenidad. Debía de ser muy difícil resistirse a aquel hechicero. El fenicio desconfió más todavía. Con un soberano de aquel temple, Israel podría intentar establecer su supremacía sobre los Estados de la región.

–Soy sólo un nieto de campesinos –declaró Salomón–. Israel es un país de montañeses que nada conocen de los peligros del mar. Mis súbditos son pobres. Los vuestros ricos. ¿No está Tiro en el apogeo de su gloria?

El fenicio escuchó distraído aquel cumplido:

–¿No viene la caída tras el apogeo? Me entendía bien con David, vuestro padre. Tras sus victorias sobre los filisteos y los moabitas, me trató como un aliado. ¿Es ésta vuestra intención?

–¿Acaso no lo muestra mi venida?

–Vuestro imperio ha crecido desde que subisteis al trono de Israel. Se extiende del Jordán al mar y, por el oeste, llega a los límites del Delta egipcio. De vuestra política dependen la tranquilidad y la prosperidad de Tiro.

El fenicio temía haber sido demasiado directo. Aquel desafío podía provocar una reacción colérica.

Salomón sonrió.

–Vuestras palabras me colman de alegría –dijo–. La felicidad de Israel depende de la vuestra. Construiremos nuestra amistad en una paz sólida y duradera.

El rey de Tiro vacilaba.

–Me gustaría poner a prueba vuestra sabiduría.

–Como queráis.

–Existe un ser vivo que no puede moverse –dijo el fenicio–. Cuando muere, se mueve por fin. ¿De quién se trata?

Salomón reflexionó. Con un gesto que pasó desapercibido, hizo girar el anillo de oro que llevaba en el anular de su mano izquierda.

–Del árbol –respondió–. Cuando vive, no se desplaza. Cuando el leñador lo trocea, muere. Pero se convierte en navío que se desplaza por el agua.

El rey de Tiro reconoció su derrota.

–Os agradezco vuestra enseñanza –dijo Salomón–. Al aludir a vuestro poder marítimo, habéis hecho hincapié en la debilidad de Israel. Por eso necesito vuestra ayuda.

Mientras el secretario anotaba las intervenciones de ambos soberanos, el fenicio aceptaba ser conquistado por su interlocutor. Creía en sus deseos de paz.

–Corre el rumor de que tenéis la intención de construir un gran templo en Jerusalén.

–Ésa es mi voluntad –admitió Salomón–. Mi padre fracasó. Y yo tendré éxito. Pienso compraros muchos materiales, especialmente metales, madera de cedro y de ciprés.

–¿Qué ofrecéis a cambio?

–Cereales, vino, frutos, aromas y miel.

–Necesitaré también trigo y aceite –exigió el rey de Tiro.

–Añadiré la producción agrícola de veinte aldeas de Galilea.

El fenicio estaba satisfecho. La transacción le era favorable.

–¿Dónde entregaros todo eso? No disponéis de puerto alguno. Los caminos son incómodos.

–Dentro de un año existirá un puerto –afirmó Salomón–. Os daré parte de los beneficios que obtenga. Con una condición...

–¿Cuál?

–Enviadme equipos de canteros y carpinteros. Los mejores artesanos de Oriente han trabajado en Tiro. Los hebreos no conocen los secretos técnicos para construir un templo como el que imagino.

–¿Qué sacaré de eso?

–Oro –repuso Salomón.

–¿Oro? –repitió el rey de Tiro–. Eso significa que vais a exigirme más.

–Me asociaréis al tráfico marítimo. Gracias a mi alianza con Egipto, garantizaré su total seguridad. Todos saldremos beneficiados de este acuerdo. Fenicia no puede vivir aislada.

La reflexión del rey de Tiro fue breve. Las amenazas latentes que el discurso de Salomón contenía nada tenían de ilusorio. La solución que proponía era tan razonable como inevitable.

–De acuerdo, rey de Israel. Os habéis hecho merecedor de vuestra reputación. Queda un detalle... ¿Qué maestro de obras habéis elegido para construir vuestro santuario?

Salomón pareció turbado.

–Busco uno –confesó–, pero ningún hebreo me parece calificado para cumplir tan exigente función.

–¿Habéis examinado los muros de mi palacio? No era una obra fácil. Se la confié a un joven arquitecto que me satisfizo. Pronto abandonará Tiro.

–¿Cuál es su nombre?

–Maestre Hiram.

–Enviádmelo –pidió Salomón.

–Lo intentaré...

–¿Por qué tanta reticencia?

–Porque maestre Hiram es un espíritu independiente, más bien sombrío, cuya presencia desean numerosas capitales. Sólo dirige grandes obras en las que poder expresar su arte.

Salomón se sentía intrigado.

–¿Será Jerusalén ciudad suficiente para su genio?

–Lo ignoro –repuso el rey de Tiro.

–Intentad convencerlo –rogó Salomón–. Me gustaría conocer a ese hombre.

Cuando Salomón y su secretario se hubieron marchado, el rey de Tiro hizo grabar una tablilla para el faraón de Egipto. Había cumplido su promesa y reclamaba la recompensa anunciada por haber logrado que picara un pez llamado Salomón.

Capítulo 16

Nagsara se maquillaba con una crema refrescante hecha a base de hojas de alheña. Se había pintado las uñas de las manos de un amarillo dorado. Pasaba horas y horas preparándose y poniéndose hermosa para un rey al que no veía casi nunca. La pasión de Salomón se había extinguido cuando regresó de Tiro. Nagsara había utilizado en vano las armas de la seducción. Su esposo, sin avisarla, había abandonado Jerusalén para instalarse en una mediocre casa, en el lugar de Eziongeber, a un extremo del golfo Elanítico a orillas del mar Rojo.

—¿Deseabais verme, majestad? —preguntó inquieto el mayordomo de palacio.

—¿Dónde está mi marido?

—En Eziongeber.

—¿Por cuánto tiempo? Esta ausencia comienza a ser exasperante.

—El rey está construyendo un puerto —explicó el mayordomo de palacio, temiendo un nuevo acceso de cólera por parte de la egipcia—. ¿Qué deseáis para cenar?

—¡No tengo hambre! —aulló Nagsara.

El mayordomo de palacio desapareció. La reina se derrumbó en su lecho, derramando cálidas lágrimas. En su aflicción, se juró encontrar el modo de llamar la atención de Salomón y retenerlo a su lado.

El viento procedente de África soplaba con violencia sobre el puerto de Eziongeber, impidiendo arribar a los navíos de gran tonelaje y obligándolos a fondear a lo lejos. Los finos cabellos de Salomón revoloteaban en las desencadenadas ráfagas que levantaban inmensas olas.

El rey de Israel se alegraba del trabajo efectuado por los equipos de obreros bajo la dirección de Jeroboam, satisfecho de haber podido probar una vez más su competencia. Una ciudad había sido edificada rápidamente en casi setecientas hectáreas. Ciertamente, los materiales utilizados eran de calidad mediocre, las casas carecían de encanto y de comodidades. Pero el pueblo de Israel poseía por fin un gran puerto. Salomón, sin embargo, no se hacía muchas ilusiones. Los hebreos temían el mar. Les gustaba sentir bajo sus pies la tierra firme. Jamás rivalizarían con los marinos fenicios, jamás controlarían las rutas marítimas de Oriente y Occidente. Pero no era ése su objetivo. Al franquear las fortificadas puertas de Eziongeber, defendida por murallas de ocho metros de altura, las caravanas iniciaban una serie de idas y venidas, benéficas para la economía de Israel. Pronto serían desembarcados los materiales comprados al rey de Tiro. Eziongeber, escala en los itinerarios de África, Arabia y la India, atraería a numerosos navíos que pagarían derecho de atraque.

Aquellas medidas no bastarían para financiar la construcción del templo. Salomón acariciaba, entre el índice y el pulgar, una pepita de oro del tamaño de un hueso de aceituna. Había muchas más, gruesas como un níspero e, incluso, como una nuez grande en el país de Ofir que los egipcios denominaban Punt y los africanos Saba. Sus montañas eran de oro y el polvo de plata. La gente del pueblo llevaba en las muñecas brazaletes y en la garganta collares de un oro tan puro que no era preciso refinarlo en un crisol. La reina de Saba, Balkis, era la mujer más rica del mundo. Explotaba minas de oro rojo, sin rastro de plata, de berilio y esmeralda. La gente de Saba, famosa por su apacible carácter, vendía también opio y especias. Solían poner a su cabeza a una mujer, servidora de un dios supremo. Salomón necesitaba oro de Saba para pagar al rey de Tiro y construir el templo de Jerusalén. Pero la tierra de las maravillas sólo era accesible por mar. Por ello el rey de Israel había creado un puerto, ordenado la construcción de naves mercantes y dispuesto que todo un cuerpo de infantes se convirtieran en marinos.

La flota de Salomón, cargada de aceite, vino y trigo, estaba lista para zarpar hacia Saba. Cuando regresara con el oro rojo, el joven monarca sabría que su gran obra podría realizarse.

Elihap interrumpió la meditación de Salomón. El secretario, a quien el viento no le gustaba demasiado, se vio obligado a levantar la voz.

–Perdonadme, majestad..., pero el mayordomo de palacio desea que regreséis inmediatamente a Jerusalén.

–¿Qué ocurre?

–Un motín –confesó el secretario–. El pueblo se rebela.

Algunas jarras de vino se habían derramado sobre telas de lana. Los matarifes blandían sus cuchillos y laceraban los paños. Cuartos de carne cubrían el suelo, pisoteados por algunos bataneros que corrían en desorden hacia los barrios altos de Jerusalén. Los mendigos aprovechaban la confusión para pillar los puestos de pescado y robar frutas en el mercado. Los fabricantes de zapatos los arrojaban a la cabeza de los soldados de la guardia que, al mando del general Banaias, impedía el acceso a la calleja que llevaba a palacio. Mujeres y niños se habían refugiado en las casas.

La muchedumbre, furiosa, había cruzado aullando la rosaleda que databa del tiempo de los profetas. Los asnos, enloquecidos, trotaban en todas direcciones, derribando su carga. No había una sola calleja que no estuviera invadida por un populacho desencadenado que injuriaba a David y su linaje.

En ausencia del rey, el general Banaias se sintió perdido. ¿Debía ordenar a los arqueros que dispararan y provocar una guerra civil? Le desesperaba ver cómo se escarnecía el orden. No, no entregaría la casa real a aquellos andrajosos. Mejor era morir combatiendo.

De pronto, los cabecillas se dieron la vuelta. Acababa de producirse un acontecimiento imprevisto cuyo impacto trastornaba las hileras de insurrectos; desde la ciudad baja hasta las cercanías del palacio, cesaron los aullidos. Todo quedó presa de un pesado silencio.

Salomón, solo y sin guardias, había cruzado la gran puerta de acceso y avanzaba con paso tranquilo entre las hileras de los sublevados. Muchos habitantes de la capital veían así al rey por primera vez. Ninguno se atrevió a tocarle por miedo a ser fulminado.

En su rostro no había expresión de temor alguna. Parecía tan sereno como si paseara a solas por las landas.

Salomón se dirigió a uno de los cabecillas, muy excitado, un curtidor de gastadas manos.

—¿A qué viene este tumulto?

El curtidor se arrodilló.

—Señor... Es la egipcia...

—¿Qué le reprochas a la reina de Israel?

—Rinde culto a la serpiente del mal, a la que nos hizo salir del Paraíso.

—¿Quién lo afirma?

—Es verdad, señor. ¡No toleres tú nuestro rey, semejante ultraje a Yahvé!

—Regresa al trabajo. Reino por la gracia de Dios. De Él tengo mi poder. Jamás le traicionaré.

El curtidor besó la parte baja de la túnica del soberano. Levantándose, gritó a pleno pulmón: «¡Viva Salomón!».

La muchedumbre repitió la aclamación.

Una hora más tarde, las transacciones echaban humo en el mercado.

Nagsara, maquillada con el inimitable arte de las mujeres de Egipto, desafiaba a su esposo.

—¿Israel es incapaz de admitir otros cultos? ¿Tan celoso y estúpido es Yahvé?

—¿Ignoráis que la serpiente, para mi pueblo, es el símbolo del mal?

—Vuestro pueblo es inculto. En Egipto, la cobra que yo venero[1] protege las cosechas. Rindiéndole homenaje, atraigo la prosperidad sobre Israel.

Salomón, indiferente a las miradas de la hija del faraón, seguía mostrándose severo.

–Vuestra cultura es vasta, Nagsara. No ignoráis la fábula del reptil que engañó a Adán y Eva. Al ofrecer un sacrificio público a vuestra cobra sagrada, habéis puesto en peligro mi trono.

–Sí, he provocado a Jerusalén. Era el único medio de haceros regresar de ese puerto perdido en el mar Rojo. Condenadme, castigadme. Pero concededme al menos una mirada.

Salomón abrazó a la reina, invitándola a tenderse junto a él en un lecho de almohadones.

–Eres injusta, Nagsara. El oficio de rey es exigente. Dios me ha confiado la tarea de construir Israel. ¿No debe ser ésta la primera de mis preocupaciones?

La joven egipcia apoyó la cabeza en el pecho de Salomón.

–Acepto ser la segunda, señor, pero quiero ser amada... El fuego que has encendido en mis venas sólo tú puedes apagarlo. Gracias a ti, mi dolor se transforma en felicidad. Te amo, dueño mío.

Salomón, con hábil mano, hizo resbalar la túnica de Nagsara. Ella cerró los ojos, ebria de alegría.

Las golondrinas danzaban a la luz del ocaso. Su vuelo era tan rápido que la mirada de Salomón no conseguía seguirlas. El rey de Israel recordó la leyenda según la cual aquellos pájaros eran las almas inmortales de los faraones de Egipto que regresaban a la luz de la que habían salido.

¡Qué lejos de ellos se sentía en esos instantes de soledad! Salomón había puesto fin al escándalo provocado por Nagsara. El pueblo seguía concediéndole su confianza, aunque hubiera per-

1. Se trata de la diosa serpiente Renenutet, soberana del silencio y garante de la prosperidad. La palabra «Eva» parece proceder de un término egipcio que significa «soberana» y que se escribía con una serpiente.

mitido a la reina conservar su fe. En adelante, celebraría su culto en un lugar retirado, en un altozano de la ciudad, al abrigo de las miradas. No importaba que todos lo supieran. Lo importante era, para la casta de los sacerdotes, que nada se viera.

Nagsara vivía una felicidad sin mácula. Había escuchado a las más sensuales concubinas y se ofrecía a su esposo con ardor. ¿Cómo podía Salomón gozar sin trabas de un cuerpo, por perfecto que fuera, si su espíritu se hallaba atenazado por insoportables preocupaciones?

Desaparecidos David y Natán, recluida y silenciosa Betsabé, encaramada Nagsara en su egoísmo, Salomón ya no contaba con confidente alguno ante su terrible fracaso, cuando la gran empresa de su reinado se quebraba contra la muralla de una implacable realidad.

Sus bajeles no habían llegado a Saba. La marina egipcia, considerando que aquel territorio era un coto protegido, los había desviado sin violencia. ¿Cómo podía protestar Salomón si había intentado engañar la vigilancia de la tropa del faraón? Expedición precipitada, mal preparada... Salomón había sobrevalorado la capacidad de sus soldados.

El oro de Saba no llegaría, el rey de Israel haría el ridículo ante el de Tiro. El templo no se construiría nunca.

Salomón había perdido su apuesta con Dios.

Segunda parte

Tú me dijiste que edificase un templo en tu monte santo
y un altar en la ciudad de tu morada,
según el modelo del santo tabernáculo que al inicio habías
[preparado.
Contigo está la sabiduría conocedora de tus obras,
que te asistió cuando hacías el mundo.

Libro de la Sabiduría, 9,8 9.

Capítulo 17

Procedente de Tiro, maestre Hiram seguía la ruta de las crestas. El invierno estaba llegando a su fin y había tomado la precaución de fijar su partida en la noche del vigésimo nono día de febrero, cuando había aparecido el cuarto creciente de la nueva luna. En las alturas brillaban algunas luces, advirtiendo a todos del cambio de mes y facilitando los desplazamientos de los viajeros.

Caía la lluvia densa y fría, como sucedía a menudo en esa época. La mayoría de caminos estaban desiertos, transformados en cenagales por violentos diluvios. «Antes de que nazca la primavera, afirmaba un proverbio, el buey tiembla al alba pero busca a mediodía la sombra de la higuera.» El frescor de las noches había obligado a maestre Hiram a cubrirse con un pesado manto de lana en el que se envolvía para dormir al aire libre. Él mismo se lo había confeccionado, cosiendo dos gruesas mantas y disponiendo un agujero para la cabeza. En el amplio cinturón que le ceñía los riñones había puesto algunas monedas de plata. A su lado trotaba un asno de un gris pálido, resistente animal que no retrocedía ante ningún esfuerzo. Llevaba en sus lomos dos odres, uno contenía agua pura y el otro un poco de vinagre, un par de sandalias, ropas y una calabaza seca que le servía de copa para beber el agua. Capaz de marchar más de cuarenta kilómetros diarios, el cuadrúpedo sentía ya afecto por su compañero.

Hiram había cruzado trabajosamente los nevados bosques del monte Carmelo, donde se había refugiado el profeta Elías. Afortunadamente, el asno conocía la menor pulgada de terreno del estrecho collado que unía el norte y el sur de Palestina, permitiendo abandonar la zona de influencia fenicia para entrar en el reino de Israel.

El maestro de obras había tomado un sendero que serpenteaba por encima de la fortaleza que custodiaba el lugar. Tras haber cubierto de trapos los cascos del asno, Hiram no había llamado la atención de los vigías. Ya sólo debía andar de cresta en cresta, subir y bajar sin cesar, franquear el Tabor, el Gelboé, el Ebal y el Garicim. Ciertamente, el más alto de aquellos montes no llegaba a los mil doscientos metros, pero el recorrido era duro para las piernas.

Hiram admiró los centenarios troncos de robles cuya copa culminaba a veinte metros de altura y cuya plantación se atribuía a Abraham. Más adelante, un bosque de terebintos con innumerables ramificaciones. Pronto exhalarían los poderosos aromas que purificarían la garganta y los pulmones.

Para evitar encuentros, el maestro de obras había elegido un período en el que los caravaneros se detenían en campamentos de tiendas hasta que la nieve desapareciera de las cumbres. Hiram temía Samaria, por donde merodeaban todavía bandas de bandoleros. Los hebreos más piadosos consideraban la región un territorio de herejes. A lo lejos, hacia occidente, tras la llanura del Sarón, los huertos que precedían las dunas indicaban la costa. El viajero pensó con nostalgia en el desierto de Egipto, donde había aprendido los secretos del oficio con exigentes maestros que le llevaban de templo en templo, de morada de eternidad en morada de eternidad. Pero Hiram no tenía derecho ni tiempo para demorarse en su pasado. Su misión era más importante que su propia persona.

Derrengado, cruzó el Yabboq, afluente del Jordán, y llegó a un albergue, gran edificio protegido por un muro. Pasando bajo un pórtico de madera medio derruido, descubrió un patio lodoso lleno de animales de tiro. Toda un ala estaba ocupada por jergones destinados a los huéspedes de paso.

El posadero recibió a Hiram con suspicacia.

–¿De dónde vienes, amigo?

–No importa. Quiero comer.

El maestro de obras entregó una moneda de plata. El posadero se la puso en el cinturón y, con un gesto de cabeza, le indicó la dirección de la mesa común.

Hiram comió en compañía de dos hombres tan poco habladores como él. Compartieron pan de comino, sopa de hinojo y bebieron una tisana de ruda macerada, de virtudes digestivas.

Una mujer despeinada irrumpió en la sala, mal iluminada por una humeante antorcha. Se lanzó hacia uno de los comensales, intentando arrancarle los ojos. La víctima, con el rostro ensangrentado, aulló. Su compañero acudió inmediatamente en su ayuda. Pero la mujer, gritando injurias, estaba fuera de sí. Lo agarró por los testículos y tiró con violencia. El segundo comensal cayó al suelo. El hombre herido en el rostro derribó a la tigresa de un puñetazo en la nuca.

La escena se había desarrollado en pocos segundos. Hiram intentó en vano levantarse. El cuchillo que el posadero había puesto en su garganta le impedía moverse.

–Es un asunto familiar. No te metas, amigo. De lo contrario, tu viaje se detendrá aquí.

Sus dos adversarios arrastraron a la mujer hasta el exterior.

–¿Por qué esa violencia? –interrogó Hiram.

–Esos dos buenos mozos son su marido y su amante. La imbécil acaba de comprender que estaban de acuerdo como embaucadores de feria y se divertían a sus expensas. Toda Samaria lo sabe desde hace mucho tiempo. Habría podido reírse. Será duramente castigada por su despreciable gesto. La ley obliga a mis amigos a cortarle la mano, que se ha vuelto impura. La sangre debe ser vengada.

Unos atroces aullidos fueron la prueba de que el castigo se había ejecutado inmediatamente.

–¿Por qué esa violencia? –repitió Hiram para sí mismo.

El maestro de obras se había negado a pasar la noche en aquella posada, y había preferido proseguir su camino hacia Jerusalén.

Siguiendo los pasos del asno, Hiram bajó una escarpada pendiente que desembocaba en una fértil altiplanicie desde la que se veía la capital de Israel, dominada por una desnuda roca. Un rebaño de corderos cerraba el camino del maestro de obras. Los animales, numerosos e indisciplinados, aprovechaban su primera salida tras haber hibernado en los rediles de la montaña. Algunos corderos tenían una pata atada a la cola, para impedir que huyeran y se perdieran. Su concierto de balidos ponía nervioso al asno.

Por segunda vez en menos de un día, el maestro de obras sintió un arma en su garganta. Un largo puñal de recta hoja que le arañaba la piel. Brotó una gota de sangre.

–Tengo también un garrote herrado –anunció el agresor–. Si intentas defenderte, me veré forzado a matarte.

Hiram se obligó a respirar con tranquilidad, reduciendo el ritmo de sus latidos cardíacos de acuerdo con la táctica aprendida con los médicos de la Casa de la Vida egipcia.

–Mantente tranquilo, príncipe, así está bien, muy bien. Sin duda eres rico y yo soy pobre. Muy pobre. Un simple pastor que se desloma durante todo el año. De modo que me dedico, por fuerza, a ser bandido. No me lo reprochas, ¿verdad?

El pastor introdujo la mano en el cinturón de Hiram y sacó las monedas de plata.

–¡Soberbio, príncipe! ¡Una verdadera fortuna! En cuanto te he visto me has dado buena impresión. Con eso voy a salir por fin de la miseria. Pierdo muchos corderos por culpa de las hienas y los chacales. Mi existencia es un infierno. Por la noche, el frío muerde mi piel. Los colegas me desvalijan. ¡Y los animales enfermos! ¡Y los partos! ¡Y el esquileo!

Hiram esbozó un gesto. La hoja se hundió un poco más.

–¡Despacio, príncipe! Hace tiempo ya que deseo hacer pedazos a un rico. Me llaman Caleb, el perro. He intentado atacar caravanas en el camino de Jerusalén a Jericó. Pero la policía de Salomón se ha vuelto demasiado eficaz. Incluso los mercaderes que me pagaban para robar a sus competidores me han olvidado. Las presas son escasas hoy. Eres un regalo del cielo.

El asno lanzó un formidable rebuzno que aterrorizó a los corderos. Por un instante, Caleb se distrajo. Aquel ínfimo desfallecimiento le bastó a Hiram para arrojarse hacia atrás, hundir su codo en el vientre de su agresor y desarmarlo.

El maestro de obras esperaba mayor resistencia. Pero Caleb era sólo un anciano, incapaz de combatir.

Se arrastró hacia un murete de piedra seca y arrojó una hacia Hiram, que la evitó fácilmente.

–¡Soy un pobre hombre! –exclamó Caleb–. No me hagáis ningún daño.

Como un auténtico creyente, se golpeó el pecho y permaneció con la mirada baja.

–Israel es nuestro Dios –declamó–. ¡Dios es el Eterno! Le amarás con todo tu corazón, toda tu alma y todo tu espíritu. Graba en tu interior los mandamientos de Dios y, sobre todo, el más importante de ellos: ¡No mataras!

–Lo respetaré –afirmó Hiram–. Todo hombre digno de ese nombre es un ser sagrado.

Caleb se levantó y fue a arrodillarse ante el maestro de obras.

–¡Feliz el vientre que te albergó, benditos los pechos que te amamantaron! –exclamó–. ¡La paz de Dios está en ti, eres más glorioso que el viento, más luminoso que el sol!

El rostro de Hiram permanecía impasible. Caleb estaba casi seguro de haber escapado a la muerte, pero temía todavía que le cortara el brazo. El viajero no parecía muy dado a la indulgencia.

El maestro de obras se quitó un brazalete adornado con una laminilla de oro fino en la que estaba inscrito su nombre en fenicio.

–Toma eso, Caleb, y llévaselo al rey Salomón. Dile que le aguardaré durante tres noches y tres días en pleno Ghor, junto al pozo de la cobra. Si no viene, abandonaré Israel para siempre.

El pastor besó los pies del hombre a quien no había conseguido robar. Recibió el precioso objeto.

–Quédate con las monedas de plata –dijo el maestro de obras–. Pero no se te ocurra robar la lámina de oro y olvidar tu misión.

De lo contrario, te encontraré vayas donde vayas. Y no te perdonaré por segunda vez.

Caleb interrumpió sus demostraciones de respeto y se levantó. Mientras se marchaba corriendo, Hiram advirtió que cojeaba. Los corderos siguieron al pastor, balando y atropellándose.

Cuando el camino estuvo libre, Hiram devolvió la libertad a su asno. El rucio aceptó una caricia y tomó el camino que más le convenía. Hiram se dirigió hacia Ghor, la más siniestra región de Israel.

Capítulo 18

Una víbora cornuda se levantó, a menos de un metro de Hiram, y se deslizó entre la maleza. El maestro de obras no se había movido. Hacía tres noches y casi tres días que permanecía en una inmovilidad casi mineral, indiferente a los lagartos y las serpientes que visitaban el interior de Ghor, hostil a cualquier presencia humana. Estrecha pero profunda depresión, Ghor era un angustiante surco en la carne de Israel, excavado desde el pie del monte Hermón hasta Idumea, donde merodeaban los beduinos, enemigos de Israel y de Egipto. En verano, el calor era tan insoportable como el frío en invierno. Según los viejos textos, allí se habían levantado las ciudades de Sodoma y Gomorra malditas por Dios. Cuando se produjera el nuevo diluvio, clamaban los profetas, furiosas aguas se arrojarían en la depresión de Ghor para borrar los crímenes de la humanidad.

Hiram se había sentado al pie de una palmera datilera, con la espalda apoyada en el rugoso tronco, frente al pozo de la cobra, seco desde hacía mucho tiempo.

Las palmas, a más de veinte metros del suelo, ofrecían algo de sombra cuando el sol se hacía demasiado ardiente. Al maestro de obras le gustaba aquel paisaje violento y descarnado, donde nada turbaba la meditación. Los insectos más venenosos producían menos estragos que los hombres. Para protegerse, bastaba con no molestarlos.

Estaba acostumbrado a esos períodos de aislamiento. La Casa de la Vida los imponía a cualquier maestro de obras antes de que comenzara a trazar el plano de un nuevo edificio. Necesitaba reunir las energías dispersas por lo cotidiano, situarse en el centro de sí mismo, recuperar el aliento del primer trabajo.

Aquellos esfuerzos nada eran comparados con el exilio. Hiram había pasado algunas semanas en el extranjero, en Siria, en Tiro y en Nubia, para terminar algunas obras, estudiar templos. Nunca había proyectado abandonar Egipto. Pensaba pasar el resto de su carrera en Karnak, donde los santuarios se embellecían sin cesar formando un gigantesco cuerpo en perpetuo crecimiento.

¿Por qué le había elegido Siamon? ¿Por qué le había enviado a ese país hostil donde debería, simultáneamente, ayudar a un rey y luchar contra él? Hablando a través de la persona del faraón, el destino estaba probándole del modo más implacable. Lejos de Egipto, de Tanis, de Karnak, de los seres amados, Hiram se veía condenado a tener éxito en secreto. No le quedaba más que una esperanza: que Salomón no acudiera a la cita.

El tercer día concluía. La aérea luz de una jornada anunciadora de la primavera comenzaba a oscurecerse. El rey de Israel no había aceptado la invitación del maestro de obras. No existía otra explicación. El cojo era demasiado cobarde como para no haber entregado el mensaje.

Cuando Hiram se levantó, decidido a escalar la empinada pendiente de casi un kilómetro que le sacaría de Ghor, una sombra se perfiló junto a la suya.

–Bienvenido a mi país, maestre Hiram –dijo Salomón–. Este lugar no es el más propicio para un encuentro.

–Me gusta el silencio, señor.

–Aquí vienen los magos que conocen las plantas que sanan y las que matan. ¿Sois uno de ellos?

–Mi reino es el de la piedra y la madera –repuso Hiram–. Sé mezclar los minerales, no los venenos.

El maestro de obras se volvió.

Su sorpresa fue tal que apenas pudo contener una exclamación.

Por un instante creyó que Salomón era la reencarnación de Siamon: vestido con una túnica púrpura, desnuda la cabeza, el rey de Israel se parecía al joven faraón que había sido uno de los más brillantes alumnos de la Casa de la Vida. Pero la luz era incierta. Hiram había sido víctima de una ilusión. Ghor creaba espejismos.

—¿De dónde venís, maestre Hiram?

—De Tiro, su rey me dijo que buscabais un arquitecto.

Salomón se sentía impresionado por aquel hombre de mirada abrasadora, de amplia frente y anchos hombros. La negra cabellera, las espesas cejas y la nariz muy recta daban al rostro una expresión de severidad. Robusto, seguro de su poder, maestre Hiram no pertenecía a la raza de los esclavos y los servidores. Hiram era tan distante, altivo casi, cuanto seductor y encantador era Salomón. Nadie en la corte de Israel poseía una personalidad tan tajante como el arquitecto llegado de Tiro.

Salomón sentía una mezcla de admiración y temor. Como si aquel hombre le anunciara al mismo tiempo su salvación y pérdida.

Hiram se sintió intrigado por Salomón. El rey de Israel tenía la naturaleza de un faraón. No se parecía a aquellos déspotas y jefes de clan que utilizaban su poder para satisfacer sus pasiones, despreciando su país y su pueblo.

Salomón no solía acudir a la convocatoria de un inferior, aunque fuera un arquitecto famoso. Durante dos días había hecho investigar el pasado de Hiram. Elihap, su secretario, le había informado de que el maestro de obras era hijo de una viuda de la tribu de Dan y de un tirio. Tenía fama de ser huraño y solitario, indiferente a los honores y las alabanzas, capaz de resolver las mayores dificultades técnicas y dominar los más rebeldes materiales. A Hiram no se le elegía. Él era quien lo hacía.

—¿Cuál es vuestra ciencia, maestre Hiram?

—El arte del trazo.

—¿De qué os sirve?

—Para tallar piedras, unirlas y levantarlas, de modo que puedan colocarse sin retoques y el edificio resista el paso del tiempo.

El arte del trazo: ¿quién había oído hablar de aquella misteriosa ciencia que había atravesado las edades y sin la que no podía concebirse ningún gran edificio?

Los artesanos hebreos ignoraban el trazo.

–¿Aceptaréis revelarme ese arte?

–No, señor. O me contratáis dándome plenos poderes en mi obra o me marcharé.

–No es éste un lenguaje diplomático, maestre Hiram.

–No lo soy y no pienso serlo.

–¿Hacer concesiones no es el comienzo de la Sabiduría?

–No lo concibo así, rey de Israel. ¿Acaso la Sabiduría no es creación de Dios, establecida por toda la eternidad, antes del nacimiento de la Tierra? ¿No es la fuente de todo conocimiento humano?

Un ronco bufido interrumpió el diálogo.

Agazapado en una roca, unos diez metros por encima de ambos hombres, el leopardo estaba dispuesto a saltar sobre sus dos fáciles presas. Alto, de más de ochenta kilos, el magnífico felino era un verdadero acróbata que saltaba de pendiente en pendiente con la agilidad de una cabra montesa. En pocos segundos alcanzaba la velocidad de un furioso viento y nunca regresaba de vacío cuando salía a cazar.

Con sus ojos, amarillos y negros, contemplaba a sus futuras víctimas.

–Uno de nosotros no sobrevivirá –declaró Salomón, cuya voz no temblaba–. ¿Sabréis defender la existencia de un rey?

–Defenderé primero la mía –repuso Hiram–. No soy vuestro servidor.

–Lo sois a partir de ahora. Os contrato como maestro de obras y os confío la construcción de un gran templo en Jerusalén. Vuestra vida por la mía: ése es ahora vuestro deber, si las circunstancias lo exigen.

Hiram se colocó lentamente ante Salomón. El leopardo se irguió y rugió de nuevo, descubriendo sus colmillos.

El rey de Israel hizo girar el anillo que Betsabé le había dado y, luego, pasó el índice por las letras que componían el nombre de Yahvé.

Aterrado, el leopardo lanzó un gruñido de dolor. Con su pata delantera intentó apartar un invisible adversario que le laceraba el flanco. Irritado, saltó las piedras amontonadas por un desprendimiento, perdió el equilibrio y desapareció entre unos matorrales espinosos.

–Dios vela por nosotros –dijo Salomón.

–Merecéis vuestra reputación –observó el arquitecto.

–Dios os ha traído al fondo de este abismo. Él me pidió que os eligiera. Ya no sois dueño de vos mismo, maestre Hiram.

Capítulo 19

Hiram subió al carro que conducía Salomón, escoltado por una decena de hombres al mando de Banaias quien, en vano, había suplicado al rey que no se aventurara en solitario en el interior de Ghor.

Cuando vio aparecer al rey acompañado de un extranjero, un sacrílego pensamiento cruzó por su cabeza. ¿No sería Salomón un ángel que manipulaba el destino? ¿No habría traído un fantasma del pozo de la cobra, un demonio de múltiples poderes que utilizaría para acrecentar su fuerza?

Banaias se sintió inquieto al descubrir a Hiram. El hombre que Salomón había ido a buscar a una región prohibida para los creyentes llevaba en sí mismo una peligrosa potencia, análoga a la de una fiera. El general tuvo miedo. ¿Cómo atreverse a confesárselo al rey?

Él, el héroe de Israel, el combatiente capaz de matar un león con las manos desnudas, no tenía derecho a ser esclavo del temor. Profundamente turbado, Banaias se prometió observar los hechos y los gestos de aquel inquietante personaje que había conseguido, demasiado deprisa, los favores del rey.

En la lejanía, azul y gris bajo un cielo amenazador, se dibujaba Jerusalén.

—He aquí mi capital —anunció Salomón a Hiram—. Contémplala, maestro de obras. Será el lugar de tu gloria o tu infortunio. No admitiré un fracaso.

—Me habéis contratado con una artimaña —consideró Hiram—. No me obligaréis a actuar.

–No es ésta mi intención. Contemplad esa ciudad... Es un diamante surgido de las altas tierras de Judea, el bendito lugar donde se alían nómadas y sedentarios, el privilegiado paraje donde se cruzan las rutas que van del Mediterráneo a las provincias del este, de Fenicia a Egipto. Jerusalén es el corazón de una estrella cuyos brazos irrigan la Tierra Santa. Todavía parece una fortaleza. Mañana, gracias a vos, albergará el templo de los templos.

Hiram pensaba en Karnak donde había conocido la alegría de aprender y la felicidad de crear. ¿Cuántos años permanecería lejos de Egipto si comenzaba a construir el santuario del rey de Israel? ¿Viviría lo bastante para regresar? El peso del exilio se hacía ya excesivo muy poco tiempo después de haber abandonado su país.

Negras nubes se acumulaban sobre la capital. Una glacial oleada cayó sobre el cortejo real. El rostro de Hiram fue lacerado por el granizo. Permaneció tan imperturbable como Salomón.

Tras haber cruzado la muralla, el carro se detuvo en una plazuela.

–Os abandono aquí, maestre Hiram. El general Banaias os llevará a vuestra morada. Descansad. Pronto volveremos a vernos.

El arquitecto no se inclinó. Banaias se escandalizó por aquel desafío a la autoridad del rey de Israel. ¿Por qué lo aceptaba Salomón?

El general, sin decir palabra, condujo a Hiram hasta una casa de ladrillos situada en una calleja que llevaba al barrio alto.

Al maestro de obras le bastó un rápido examen. Demasiada paja en el ladrillo e insuficiente cocción. Sin embargo, la construcción era notable comparada con los míseros refugios de adobe del barrio bajo, y el interior no carecía de encanto: un patio central iluminado por aberturas en el techo y, a su alrededor, varias habitaciones pequeñas. Un refectorio, un despacho, dos habitaciones, una cocina, un cuarto de baño y las letrinas. La estructura, demasiado ligera, no resistiría el paso del tiempo. Los muros estaban sencillamente cubiertos de yeso. Pero el dispositivo, derivado de la arquitectura egipcia, conservaba el frescor en verano y el calor en invierno.

El tempestuoso cielo oscurecía el interior de la casa. Hiram advirtió el olor característico del aceite de oliva que desprendía la lámpara de terracota, depositada en una hornacina del muro y cuya mecha de lino ardía día y noche. Comprobó que el depósito estuviera lleno y, tomando la lámpara por el asa, exploró su dominio mientras Banaias se mantenía en el umbral.

En el refectorio había un cofre con dos compartimentos, uno para paños y vestidos y otro para las provisiones. Aquel único mueble, colocado en el centro de la estancia, serviría de mesa en las grandes ocasiones. Se solía comer, la mayoría de las veces, sentados en el suelo. En una de las habitaciones, una cama con patas; en la otra, una decena de almohadones, un montón de mantas y un cabezal de madera en el que el durmiente, como en Egipto, apoyaba la nuca. Por lo que a las esteras se refiere, en verano serían preciosas para dormir en la terraza. La cocina estaba provista de un brasero de carbón vegetal, indiscutible signo de riqueza. Limpios y ordenados, varios hornillos alimentados con paja. En el exterior, junto a la escalera que llevaba al techo, un horno de turba para asar las piezas de carne.

Salomón demostraba así su estima por el maestro de obras. Sin duda, había expulsado a un notable para alojar a Hiram de modo confortable. Pero un detalle esencial molestaba al arquitecto. Examinó la puerta de entrada con mayor atención; la hizo girar sobre sus goznes, manejó la cerradura.

–Necesito una llave –dijo a Banaias.

–¿Una llave? Pero ¿por qué...?

–Esta casa será mi taller. Encerrará mis planos y mis dibujos. Debe permanecer herméticamente cerrada y vigilada día y noche.

–Estas exigencias...

–Estas exigencias deben ser satisfechas inmediatamente, de lo contrario, abandonaré Jerusalén.

Banaias desenfundó la espada.

La tranquila mirada de Hiram le heló la sangre. Había magia en los ojos del extranjero, una magia que no necesitaba armas para matar.

El general envainó de nuevo y tomó de su cinturón una pesada llave que tendió al arquitecto.

–La ley ordena que sea yo su único depositario.

–Vuestra ley, general, no la mía.

Banaias enrojeció de cólera.

–Ten cuidado, extranjero. En Israel no gustan los insolentes.

–Yo detesto a los curiosos y a los mentirosos. Que nadie, ni siquiera vos, cruce el umbral de esta morada.

Hiram dio un portazo y cerró con llave desde el interior. No le importaba que aquel soldado obtuso se convirtiera en su enemigo. Con su comportamiento, el maestro de obras obligaría a Salomón a concederle una total confianza o a expulsarlo.

El maestro de obras se instaló en el despacho. El lugar le gustó. Se parecía a las celdas de los sacerdotes que daban al lago sagrado de Karnak. Los papiros que allí había no tenían el hermoso color dorado de los ejemplares egipcios, pero su textura parecía correcta. Los cálamos, alineados en una mesa baja, deberían ser aguzados para trazar líneas perfectas.

Un ruido proveniente de la cocina alertó a Hiram.

Descubrió a una muchacha de unos quince años, hosca como una gacela de Samaria.

–¿Cómo habéis entrado?

La joven se agachó mostrando una pequeña puerta baja que permitía el paso a alguien muy delgado. Hiram comprendió por qué Banaias no había vacilado en entregarle una llave que creía inútil. El primer trabajo del maestro de obras consistiría en obturar todos los accesos, salvo el que daba a la calle.

–¿Qué vienes a hacer?

–A serviros, mi señor. Soy vuestra vecina. Yo proporcionaré el aceite y velaré por la llama de la lámpara. Si permitiera que se apagara, moriría de parto. Os prepararé el pan, lo amasaré y lo coceré en el horno...

Llamaron repetidamente a la puerta.

Hiram abrió. Irrumpió Caleb, el cojo, blandiendo su garrote herrado.

–Lo sospechaba, lo sabía –gritó–. ¡Que se marche de aquí esta diablesa! Con rapidez y violencia, Caleb agarró a la muchacha de un brazo y la arrojó fuera.

–¡No intervengáis, príncipe! He venido a ayudaros. Jerusalén es una ciudad llena de peligros. Y el primero son las mujeres. Su maldad es peor que las heridas en combate. No existe serpiente de más terrible veneno. Mejor es vivir con un león y un dragón que con una mujer, mejor es tener en las manos un escorpión que ese cuerpo maléfico. Esa moza os habría llevado a la perdición. Me habéis salvado la vida y yo salvo la vuestra.

–Te lo agradezco, Caleb, pero ¿quién me servirá?

–Yo, príncipe. Nadie maneja la escoba mejor que yo. Nadie cuece un pan mejor que el mío. Lo amaso en la artesa y lo cuezo en las brasas. Hago con él un círculo que hay que romper y no cortar. Una mujer no os lo habría enseñado. ¿Os habría dicho esta muchacha que la carne cruda debe ponerse sobre el pan y nunca sobre una piedra caliente? ¿Os habría indicado que nunca deben recogerse las migas cuyo tamaño sea inferior al de una aceituna? Las mujeres disimulan. Yo soy un hombre honesto. Os guiaré por las calles de Jerusalén. Tengo muchos amigos aquí.

–Me gustaría afeitarme y lavarme –dijo Hiram.

Caleb sonrió ampliamente.

–¡Sin mí, imposible! Pese a las canalizaciones de Salomón, el agua sigue siendo escasa; sólo el rey y los ricos la tienen en casa. Iré a buscárosla, a la fuente, en grandes jarras, tan a menudo como queráis. También me encargaré de lo demás.

Caleb procuró a su señor una jofaina llena de agua tibia, una piedra pómez, natrón y jabón a base de sosa. Le consiguió también una esponja, un cepillo, romero para aromatizar el baño y anís para limpiarse los dientes. Era un tratamiento suntuoso.

El servicial criado afeitó cuidadosamente a Hiram. Su hoja no provocó el menor corte. Pasó delicadamente por una garganta que, pocas horas antes, había querido cortar.

La cena fue excelente. Caleb había preparado un plato de lentejas con cebolla, acompañadas de berenjenas y pimientos verdes. Hambriento, el cojo devoró luego una ensalada de berros.

–Tengo los mejores proveedores –explicó–. Cultivan huertos en la ciudad baja, al abrigo de los vientos.

Caleb lanzó un grito de dolor y posó la mano en su mejilla.

–Esa maldita muela... Me está matando. Eso no puede seguir así. Tengo que arrancármela. Pero el herrero es caro... Si tuvierais una monedita de plata...

–¿No hay médicos? –se extrañó Hiram.

–Arrancar es cosa del herrero.

Los dentistas de la escuela de Sais, en el Bajo Egipto, no habrían apreciado demasiado esa costumbre pues practicaban una extracción que no hacía sufrir al paciente y cubrían la herida con sustancias vegetales que evitaban la infección.

–Te acompañaré –dijo Hiram.

–¿A mí? No os molestéis, mi señor. La moneda de plata bastará.

El maestro de obras estaba ya abriendo la puerta. El cojo comprendió que, cuando su amo había tomado una decisión, nadie podía cruzarse en su camino.

Capítulo 20

Sentado cerca de un yunque, el herrero, con la piel enrojecida por las llamas, estaba concluyendo la realización de una reja de arado. Acercándose, el cojo Caleb intentó hablarle en voz baja. Pero Hiram intervino en primer lugar.

–Mi servidor padece de una muela. Hay que arrancarla.

Caleb retrocedió. El herrero abandonó su trabajo y tomó unas tenazas, enrojeciéndolas al fuego.

–Ya no me duele –declaró Caleb.

–Paga al operario –ordenó Hiram.

–Príncipe mío..., no merece tanto...

El herrero tomó al cojo por la nuca, como si agarrara un gato. Lo tendió en el suelo de tierra batida y le hizo abrir la boca.

–Es inútil –dijo–. Sus dientes están podridos. Se caerán solos.

Caleb se apartó rodando, feliz por escapar a la tortura.

–¿Cuántos herreros hay en Jerusalén? –preguntó Hiram.

–Una decena.

–¿Y qué tareas realizan?

–Fabrican útiles para los campesinos.

–¿No hay forjas del Estado?

–Ninguna.

Tras saberlo, Hiram tomó una calleja que ascendía hacia palacio. Caminaba deprisa.

Caleb le seguía a duras penas. El maestro de obras se detuvo ante un hombre con una sola pierna, medio desnudo, apoyado en la pared de una casa leprosa.

–Pan, señor... No he comido desde hace tres días...

Caleb dio un puntapié en los flancos de aquel desgraciado.

–Alejémonos, príncipe –dijo a Hiram–. No os dejéis importunar por esos pordioseros. Los hay a centenares, piojosos, tullidos que ensucian nuestra hermosa ciudad.

Hiram tendió al mendigo una moneda de bronce. El hombre se la arrancó, arañándole la mano de paso. Inmediatamente, salieron de oscuros rincones decenas de criaturas sucias y hediondas que se arrojaron sobre el nuevo rico, intentando arrebatarle su botín. Se inició una furiosa batalla. Caleb obligó a Hiram a alejarse.

–No os quedéis aquí, príncipe. Podríais recibir algún golpe.

Turbado, Hiram ignoró a los demás mendigos, las manos que le tendían, sus torvas miradas. Caminó hacia el palacio real y topó con la guardia de Salomón. Presentándose como el arquitecto contratado por el monarca, solicitó audiencia.

Caleb había desaparecido. La visión de los uniformes, las lanzas y las espadas le producía un santo terror. Algunos soldados habrían podido reconocer en él a un ladrón de caravanas cuya cabeza habían reclamado numerosos mercaderes.

Hiram no tuvo que aguardar mucho. El mayordomo de palacio fue a buscarlo y le introdujo en una sala caldeada por dos braseros donde leía Salomón, sentado en una silla de madera forrada de paño oscuro. El rey de Israel estudiaba proverbios que pensaba reunir en un libro.

–Vuestro reposo ha sido de corta duración, maestre Hiram. Tomad un taburete.

–Prefiero permanecer de pie, majestad. Lo que he visto en las calles de Jerusalén no me alienta a permanecer aquí demasiado tiempo.

Salomón enrolló un papiro.

–Los desgraciados que tienen hambre y sed... ¿Creéis acaso que me satisface el espectáculo? ¿Pensáis que esa miseria me es indiferente?

En Egipto, pensó Hiram, no se celebraba fiesta alguna si había un solo pobre en la aldea. Las familias acudían en su ayuda. Y todos podían dirigirse al faraón, garante de la felicidad de su pueblo. ¿No consistía el ideal que los nobles proclamaban en alimentar al hambriento, dar de beber al sediento y vestir al desnudo?

Salomón se levantó.

–Dejadme gobernar a mi pueblo y preocupaos de vuestras nuevas funciones. Siempre que realmente seáis digno de ellas, maestre Hiram. Mirad ese bastón de marfil colocado entre dos piedras. El palacio de David fue construido a su alrededor, por indicación de un profeta. Quien sepa cogerlo será el próximo maestro de obras. Su mano permanecerá intacta. De lo contrario, se abrasará. ¿Aceptáis la prueba?

Hiram se dirigió hacia el bastón. ¿Deseaba fracasar? ¿No estaría dispuesto a ofrecer parte de su cuerpo para regresar enseguida a Egipto? Si Salomón le creía indigno, podría volver a su país.

Hiram empuñó el bastón de marfil.

Sintió enseguida una viva sensación de calor, casi insoportable. Una inmensa esperanza llenó su corazón. El sufrimiento le pareció liviano. Aunque su piel tuviera que permanecer pegada a ese emblema del poder de los hebreos, aunque debiera perder el uso de la mano, tenía que seguir resistiendo. Su decadencia sería el anuncio de su próxima felicidad.

Salomón vio una oleada de dolor atravesar la mirada del arquitecto. El olor de la carne quemada llenó sus fosas nasales. Pero el maestro de obras no soltó el bastón.

De pronto, la quemadura dio paso a un intenso frío. Hiram se alejó del bastón, mirando asombrado la palma de su mano.

–Ocultar las cosas es la gloria de Dios –dijo Salomón–. La de los reyes es revelarlas. Esa prueba os revela a vos mismo, maestre Hiram. ¿Cómo podéis dudar todavía de vuestro destino?

El monarca encendió una lámpara de bronce de siete orificios. Su asa, artísticamente cincelada, representaba un leopardo de Judea. El perfume del aceite de oliva se extendió por la estancia. Aquel magnífico objeto, uno de los pocos objetos hermosos del palacio, había pertenecido a Natán. Salomón rendía homenaje así al preceptor que le había transmitido la luz.

El rey tomó a Hiram de los hombros, le abrazó y le besó en ambas mejillas, como si fuera su igual. El maestro de obras habría debido de arrodillarse y besar las manos y los pies del monarca, pero se limitó a aceptar la prueba de su estima.

–Sois aquel a quien he esperado desde el primer día de mi reinado –le confió Salomón–. Vos construiréis el templo de la paz. Que cada instante de vuestra vida se oriente, en adelante, hacia ese único objetivo.

–Vos me quitáis esa vida, señor.

Hiram no creía en la sinceridad de Salomón. Su demostración de afecto estaba sólo destinada a domeñar un carácter huraño. La única gloria que serviría al arquitecto era la del más ambicioso de los reyes.

–Las señales celestiales os han designado, maestre Hiram. Estáis predestinado. No ha sido el azar quien ha conducido vuestros pasos hasta Jerusalén. Vuestra tarea es sobrenatural. No lo olvidéis nunca.

Salomón abrió un cofre de acacia. Sacó un largo manto de color púrpura y vistió con él al arquitecto.

–Ésta es la vestidura de vuestro cargo, maestre Hiram. La llevaréis cuando hayáis concluido vuestra tarea.

–Prefiero el paño de cuero. ¿A cuántos pobres podría alimentar si vendiera ese manto?

El insulto era hiriente. Salomón mantuvo su calma.

–Si el templo no se construye, la miseria aumentará. Los hombres no se alimentan sólo del mundo material. Un pueblo necesita un centro espiritual. Y sólo puede ser un espacio sagrado donde se afirme diariamente la presencia divina. Sólo ella guía el alma de un país hacia una alegría al margen del tiempo, una alegría que es la clave de la felicidad de todos. Vender ese manto sería una falta contra el espíritu. Mejor haríais encontrando el medio de obtener el oro que me falta para financiar los trabajos.

–¿No sois rico, majestad?

Salomón miró de frente a su maestro de obras, espléndido con su vestidura púrpura.

–No lo bastante, maestre Hiram. Puedo iniciar los trabajos, pero no llevar la obra hasta el final. Un rey más prudente mostraría mayor paciencia. Pero siento que ha llegado la hora, que todo Israel debe unirse en la búsqueda de su grandeza.

Salomón no era un exaltado ni un utópico. La pasión de crear iluminaba su voz. Ciertamente, su dios no era el de Hiram. Pero la empresa comenzaba a seducir al maestro de obras.

–¿Por qué no pedir oro a la reina de Saba? –sugirió–. Su país lo tiene en abundancia, pero carece de trigo.

Salomón se sentó, pensativo.

–Es inútil, ese reino es inaccesible para Israel.

–Pero no para mí, majestad.

Salomón miró a Hiram con una atención en la que se mezclaba el estupor.

–¿Qué queréis decir?

–Residí y trabajé en aquel país. Uno de los arquitectos de la reina es amigo mío. Los miembros de nuestra corporación son poco numerosos. Nos unen vínculos muy estrechos. Hicimos juramento de ayudarnos en las situaciones difíciles. Si le pido que intervenga ante la reina para organizar una transacción comercial, lo hará.

–¿Y la reina?

–No puedo prometer nada.

Salomón no le creía.

–Habladme de Saba.

–Es la isla de donde nace el sol, la colina primordial en la que se posó el Fénix, ardiendo en una hoguera de incienso, de mirra y de olíbano. En sus selvas viven guepardos, rinocerontes, panteras y jirafas. Sus habitantes domestican babuinos. Sus montañas están surcadas por profundas galerías en las que afloran oro y plata. Rebaños pacen en sus laderas. No hay pobres. Todos tienen vajilla de oro. Las patas de las sillas son de plata. La reina no es avara. Paga generosamente los alimentos que su pueblo necesita. Pero elige los países que le proporcionan las provisiones. Su belleza, según dicen, es la de una diosa.

–¿La conocisteis?

–No. Cuando estuve en Saba era sólo un joven maestro del trazo, indigno de que me recibiera. Sólo la vi pasar, en su silla de mano, cubierta de oro rojo, y únicamente divisé su tiara.

A Salomón no le agradaba convertirse en deudor de Hiram. Pedirle ayuda suponía bajar del trono y considerar al arquitecto como soberano de un universo que el rey de Israel no dominaba. Pero ¿no era más importante el templo de Jerusalén que la vanidad de un monarca?

–No me gustan los fanfarrones, maestre Hiram. Haced venir oro de Saba, si sois capaz de ello.

Capítulo 21

Durante más de dos semanas, Hiram mejoró la vivienda que Salomón le había asignado. Consolidó los muros, condenó la pequeña puerta que daba acceso a la cocina desde el exterior, reforzó la cerradura. Trabajaba con lentitud, como si el tiempo no existiera.

Tras su entrevista con Salomón, el maestro de obras había sido recibido por el secretario del rey. Juntos, habían redactado una misiva para un arquitecto que vivía en Saba. Elihap se había encargado del texto protocolario, Hiram de un mensaje codificado, compuesto por signos que un profano no podía descifrar. De aquella gestión dependía el porvenir de las obras de Salomón.

Caleb cuidaba sus enfermos dientes que, a menudo, le obligaban al reposo. Preparaba, sin embargo, las comidas con un cuidado tanto mayor cuanto su apetito no disminuía. El cojo dormía en la casa, hecho un ovillo ante la alcoba de Hiram. Nunca había gozado de tan agradable lecho ni de un techo que no dejara pasar la lluvia ni el viento. El más ferviente deseo de Caleb era que Hiram permaneciera en Israel. Agradecía a Yahvé, día tras día, haberle permitido encontrar un dueño generoso y poco exigente.

Una noche de tormenta, mientras la lluvia hinchaba los uadi abarrancando las montañas, Hiram oyó un extraño ruido. Caleb, como de costumbre, dormía a pierna suelta. El maestro de obras salió de su despacho donde dibujaba rejillas[1] geométricas y cami-

---

1. Tipo de planos utilizado por los geómetras egipcios. Los diseños se presentan en forma de rejillas donde se inscriben las proporciones.

nó hasta la puerta. El soldado destacado por Banaias para montar guardia debía de haber abandonado su puesto para protegerse bajo un porche vecino.

Alguien intentaba forzar la puerta de la casa del maestro de obras.

Hiram abrió bruscamente.

Ante él estaba un perro empapado, famélico, nacido de un cruce entre lobo y chacal. Sus ojos castaños imploraban sin cobardía ni servilismo.

–Ven –dijo Hiram.

El perro vagabundo puso las patas delanteras en el umbral y venteó el aire de la casa. Encontrándolo de su gusto, lanzó una mirada de soslayo al maestro de obras y se introdujo prudentemente en el patio interior.

Cuando lanzó ladridos de satisfacción, lamiendo la mano de Hiram, Caleb despertó. La visión del animal le enfureció.

–¡Echadlo, príncipe! ¡Es uno de esos monstruos que devoran inmundicias!

Hiram impidió al cojo golpear al animal.

–Se queda con nosotros –decidió–. Se llamará *Anup*.

Anup, diminutivo de Anubis, chacal del desierto que merodeaba en las profundidades de la noche para purificar la tierra de sus despojos. Anubis, que momificaba al difunto, transformando el cadáver en cuerpo de resurrección.

¿No sería el espíritu de Anubis que, en forma de perro, le ofrecía a Hiram la presencia de Egipto y le recordaba que, al final de su ruta terrenal, se iniciarían los hermosos caminos del más allá?

Nagsara abandonó sola sus apartamentos, llevando un recipiente para fuego, lleno de brasas, y una copa de incienso fresco. Tomó un antiguo camino de ronda cuyas piedras, cubiertas de moho, pronto serían arrancadas por los hierbajos. El menor resbalón condenaría a la imprudente paseante a caer por una pronunciada pendiente y romperse los huesos. La luna, desgarrando las nubes, iluminó el camino de la reina de Israel.

Nagsara no temblaba. Su pie era seguro. Tomó el sendero que llevaba a la cumbre de un pitón rocoso que se hallaba frente a la roca en la que Salomón había decidido construir el templo. La noche finalizaba y Jerusalén estaba sumida en la oscuridad. En Tanis, la capital egipcia donde la princesa había vivido, las lámparas permanecían encendidas en los techos de los santuarios donde trabajaban los astrólogos.

Aquel sopor favorecía los designios de la reina. En cada cuarto de luna, podía celebrar un culto a Hathor, lejos de las rencorosas miradas de los sacerdotes que habían jurado perderla. Nagsara se sabía querida por la mayor parte del pueblo, orgulloso de la resonante boda de su rey, y detestada por la casta eclesiástica. Ésta no admitía que la esposa de Salomón conservara su fe en divinidades extranjeras cuya existencia era negada por Yahvé.

A Nagsara esta opinión le traía sin cuidado. Su corazón sufría por la indiferencia de Salomón. El tiempo no atenuaba los violentos sentimientos que experimentaba hacia aquel rey cuya mera presencia la hechizaba. Salomón no la amaba. Había gozado de ella como de una concubina. Seguía testimoniándole respeto debido a su papel diplomático. Ya no veía a la mujer apasionada, ofrecida. Su espíritu era presa de aquel maldito templo, de aquel edificio sumido todavía en la nada.

La egipcia llegó a la estrecha plataforma. En el centro, un tosco altar. El viento soplaba con fuerza. Pero en el corazón de aquella frialdad comenzaban a advertirse los primeros aromas de la primavera.

Nagsara se quitó el manto. Llevaba debajo la vestimenta tradicional de las sacerdotisas de la diosa Hathor. Una túnica blanca con tirantes que dejaba al descubierto los pechos ceñía el fino cuerpo de la joven, que abrió el recipiente. Las brasas enrojecidas derramaron una luz secreta que sólo contemplarían el cielo y los ojos de la diosa. En el modesto brasero, la reina depositó unos granos de incienso. En el aire nocturno el perfume se dispersó con demasiada rapidez, pero recordó a Nagsara las fiestas secretas de Tanis, durante las que el faraón hacía ascender hacia el cielo al dios oculto, Amón, la esencia sutil de todas las cosas.

La luna brillaba con un fulgor insólito, demostrando la presencia de la dueña del cielo entre su corte de estrellas.

—Escúchame, Hathor —suplicó Nagsara alzando sus manos por encima del altar—. Que tu magia se apodere del alma de Salomón. Que sus ojos me contemplen y queden prendidos de mí. Expulsa la idea de ese templo que me roba al hombre a quien amo. Escucha, Hathor, la plegaria de tu sierva. Que tu luz desgarre las tinieblas, que me devuelva la alegría de vivir. Que Salomón se convierta en mi dócil esclavo, que sus pensamientos me pertenezcan.

La sangre del alba se derramaba por el oriente. Para Nagsara renacía la esperanza.

Maduraban las espigas de cebada. A mediados de marzo, las lluvias, ya sólo un mal recuerdo, blanqueaban los campos. Los gladiolos desplegaban su ropaje púrpura en las colinas, rivalizando en esplendor con las miles de anémonas rojas que adornaban los campos. El invierno moría dando paso a decenas de especias y narcisos, a los jacintos y a los tulipanes. En el sotobosque, Hiram había caminado por un tapiz de azafranes de un amarillo tan brillante que parecía brotar del sol. Volvía el tiempo de los cantos campesinos, del arrullo de las tórtolas, de los primeros frutos de las higueras, de las flores de las viñas por las que circulaban los zorros.

El maestro de obras, desde que terminaron los diluvios, paseaba cada día por la campiña, miraba con atención los árboles, los altos enebros, los alfóncigos, los achaparrados almendros, las encinas, los sicomoros de suculentas bayas, los granados cuyos frutos simbolizaban la multiplicidad de las riquezas divinas y los inagotables dones del amor. Se detuvo ante los olivos de plateado follaje, que los terratenientes cuidaban con esmero. ¿Acaso las aceitunas no ofrecían el precioso aceite utilizado en la preparación de los platos, en la de los medicamentos y los productos de aseo, el aceite que ardía en las lámparas y santificaba las manos de los sacerdotes? Pero el arquitecto se interesaba por la madera del olivo, un robusto material que proporcionaría troncos de diez metros de altura y quinientos años de edad. El árbol expresaba una alegre paz que se adecuaría a las estatuas cuya belleza igualaría, tal vez, la de las obras egipcias. Hiram señaló con tiza los olivos elegidos. La segunda especie indígena que seleccionó fue el macizo ciprés, de prietas fibras, que sería muy adecuado para revestir el suelo.

–¿Por qué os atareáis así si ni siquiera estáis seguro de poder iniciar la obra? –se lamentó Caleb–. El templo es un espejismo, un sueño de rey loco. Estos paseos son agotadores. ¿No os gusta nuestra hermosa casa de Jerusalén?

Hiram no respondió y siguió eligiendo troncos. *Anup* no se separaba de él. El perro trotaba a su lado, sin aceptar que el cojo se acercara demasiado a su dueño; desconfiaba de Caleb, que no se atrevía a pegarle por miedo a disgustar al maestro de obras.

Llegó por fin la mañana tan deseada por Caleb.

Cuando Hiram quiso cruzar el umbral para emprender un nuevo paseo, topó con una oleada de hombres y mujeres que invadían Jerusalén. Eran hebreos procedentes de las provincias, pero también mercaderes babilonios y comerciantes asiáticos. Ricos y pobres se entremezclaban con parecida exaltación.

–¿Qué ocurre?

–Es la Pascua, príncipe. Todo Israel está en fiesta. Los creyentes comerán y beberán a la gloria de Dios. ¡Hoy todos somos creyentes!

Hiram se resignó. No podría llegar a los barrios bajos pues la muchedumbre que ascendía hasta palacio era muy densa. Muchos gritaban «¡Pesah, pesah!», evocando el milagro del «paso» que había marcado la salida de los hebreos de Egipto. ¿Saben que

144

pronuncian una palabra egipcia, pensó Hiram, y rinden así homenaje a la tierra que detestan?

Cultivadores y panaderos caminaban juntos, los unos ofreciendo las primeras espigas, los otros pan ázimo. Los matarifes arrastraban centenares de corderos que serían inmolados y alimentarían a los miles de invitados que participaban en el inmenso banquete de Pascua donde, durante algunas horas, acaudalados y mendigos se sentarían juntos.

Al pasar ante la morada del maestro de obras, un sacerdote roció la puerta con sangre del animal que acababa de degollar. El líquido cálido y viscoso alcanzó el rostro y el pecho de Hiram. El arquitecto entró en la casa y se lavó. Caleb había desaparecido. El cojo no quería perderse la distribución de vino, pan y carne. Sólo quedaba el perro, que detestaba las muchedumbres tanto como su dueño.

Hiram trabajaba en el plano que había comenzado a concebir. Estaba inspirado en el trazado del antiguo templo de Edfú, en el Alto Egipto, creado por Imhotep y depositado en los archivos de la Casa de la Vida. Unos golpes en su puerta y algunos aullidos interrumpieron sus reflexiones. En cuanto abrió la puerta, entró en la casa Caleb con los brazos cargados de vituallas.

–¡Participad en la Pascua, príncipe! He aquí cordero asado con laurel y basilisco, pan ázimo con salsa picante y vino de Samaria..., muy buen vino...

El cojo se derrumbó, borracho perdido.

Hiram le dejó solo.

Las callejas estaban vacías, y salió con el perro, avanzando entre cuerpos caídos. La comida de fiesta había hecho numerosas víctimas que sólo recuperarían el sentido tras varias horas de un sueño comatoso.

Anup ladró, avisando a su dueño de un inminente peligro.

A un centenar de pasos apareció Banaias, encabezando un destacamento de soldados. El tosco rostro del general lucía una satisfacción de mal augurio.

Hiram se inmovilizó. El perro se estrechó contra su pierna. Llevando la espada al costado, Banaias apostrofó al extranjero con su voz ronca.

–El rey Salomón exige que comparezcáis ante él inmediatamente, maestre Hiram.

Capítulo 22

Salomón recibió a Hiram en la sala de audiencias donde se entrevistaba con los dignatarios extranjeros. Sentado en su trono, el monarca tenía un rostro severo, casi hostil.

El arquitecto, sin hacer ademán de sumisión alguna, se mantuvo a buena distancia.

–¿Quién sois realmente, maestre Hiram?

–Un artesano que se ha hecho experto en su oficio.

–¿Cómo creeros después de lo que acaba de ocurrir? ¿Cómo un simple obrero puede conseguir una misiva de la reina de Saba anunciándome el próximo envío de un cargamento de oro rojo?

–Gracias a la amistad, majestad. Nuestra cofradía es más poderosa de lo que imagináis. La reina desea un palacio espléndido y un templo de formas perfectas. Por eso colma de honores a su maestro de obras que, para mí, es un hermano. Ha atendido mi petición y ha intervenido ante la soberana, de la que es también primer ministro.

Las explicaciones de Hiram parecían convincentes aunque fueran enunciadas con una ironía que hirió a Salomón. La diplomacia israelí se había mostrado incapaz de hacer cambiar de opinión a la reina de Saba. La expedición marítima organizada por el rey había terminado en un lamentable fracaso. Y ahora, un extranjero, apenas instalado en Jerusalén, daba una lección de eficacia a todo el país.

–Os debo agradecimiento, maestre Hiram. ¿Deseáis que os ponga a la cabeza de mi diplomacia?

–Un maestro de obras no abandona su cofradía, majestad.

Salomón se levantó para acercarse a Hiram. Se detuvo a un metro de él, clavando su mirada en la de su interlocutor.

–¿Ni siquiera para ser rey?

Los ojos de Hiram no pestañearon.

–Ni siquiera para ser rey.

–¿Qué deseáis, maestre Hiram?

–Comenzar la obra. Mañana mismo partiré hacia el puerto de Eziongeber.

–¿Con qué intención?

–Organizar la obra como deseo. ¿No lo preveía así nuestro pacto?

–Id y actuad, maestre Hiram.

Cuando el arquitecto se hubo marchado, Salomón leyó de nuevo la sorprendente carta de la mujer más rica de la Tierra. No entregaría menos de veintitrés toneladas de oro a los marinos fenicios que las llevarían hasta Israel. Con un agudo sentido de las relaciones internacionales, la reina de Saba evitaba utilizar la flota mercante egipcia. Pensándolo bien, aquel pacto con los fenicios probaba la intervención del rey de Tiro. Hiram había sido presuntuoso: no habían sido su colega y él quienes habían modificado la posición de la reina, sino el astuto monarca de la ciudad comerciante. Sin duda había obtenido un buen precio por el transporte. Enriquecer a Salomón le permitiría almacenar buena parte de aquel oro, a cambio de los materiales de construcción destinados al templo. Además, el rey de Israel se vería obligado a utilizar los barcos fenicios para enviar trigo a Saba.

Un hábil negociador, ávido de bienes materiales, creía haberse burlado de Salomón. Un maestro de obras pretencioso se atribuía poderes que no tenía. Ni el uno ni el otro percibían los verdaderos designios de Salomón. No comprendían que la construcción del templo cambiaría el curso del tiempo y el pensamiento de los hombres.

Hiram permaneció varios meses en Eziongeber. Caleb el cojo permaneció en Jerusalén para ocuparse de la casa, donde pasaba durmiendo la mayor parte del tiempo. El arquitecto se había llevado el perro y los planos. Antes de desarrollarlos, necesitaba cobre, que serviría especialmente para fabricar útiles como los cinceles de los talladores de piedra.

Quinientas hectáreas de terreno disponibles proporcionaban al maestro de obras un inesperado campo de experiencias. Con el beneplácito de Salomón, requisó varios centenares de infantes desocupados que no se acostumbraban a la idea de convertirse en marinos. El arquitecto los dividió en pequeños equipos. Construirían altos hornos, fundiciones, forjas y una refinería para metales. La madera procedente de Edom se utilizaría como combustible.

De este modo, el puerto mercante se convirtió en ciudad industrial.

Hiram no llevaba joya alguna que identificara su cargo. Las órdenes eran públicamente dadas por Elihap, el secretario del rey, que aparecía como el auténtico iniciador de la empresa. El alto dignatario no dejaba de viajar entre Jerusalén y Eziongeber, velando por las sumas invertidas y el regular progreso de los trabajos.

Hiram se preocupaba de la organización de cada taller. Rectificaba los gestos de los obreros, orientaba el trabajo, ayudaba al torpe y abandonaba al incompetente. Los obreros amaban y temían a aquel extraño maestre que hablaba poco y parecía infatigable.

El tratamiento del mineral de cobre dio excelentes resultados. Muchos útiles fueron almacenados en los barracones y se exportó buena parte de la producción.

Hasta aquel primer día de otoño, Elihap y Hiram no habían tenido entrevista privada alguna. Aquel atardecer, mientras el sol incendiaba las tranquilas aguas del mar Rojo, ambos hombres salieron del último alto horno recientemente concluido. Al día siguiente entraría en actividad.

Caminaron por una playa inmensa y desierta, hasta un promontorio arenoso desde el que contemplaron el apaciguado drama del ocaso. Hiram tenía la piel quemada en varios lugares. Al sentarse, tuvo la sensación de poder degustar su primera hora de descanso desde hacía varias lunas. Era una ilusión peligrosa a la que no se abandonó. Pese a la belleza hechizadora de un paisaje que le recordaba las riberas marítimas del Delta de Egipto, pese a aquella luz serena que preparaba el camino a las claridades del más allá, Hiram se obligó a permanecer tan atento como la fiera perseguida por los cazadores.

El hombre que estaba a su lado cruzaba nerviosamente los dedos, como para conjurar el mal de ojo.

–Esa mascarada concluye por fin –dijo Elihap–. Me autorizáis, pues, a regresar a Jerusalén. Ya no tendré que dar las órdenes que vos me habéis dictado.

–¿No hemos obtenido el resultado esperado? Eziongeber produce mucho cobre, y de excelente calidad. Israel posee el centro industrial que le faltaba, este éxito se os ha atribuido a vos, Elihap.

–Salomón no se engaña. Además, está descontento.

–¿Por qué?

–Porque no le importa esta industria ni las riquezas que procura. El rey sólo tiene una idea en la cabeza: construir el templo. Y considera que estáis perdiendo el tiempo.

–Estuvo de acuerdo en emprender la construcción de estos altos hornos. Aquí he comenzado a conocer al pueblo de Israel. Lo he visto trabajar en una difícil tarea, inédita para la mayoría de los obreros. He intentado darles el sentido de una obra concluida, aunque sea burda. Tened la seguridad de que no he malgastado un solo segundo. Mañana será necesario iniciar una obra mayor. Si no hubiera preparado un primer equipo de trabajadores, correría hacia el fracaso.

Surgiendo de las aguas con reflejos dorados, un delfín preludió los juegos de un grupo saltarín que celebraba el fin de la jornada. Quien seguía al delfín para acudir en ayuda de los náufragos, no corría el peligro de perderse en el océano del otro mundo. Hiram había asistido a menudo a la llegada de aquel amigo del hombre en los brazos del Delta. A veces remontaba el Nilo hasta Menfis, para goce de los niños, cuyas caricias y alimento aceptaba.

Un amigo... El maestro de obras tenía que renunciar a encontrarlo entre los hombres que le rodeaban.

—Salid de Israel —exigió secamente Elihap.

Hiram no respondió. Elihap, el egipcio introducido por el faraón en la corte de Israel para espiarla, había cumplido su misión más allá de cualquier esperanza. Debía ayudar a Hiram so pena de perder la vida, pero ignoraba el verdadero nombre del maestro de obras y su origen egipcio. Habría debido ser un aliado seguro en el que Hiram pudiera confiar.

—Salid de Israel —repitió el secretario de Salomón—. Nadie os quiere en la corte. En esta tierra os acecha la desgracia. Regresad a Tiro, volved a vuestra errante existencia, id a construir edificios en otras tierras.

—¿Sois hostil al nacimiento de un gran templo en Israel?

—Es una locura —afirmó Elihap—. Arruinará Israel y perderá a Salomón. Cuando el desastre sea evidente, vos seréis el primer acusado. No deseo vuestra muerte ni la decadencia de este país. Aunque haya nacido en Egipto, aunque siga creyendo en el dios Apis que me protege, me he convertido en hebreo. Este pueblo es hoy el mío. Soy el servidor de Salomón. Si no sucumbe a su vanidad y olvida ese maldito templo, será un buen monarca.

—Si parto, Salomón elegirá otro maestro de obras —dijo Hiram.

—No —repuso Elihap—. El rey está convencido de que habéis sido designado por Dios. Si renunciáis, admitirá su error y abandonará su funesto proyecto.

El disco solar desaparecía por el horizonte. El grupo de delfines se dirigía hacia mar abierto. Iluminando la noche, el fuego de las forjas convertía Eziongeber en una inmensa tabla rojiza.

—¿Y si os equivocarais? —preguntó Hiram—. ¿Y si el templo de Salomón fuera la clave de la felicidad de Israel?

–No me equivoco. Este pueblo es un mosaico de tribus que necesitan enfrentarse sin cesar, bajo la protección de un dios al que consideran único. Salomón es demasiado grande para este país. Piensa y actúa como un faraón, pero Israel no es Egipto. Es bueno que el rey se preocupe por una paz relativa; que intente crear un templo y un imperio es el fracaso seguro y el fin de los hebreos. Una desgracia de la que seríais el principal responsable, maestre Hiram. Salomón os aguarda en Jerusalén en cuanto vuestro trabajo aquí haya terminado. ¡Ojalá nunca hubierais venido!

Elihap se alejó, cual oscura silueta en la creciente noche.

Elegido de Dios, predestinado... ¿Quién podía sucumbir a tal vanidad? Sólo eran paparruchas para uso de niños crédulos. Pero a Hiram le gustaban los desafíos. Egipto se había construido por un gigantesco desafío a lo invisible. Salomón no era su hermano ni su amigo. Sin embargo, la partida de ajedrez que había iniciado con el destino comenzaba a interesar al maestro de obras. ¿Servir a un ser de la magnitud de un faraón, aunque fuera en tierra extranjera, no imponía un deber parecido a la luz que desgarraba las nubes?

Hiram abandonó Eziongeber a mediados de otoño, poco después de comenzar el año religioso que se celebraba en el equinoccio, durante la fiesta de las cosechas. El sol se hacía débil. Las jornadas, despojadas de canícula, dejaban fluir un tiempo dorado, de nostálgicos perfumes. La naturaleza se preparaba para el reposo. El mar, encrespado a veces, se adornaba con azules y verdes cantando lejanas letanías que se remontaban a las primeras edades del mundo. El arquitecto lo contempló durante toda una mañana, como si nunca fuera a verlo de nuevo.

Con su hato al hombro y el bastón en la mano, vestido con el paño de un obrero, salió de la ciudad sin saludar a nadie. *Anup* trotaba a su lado. Eziongeber se había convertido en una ciudad próspera donde mercaderes y exportadores habían sabido tomar el poder. Numerosos jóvenes se habían acostumbrado al trabajo del cobre. Hiram los conocía por sus nombres. Mañana, cuando los necesitara, no le decepcionarían.

Apenas el caminante hubo llegado a la pendiente de la pequeña colina cuando una nube de polvo anunció la llegada de un jinete.

Anup ladró.

Hiram se detuvo con las manos cruzadas y apoyadas en lo alto de su bastón.

El hombre encabritó su caballo, amenazando al maestro de obras.

–¿Eres tú al que llaman maestre Hiram?

–Yo soy.

El jinete pelirrojo, corpulento, tiraba rabioso de las riendas para sujetar una rebelde montura.

–Mi nombre es Jeroboam. Salomón me ha encargado que construya sus establos. Todas las obras del reino estarán bajo mi control.

–A excepción de la mía –rectificó Hiram.

–No habrá excepciones –prometió Jeroboam–. O te sometes a mi autoridad o regresas a Tiro.

–No reconozco más autoridad que la del rey de Israel. ¿Conoces al menos, puesto que quieres mandar, el arte del trazo?

El coloso pelirrojo se enfureció.

–Tus secretos son sólo espejismos, maestre Hiram. No te enfrentes a mí y apártate de mi camino. De lo contrario…

–¿De lo contrario?

El caballo volvió a encabritarse.

Jeroboam dio media vuelta y partió a galope tendido.

Capítulo 23

La noche era blanca y roja. Una luna rojiza había captado las inquietas miradas de los habitantes de Jerusalén. ¿No era acaso un mal presagio? ¿Aquel siniestro fulgor no revelaba la cólera de Yahvé? Sin embargo, la paz reinaba en Israel. El país se enriquecía. Sus vecinos lo respetaban. La gloria de Salomón no dejaba de aumentar. Pero existía su mujer, aquella egipcia que seguía sacrificando a sus falsos dioses. Si no hubiera sido la esposa del rey, una mano vengativa habría cortado mucho tiempo antes el hilo de sus días.

Nagsara oraba a Hathor cada vez más a menudo. En su alcoba, agitaba los sistros, instrumentos de música que producían un sonido metálico y agradable al corazón de la diosa. Sus esfuerzos no eran vanos. Salomón había pasado una noche con ella, recuperando un ardor que creía perdido para siempre. Nagsara no había pedido nada. Muda, se había limitado a dar placer a su esposo, como cualquier otra concubina. El rey, que temía una oleada de protestas, de insultos incluso, había apreciado la mesurada actitud de su mujer. Los juegos del amor, para tener éxito, no toleraban un carácter desabrido.

Salomón sabía que Nagsara practicaba la magia para reinar sobre sus sentimientos. Varias veces había ordenado a Elihap que la siguiera y observara los ritos a los que se entregaba. El rey de Israel no desdeñaba los talentos de su esposa. Cuando se comunicaba con Hathor, Salomón tomaba la precaución de volver hacia la tierra el sello de Yahvé. Así conjuraba los hechizos de la egipcia, que se perdían en el suelo.

¿Por qué Hiram se demoraba tanto en Eziongeber? Producir cobre no era ciertamente desdeñable, pero el puerto estaba muy lejos de Jerusalén. ¿Cuándo le entregaría el arquitecto un primer plano? ¿Cuándo se ocuparía por fin de preparar el inicio de la obra de la que dependía el porvenir de Israel? Salomón había pensado en contratar a otro arquitecto. Hiram era demasiado huraño, demasiado misterioso. Pero conocía el arte del trazo, que tan pocos constructores sabían. ¿Quién sería capaz de sustituirle?

Sin embargo, la paciencia de Salomón estaba agotándose. Esa noche señalaría su último hito. Por la mañana, pediría a Jeroboam que comenzara a reclutar obreros. El rey había recibido el oro rojo de Saba. Podía pagar a centenares de jornaleros y adquirir los más perfectos materiales. Permanecer más tiempo inactivo sería una falta imperdonable. Tal vez Hiram, decepcionado o amargado, había abandonado Israel.

Salomón se dirigió al pie de la roca sobre la que deseaba edificar su templo. Levantó los ojos hacia su punto culminante, un espolón que dominaba la colina del Ofel. Aquel saliente coronaba Jerusalén a casi ochocientos metros de altura, dando a la ciudad la dirección del cielo. David había fortificado su capital. Salomón la sacralizaría. Cortaría aquella roca por tres de sus lados, al oeste, al norte y al sur. Enrasaría la plataforma superior, abriría los edificios hacia el este.

—¿No creéis, majestad, que primero sería necesario unir la roca a la ciudad de David por medio de un terraplén? Facilitaría la tarea de los constructores.

Salomón había reconocido la voz de maestre Hiram.

—¿Me habéis seguido?

—Sabía que vendríais aquí.

—¿También leéis mis pensamientos?

—Soy sólo un arquitecto, no un adivino.

—¿Por qué tan extraña actitud, maestre Hiram?

—Interrogad a la piedra mágica que lleváis en la mano izquierda. ¿No os confiere poder sobre los elementos?

—Basta de impertinencias —repuso irritado Salomón—. Vuestro

éxito en Eziongeber es sólo el de un ingeniero, no el de un maestro de obras. Exijo explicaciones.

Hiram miró la luna. En ella cantaban los viejos textos de Egipto, se ocultaba la liebre de Osiris que detentaba los secretos de la resurrección. Creciendo y menguando, el sol de la noche enseñaba al observador el arte de las metamorfosis. La luz azulada bañaba la gran roca de Jerusalén atenuando la dureza de su desnudez. ¿Llevaba en su fulgor la promesa de un santuario?

—¿Conocéis las tradiciones de Saba, majestad?

Salomón temía cierta forma de chantaje. Hiram iba a quitarse por fin la máscara.

—Los de Saba adoran al sol —prosiguió el maestro de obras—. De su luz obtienen sabiduría y felicidad. Como prueba de agradecimiento, el astro divino hace que el oro crezca sin cesar en el corazón de sus montañas.

—Son unos impíos. Rechazan el dios único.

—¿No se denomina Elohim en vuestros libros sagrados? ¿No es Elohim un plural que significa «los dioses»?

—¿Sois experto en teología, maestre Hiram? Ignoráis que nuestro dios se llama también Yahvé, «el que es», y que su inefable nombre sólo se revela al rey de Israel.

—Sé, majestad, que el culto a esa divinidad requiere pocos sacrificios y no exige la presencia de un templo. Habéis decidido modificar esta situación. Deseáis poner fin a la mediocridad de vuestros ritos, darles el brillo digno de un gran reino.

Salomón no lo negó. Realizaría también lo que habían realizado los egipcios. Yahvé no podía seguir residiendo en míseros lugares. Era el más grande, el Único y debía beneficiarse de una gloria más vasta que el Amón de Karnak.

—¿Me diréis por fin cuáles son vuestras exigencias, maestre Hiram?

El arquitecto se agachó y tocó la base de la roca.

—Esta piedra es buena —dijo—. Es cálida y fraterna. Supondría una buena base para espléndidos edificios. Pero sería necesario añadirle la mágica protección de la gente de Saba para hacerla inalterable. Tenían una copa y un cetro de oro que me entregó el maestro que me enseñó el trazo. Su presencia en el corazón de la roca garantizará la solidez de la obra.

Salomón reflexionó. ¿Disgustarían a Yahvé aquellos objetos? ¿Traicionarían la fe de Israel?

–¿No es eso un chantaje, maestre Hiram?

–Tal empresa no depende sólo de los hombres. Si no nos propiciamos el cielo, el fracaso está asegurado.

–¿La copa y el cetro están vírgenes de cualquier inscripción?

–Son de oro puro –repuso Hiram–. Del oro nacido en el fuego secreto de las montañas de Saba. El arquitecto que lo utiliza en sus cimientos, coloca una luz que nunca se extinguirá.

–Si acepto vuestra proposición, ¿cuándo abriréis el camino? El maestro de obras pareció contrariado.

–He sido amenazado. Me han ordenado que abandone Israel.

–¿Quién se ha atrevido?

–No soy un delator, majestad.

Salomón no perdió la compostura. No creía a Hiram. El tirio estaba inventando una fábula para arrojarle un nuevo desafío.

–Vos decidís –estimó el rey–. No esperéis más concesiones por mi parte. Hoy sois libre de salir de Israel. Me daréis vuestra respuesta definitiva dentro de tres días. Luego, os será imposible retirar vuestra palabra. Que la noche os sea favorable.

Hiram permaneció hasta el alba al pie de la roca. Si alegaba la negativa de Salomón para justificar ante sus iguales el regreso a Egipto, nadie dudaría de su palabra. Pero un maestro de obras no podía mentir sin destruirse a sus propios ojos.

Al tantear la roca con la punta de sus dedos, Hiram había advertido que revelaba uno de aquellos lugares excepcionales donde lo divino se encarna en la materia. Salomón había elegido bien. Allí y sólo allí debía levantarse un gran templo. El rey tenía en su interior la voluntad capaz de triunfar sobre la desgracia, anclando en lo eterno la visión del hombre. Hiram no dudaba ya de que el futuro santuario fuera el destino de Salomón. Pero ¿justificaba su propia angustia, un exilio que le era tan doloroso como una condena a muerte?

Con el corazón en un puño, se dirigió hacia su morada tomando callejas desiertas donde las postreras tinieblas luchaban con el día naciente. *Anup* estaba a su lado.

Hiram entró. En la mansión reinaba un fuerte olor a incienso y a aceite de oliva. Varias lámparas iluminaban las habitaciones. Arrodillados, una decena de sacerdotes oraban. Descubriendo a Hiram, uno de ellos se levantó.

–Soy Sadoq, el sumo sacerdote de Yahvé –declaró con énfasis–. ¿Sois vos maestre Hiram?

El arquitecto avanzó. El interior había sido devastado, excavado el suelo, saqueado el despacho. Los muros habían sido blanqueados, vaciados los cofres, destrozados los lechos.

–Este lugar debía ser purificado –indicó Sadoq–. Era presa de espíritus malignos. En adelante, sólo un verdadero creyente lo habitará.

Con el busto muy erguido, el sumo sacerdote estaba exultante. Su negra barba, con las esquinas sin recortar, confería serenidad a su rostro, parecido al de un juez del más allá. Pero sus ojos brillaban en exceso y revelaban la fiebre de un hombre celoso, ávido de venganza.

–No volváis nunca más por aquí, maestre Hiram. No contéis con encontrar otra morada en Jerusalén. Habéis practicado la magia negra. Tenemos pruebas.

Con un gesto de su mano, Sadoq convocó a uno de sus acólitos. Éste mostró una figurita de terracota que representaba a una mujer desnuda de monstruosos pechos y caderas.

–Esta imagen diabólica estaba oculta en vuestro estuche de cálamos. Si no fuerais el protegido de Salomón, exigiría vuestra lapidación.

–¿Qué ha sido de Caleb, mi servidor?

–En este antro diabólico no había nadie.

Hiram, con una simple mirada, advirtió que sus escasos bienes habían sido destrozados. Caminó hacia la puerta bajo la irónica mirada de Sadoq. Cuando estaba a punto de salir para siempre de la casa asesinada, se volvió.

–Queda tranquilo, sumo sacerdote, no viviré en esta rencorosa ciudad. Pero te lo advierto, no me acuses de nuevo de brujería: la mentira se volvería contra ti.

A Sadoq no le preocupó aquella advertencia. Su victoria era total. Hiram se marchaba, el templo no se construiría nunca. Todos sabrían que Yahvé expulsaba a los maestros de obra extranjeros y que no deseaba modificar la ciudad de David.

Salomón, turbado, consultó los libros secretos de los que era, como rey de Israel, único depositario. Enseñaban cómo el Hombre podía colocarse en el trono celeste si seguía el camino de la vida y no el de la muerte. Hablaban del alma, de Dios y de los elementos. Pero nunca respondían a la pregunta que le obsesionaba desde hacía tanto tiempo: ¿Debía realmente conceder su confianza a maestre Hiram para construir el templo? La fascinación que sentía hacia aquel hombre, ¿no estaría ocultándole la realidad? ¿Aquel extranjero no era un vagabundo, un rebelde que presumía de poseer una ciencia que, de hecho, ignoraba?

El rey nunca había sido víctima de tan lacerante angustia.

Cuando Nagsara se atrevió a penetrar en la biblioteca donde consultaba rollos de papiro escritos en caracteres que un profano no podía descifrar, su primera reacción fue rechazarla con vehemencia. Pero la reina, apenas vestida con un velo transparente, había sabido hacerse deseable.

–¿Ignoráis, esposa mía, que este lugar os está prohibido?

Nagsara dejó flotar en sus rojos labios una febril sonrisa. Contemplaba a Salomón con mal contenida pasión. El rey se conmovió. Tocada con la peluca perfumada tan apreciada por la alta sociedad de Tanis, su esposa soltó los broches que retenían en los hombros su vestido.

–Este lugar es la morada de los libros, no la del amor...

La objeción de Salomón se perdió en un beso dulce y fogoso a la vez. El rey no pudo resistir más el cuerpo desnudo que se apretaba contra él. Durante unos minutos de intenso placer, Nagsara le hizo olvidar a Hiram.

–Tenéis poderes muy grandes, esposa mía.

–Son vuestros, mi rey. Pedid y recibiréis.

Una hija del faraón... ¿No había sido educada por sacerdotes que poseían grimorios que todos los pueblos envidiaban?

–¿Sabéis consultar los oráculos?

–He observado a mi padre en las salas cubiertas del templo de Tanis. Me enseñó a lavarme la boca y a purificarla con natrón antes de orar a los dioses. Poseo el arte de alejar las jaquecas colocando una llama en la cabeza de una serpiente de bronce.

–¿Aceptaríais consultar lo invisible?

Nagsara resplandecía de felicidad. Por fin probaría a Salomón que no debía reducirla a ser un objeto de goce.

–¿Cuál es vuestra pregunta?

–Quiero un nombre. El del mejor arquitecto para el templo.

Desnuda, Nagsara tomó una de las lámparas y la colocó en la esquina norte de la estancia. Apagó las demás y se inclinó hacia el débil fulgor que parecía quemarle el rostro. Las palabras que pronunció la protegieron.

–Llama que conoces el ayer, el hoy y el mañana, respóndeme. Si callases, el cielo y la tierra desaparecerían. Si callases, las ofrendas no ascenderían ya al cielo. Si callases, el sol no volvería a salir, los ríos se secarían, las mujeres serían estériles. Yo, hija del fuego, tengo derecho a interrogarte.

Nagsara posó el índice de la mano derecha en su frente y tomó la llama en la izquierda. La carne no se abrasó. Con la uña, trazó unos jeroglíficos en el asa de la lámpara. La reina cerró los ojos.

–Acércate, Salomón.

El rey obedeció.

–Tiéndete de espaldas.

Salomón vio dibujarse unas ondulaciones en el techo de la biblioteca. Los muros iniciaron una danza desenfrenada.

160

–Interroga a la lámpara, Salomón.

El rey no reconoció su propia voz, su propia voz que se había hecho muy grave.

–¿Quién debe ser el arquitecto del templo?

La llama creció, invadió la estancia, atacó los rollos de papiros, abrazó a Salomón y Nagsara. Pero el rey no sintió dolor alguno. Aceptó aquella cascada ígnea como un favor. Viajó por un río de sangre que cruzaba altas montañas.

La calma regresó de pronto.

Nagsara, acostada a su lado, dormía.

Con la llama de la lámpara, Salomón encendió las demás. Era una cruel decepción. Lo invisible se había negado a hablar.

Era imposible despertar a la egipcia, cuya respiración era regular. El rey tomó a la reina en sus brazos.

En el blanco seno de la joven había una inscripción en caracteres hebreos.

La lectura fue fácil.

En la carne de la reina de Israel había grabado un nombre: Hiram.

Capítulo 24

El rebaño de corderos se dispersó ante Hiram. El maestro de obras reconoció la pobre mansión del cojo que, en el umbral, cocía en una pequeña hoguera una sopa de hierbas.

–¡Príncipe! ¿Habéis podido escapar?

Detrás de la casa, un imponente montón de lana. De mejor calidad que la de primavera, serviría para confeccionar mantas para el invierno.

–Huí cuando vi llegar aquella pandilla de sacerdotes fanáticos. No vacilan en lapidar a quienes les molestan.

–¿Sin pasar por el juicio de Salomón?

–El rey no puede estar en todo...

–¿Por qué no intentaste avisarme?

–No tuve tiempo, príncipe.

Caleb se preguntó si el arquitecto no era ya un adversario más peligroso que los adoradores de Yahvé.

–Os traicioné, pero no tenía elección –reconoció–. Regresar a mi casa y ocultarme era la única solución. Jerusalén no es ya una ciudad segura cuando los sacerdotes se muestran demasiado.

Anup, que había seguido a Hiram a cierta distancia para proteger su retaguardia, se acercó a su dueño. Viendo a Caleb, gruñó.

–Otra vez el maldito perro... ¿Adónde pensáis ir, príncipe?

Hiram pasó ante el redil y bajó por una herbosa pendiente que daba a un campo abandonado donde crecían higueras de denso follaje. Ofrecían abundantes higos otoñales, de azucarada carne. Los árboles no estaban podados en forma de parasol sino que crecían en libertad, al albur de las estaciones.

El maestro de obras se sentó a la sombra de una vieja higuera solitaria. *Anup* se acurrucó a sus pies. Allí, bajo la protección del árbol más corriente en la tierra de Israel, Hiram tomaría su decisión. A menudo, junto al templo de Karnak, había disfrutado horas de meditación a la sombra de un sicomoro o de un tamarisco, a las puertas del desierto. Los pensamientos se zambullían en el silencio, los sueños se perdían en la luz. De niño, Hiram trepaba hasta las ramas más altas y miraba pasar a los campesinos, con sus asnos cargados de bultos. Caminaban a lo largo de la tierra roja antes de regresar a los cultivos, entonaban una antiquísima canción que databa de la época de los constructores de pirámides. Cuando vio una cofradía de escribas que llevaban cálamos y paletas, el joven Hiram sintió deseos de comprenderlo todo y conocerlo todo. El saber le había embriagado más que la cerveza festiva. No había cesado de preguntar a sus padres las características de los animales y de las plantas, sobre la crecida del Nilo, la fuerza de los vientos, la lectura de los jeroglíficos. El día en que estuvo seguro de que eran incapaces de responderle, el muchacho de catorce años abandonó su aldea con un hatillo al hombro. Consiguió que le admitieran en un barco mercante y desembarcó en Tebas. Su objetivo: el lugar del Conocimiento, el templo donde entraban los escribas.

Pronto se sintió decepcionado. Si el gran patio era accesible a los nobles durante las fiestas, las salas de enseñanza del templo cubierto permanecían herméticamente cerradas.

Hiram había salido de la ciudad y había meditado largo rato, sentado a la sombra de un tamarisco. Contemplando la carrera del sol y el despliegue de los colores del día, desde los del alba hasta el oro del poniente, se había fijado la regla de su existencia: llevar a cabo sus deseos, no renunciar bajo ningún pretexto, acusarse siempre de los fracasos, a sí mismo y no a los demás o a los acontecimientos exteriores. Provisto de aquel viático, había practicado veinte oficios..., vendedor de legumbres, reparador de sandalias, seleccionador de pescado, cestero, fabricante de jarras..., antes de llamar la atención de un instructor de la caballería.

Tras haber cuidado los caballos, aprendió a montar y a conducir un carro. Llegó luego el momento de elegir: ser soldado o escriba.

Para su propio asombro, le dominó la vacilación. ¿Acaso la vida militar no era más brillante, más exaltante, fuente de prestigio y de riqueza? Tras una nueva meditación bajo un tamarisco, frente al desierto donde se edificaban las moradas de eternidad, había elegido el camino del templo. Para él, aquel ser de piedra, inmenso y misterioso, era la vida misma.

Llegó el período más dichoso de su existencia, el de los estudios dirigidos por maestros severos, exigentes pero dotados de aquel conocimiento al que aspiraba el corazón de Hiram desde hacía tanto tiempo. Aprender fue el más sabroso de los placeres; trabajar, una pasión; descubrir, un ilimitado goce. El joven escriba se orientó hacia la arquitectura. Manejó todos los útiles, de la azuela del carpintero al cincel del cantero, conoció la camaradería de los talleres donde el trabajo del espíritu y de la mano eran uno solo, se inició en la realidad de la piedra, domeñando granitos, greses, alabastros, calcáreos para elegir, con el mero contacto de su palma, los bloques dignos de entrar en un edificio.

Llegaron luego los viajes, por Egipto y por el extranjero, los encuentros con otros arquitectos, otras técnicas, otras creencias. Hiram callaba y escuchaba. Durante aquel período, había estado en Saba, donde la influencia egipcia, aunque muy fuerte, no iba acompañada de colonización. Lejos de su país, sufriendo ya un exilio que sólo era temporal, Hiram había trabado amistad con un maestro de obras egipcio que la reina de Saba había contratado. En la cima de una de las montañas de oro, Hiram había recibido la revelación del arte del trazo.

Escarbó el suelo con una piedra puntiaguda.

Gestos lentos, precisos, eficaces. La copa y el cetro de oro salieron de la blanda tierra donde Hiram había tomado la precaución de ocultarlos antes de vivir en Jerusalén. ¿Cómo confesar a Salomón que aquellos símbolos habían sido ofrecidos al faraón Keops por la primera reina de Saba, durante la construcción de la Gran Pirámide? La soberana, que veneraba el sol lo mismo que el faraón, había considerado oportuno asociarse mágicamente a la construcción de aquella maravilla del universo. Por ello, había acudido en peregrinación a Menfis y, durante una noche de invierno en la que brillaba la estrella polar, rodeada por su corte de infatigables estrellas, había depositado en la cámara baja de la Gran Pirámide el cetro de Saba y, bajo la esfinge, una copa que contenía el rocío de la primera mañana del mundo.

Ésos eran los objetos que el faraón Siamon había entregado a Hiram antes de su partida de Egipto hacia Israel. El maestro de obras debía colocarlos en los cimientos del templo de Salomón, para que se erigiera sobre la antigua sabiduría.

Salomón había aceptado.

Si Hiram realizaba el rito, si llamaba así el templo a la existencia, no podría ya abandonar la obra. Dando nacimiento a un santuario, el arquitecto le consagraba su vida.

Hiram lo había intentado todo para provocar la cólera de Salomón. El rey de Israel era obstinado en sus elecciones. Como el maestro de obras, seguía la vía de su corazón y no se detenía ante obstáculos aparentemente infranqueables.

Si Hiram aceptaba convertirse en el maestro de obras de Salomón, si cumplía la misión que le había confiado el faraón Siamon, conocería la más absoluta de las soledades. ¿A quién pedir consejo, a quién confiar sus dudas y sus interrogantes? Los maestros de Karnak estaban muy lejos, en la luminosa serenidad del templo del Alto Egipto. Obligado a guardar el secreto de sus orígenes, a callar su verdadero nombre, a sufrir los rigores del exilio, ¿sería Hiram capaz de soportar aquel peso durante varios años? Nadie le había preparado para tal tragedia. Educado en una comunidad de sacerdotes, iniciado en su oficio por una cofradía de artesanos, al arquitecto le gustaba la fraternidad, áspera a veces, que presidía las tareas cotidianas de la Casa de la Vida. Tendría que renunciar también a aquel goce. Hiram debería reinar sobre un pueblo de obreros hebreos, sin conceder a nadie su amistad.

A la sombra de la higuera, bajo el tierno sol otoñal, en la calma de la campiña de Judea, Hiram sintió deseos de renunciar.

Era muy grande la distancia entre el porvenir de un maestro de obras egipcio, con una apacible vejez, y el del arquitecto de Salomón, enfrentado a un reto imposible. ¿Cómo privarse de la belleza de la tierra negra y fértil de las orillas del Nilo, de la exaltación del desierto, de la complicidad del viento del norte? ¿No había conseguido su objetivo, ser uno de los arquitectos del faraón, trabajar junto a sus hermanos en la armonía de la Casa de la Vida, embellecer día tras día las piedras de eternidad, indiferentes a las tribulaciones humanas? Su corazón no albergaba otra ambición. ¿Por qué los dioses le obligaban a perder la felicidad sirviendo al rey de un país extranjero y construyendo un santuario en honor de una divinidad muda para su corazón?

Renunciar era reconocer su debilidad. Volver a Egipto, disfrutar de nuevo la brisa que hinchaba las velas de los barcos, exigía un sacrificio. Hiram se sentía dispuesto a aceptar aquella humillación ante sus cofrades.

Ante Salomón, la rechazaba.

Tras haber desconfiado del rey, tras haberle detestado casi, Hiram participaba de su pasión. Como él, Salomón estaba solo. Solo, desafiaba a un pueblo entero, la casta de los sacerdotes y los cortesanos, la costumbre. Solo, quería crear una obra maestra a riesgo de perder su trono.

Salomón era el último ser en quien Hiram podía confiar, pero encarnaba aquella fulgurante voluntad que había animado a un joven egipcio ávido de conocimiento. Entre ambos hombres había nacido una imposible fraternidad.

Rabioso, Hiram tuvo ganas de arrojar el cetro y la copa.

Iluminados por el sol de la tarde, brillaron con un leonado fulgor que llamó la atención a Caleb. El cojo se acercó, dudando en cogerlos. La mirada de Hiram le disuadió.

166

El maestro de obras miraba intensamente el oro de Saba, como si estuviera descifrando en él su porvenir. Una inquietante llama dominaba sus ojos de un azul oscuro.

Cuando los últimos rayos tiñeron de naranja las hojas de la higuera, Hiram se levantó. Nadie podría decir que un maestro egipcio había huido ante la tarea que debía realizar.

Construiría el templo, aunque fuera el de Salomón.

Saturno reinaba en lo alto del cielo; haría el edificio sólido y duradero. Salomón, procedente de su palacio, e Hiram, que venía de la campiña, llegaron al mismo tiempo al pie de la roca.

El maestro de obras ofreció al rey el cetro y la copa. El oro rojo se teñía con la plata que la luz lunar vertía.

Con un taladro cuya broca hizo girar con rapidez, Hiram agujereó la roca e hizo una cavidad en la que depositó los preciosos objetos. Luego, la cerró herméticamente, utilizando un mortero cuya presencia disimuló. A excepción de Salomón y del maestro de obras, nadie sabría que el embrión del templo de Yahvé era el sol de Saba. Salvo Hiram, nadie sabría que Egipto era la madre del mayor santuario de Israel, que el oculto dios de las pirámides resucitaba en Yahvé.

Salomón dominaba a duras penas su emoción. Según los grimorios que había consultado, el lugar elegido por la mano de Hiram correspondía a la puerta de un mundo secreto. De ella salía un camino que conducía a un abismo lleno de agua que ocupaba el centro de la tierra. Allí se reunían los espíritus de los muertos, para que el más allá estuviera presente en el centro del aquí.

El rey obtenía así la absoluta seguridad de que el oráculo consultado por Nagsara no había mentido. ¿Quién sino el arquitecto elegido por lo invisible habría vencido el azar? ¿Quién si no hubiera realizado el gesto adecuado en el momento preciso?

Salomón hizo girar en su dedo el rubí entregado por Natán. Dirigió una muda plegaria a los espíritus del fuego, del aire, del agua y de la tierra para que participaran en la creación del edificio como en la de todo ser viviente. Les pidió que fueran guardianes del umbral del santuario, que lo rodearan con su permanente presencia.

Hiram observaba la cumbre de la roca donde se decidiría su destino.

Salomón saboreaba la felicidad de un nacimiento. En aquel cuarto año de su reinado comenzaba la construcción del templo.

Capítulo 25

La cólera de Salomón era tan terrible que Elihap, que creía gozar de la confianza de su señor, temió por su vida. Jamás el rey de Israel había cedido a aquel quebranto del alma que los sabios condenaban. El monarca no dejaba de invocar a Yahvé como dios vengador y prometía castigar a los culpables de la desaparición de Hiram.

–No hay ningún culpable –protestó tímidamente el secretario cuando el rey pareció tranquilizarse.

–¿Hiram ha desaparecido y nadie es responsable? ¿Te burlas de mí, Elihap?

–Por orden vuestra, hice que Banaias y vuestros soldados de élite buscaran al maestro de obras. Han registrado las casas, los sótanos, los talleres, los almacenes. No hay rastro de Hiram.

–¿Y la casa donde vivía?

–Vacía.

–¿Qué dicen los vecinos?

Elihap vaciló.

–Habla –exigió Salomón.

–Vieron entrar a unos sacerdotes y llevarse algunos objetos.

El tono helado de Salomón fue mucho más alarmante.

–Que el sumo sacerdote comparezca inmediatamente.

Elihap corrió a avisar a Sadoq.

Salomón recorría sin cesar su despacho de estrechas ventanas. ¿Qué ocurría en su capital? Hacía tres días que aguardaba la llegada de Hiram. El arquitecto no había dado señales de vida desde la ceremonia secreta de fundación del templo. La hipótesis de una partida precipitada era absurda. Con aquel acto ritual, Hiram había dado su palabra de llevar a cabo la empresa que Salomón deseaba. Y éste conocía a los hombres bastante como para estar convencido de que el maestro de obras no traicionaría su juramento.

Si no acudía a palacio es que algo se lo impedía. ¿Quién y de qué modo? A menos que hubiera ocurrido lo peor...

Salomón recibió al sumo sacerdote Sadoq en cuanto solicitó audiencia. Elihap estaba en una esquina de la estancia, provisto de una tablilla y un cálamo para tomar nota de la entrevista.

El rey desdeñó las reglas de la cortesía.

—¿Por qué han invadido tus sacerdotes la morada de mi maestro de obras?

Sadoq, vistiendo una túnica violeta de hermoso efecto, sonrió desdeñoso.

—Ese Hiram es un impío, majestad. Practica la magia negra.

—¿Qué pruebas tienes?

—Al rey le bastará mi palabra. ¿No es preferible olvidar tan siniestras acciones? Lo esencial era alejar a ese hombre peligroso que habría apagado la gloria de Israel.

Salomón palideció.

—¿Qué has hecho contra Hiram?

—Nada, majestad. Ese nigromante es un cobarde. Mi advertencia bastó para hacerle huir.

—Si has mentido, sumo sacerdote, te arrepentirás.

Sadoq, seguro de tener razón, se inclinó. El rey olvidaría enseguida. La obsesión que le turbaba el espíritu desaparecería. Hiram y el templo sólo serían ya un mal sueño.

Salomón bajó al pequeño jardín que su esposa había dispuesto al extremo de un ala del palacio. Tenía necesidad de respirar, de escapar a la tenaza que estaba destrozándole. Oponerse a los sacerdotes provocaría una rebelión subterránea que pondría en peligro su poder. Investigar sobre la desaparición de Hiram no le había procurado información alguna. ¿Se empeñaba Dios en impedir los planes de su rey?

Nagsara, sentada en engalanados almohadones entre dos cipreses enanos, tocaba un arpa portátil apoyada en su hombro izquierdo. Desde el oráculo, el rey compartía su lecho cada noche. Los hechizos de la diosa Hathor le habían devuelto a su marido.

El amor de Nagsara no dejaba de aumentar. A Salomón no le faltaba cualidad alguna. Belleza e inteligencia se habían aliado perfectamente en aquel monarca a quien su genio prometía el más alto destino. Nagsara estaba orgullosa de su esposo. Sabría ser una sierva abnegada, feliz de vivir a la sombra de un monarca favorecido por los dioses.

La contrariedad que su rostro revelaba provocó la de Nagsara. Dejó de tocar y se arrodilló ante él:

–¿Puedo aliviar vuestra pena, señor?

–¿Es tu magia capaz de encontrar a un hombre al que se cree perdido?

–Tal vez consultando la llama... Pero es difícil. Fracasa con frecuencia.

Nagsara llevó a Salomón hasta su alcoba y la dejó a oscuras.

–¿Poseéis un objeto que le pertenezca?

–No.

–En ese caso, llenad vuestro espíritu con sus rasgos. Vedle como si estuviera ante vos y, sobre todo, no lo perdáis ni un instante.

Nagsara encendió una lámpara. Miró fijamente la llama hasta quedar deslumbrada, casi ciega.

–Habla, diosa de oro, levanta el velo que pesa sobre mi mirada. No permitas que mi rey languidezca, no le tortures con tu silencio. Revélale el lugar donde se oculta el hombre al que busca, traza sus contornos en la llama.

Nagsara levantó sus manos en señal de súplica, antes de perder el conocimiento. Nunca diría a Salomón que aquellos viajes a un mundo poblado por fuerzas inmateriales le arrancaban varios años de existencia. ¿Había felicidad más grande que sacrificarlos a quien amaba? Una curiosa forma se inscribió en la llama, que se había vuelto de una irreal blancura. Estaba hecha de espirales entrecruzadas. Luego, la imagen se simplificó dejando aparecer una especie de antro rocoso.

–Una gruta –reconoció Salomón.

Anup, con sus ladridos, avisó a Hiram y Caleb de la llegada del intruso. El cojo se lanzó hacia una estaca metálica y la empuñó con decisión.

–¡Os había avisado, príncipe! No nos dejarán en paz.

El arquitecto siguió puliendo la roca.

–¿Estáis aquí, maestre Hiram? –preguntó la voz ronca del general Banaias.

El arquitecto salió de la gruta que estaba arreglando en compañía de Caleb. Abierta en el flanco de una colina situada extra muros, tenía el aspecto de ser acogedora. El cojo había llevado mantas, útiles y alimentos. Hiram le había iniciado en el manejo del cincel y del pulidor. La mano de Caleb se había fatigado pronto. Prefería ejercer sus talentos de cocinero y dormir.

Hiram salió de la gruta. La luz le cegó por unos instantes.

Banaias, que había seguido las instrucciones de Salomón y exploraba las grutas de los alrededores, se sentía satisfecho de haber tenido éxito. Aunque detestara al extranjero, debía obediencia absoluta al rey.

El maestro de obras fue llevado a palacio bien custodiado. Salomón le recibió con entusiasmo.

–¿Por qué os ocultabais?

–Estaba haciendo habitable mi nuevo dominio. Nadie podrá reprocharme que acapare una casa de Jerusalén. Ningún sacerdote os acusará de haberme dado cobijo. ¿No es prudente?

Salomón no soportaba que su poder se viera limitado por una casta, aunque fuera intocable. Pero Hiram tenía razón. Residiendo fuera de la capital, seguía siendo un extranjero y no contrariaría a Sadoq.

–Esa gruta es indigna de vos.

–No me incomoda en absoluto estar en el corazón de la piedra.

–¿Por qué no me avisasteis?

–Cumpliré con mi deber. Pero no esperéis informes administrativos sobre mis actividades. Tenéis mi palabra. Pondré una última condición: que la construcción del templo sea acompañada por la de un palacio. Si la gruta me parece adecuada, la pobre residencia del rey David es realmente indigna de Salomón.

No había adulación alguna en las declaraciones de Hiram que ampliaba más aún el proyecto inicial. ¿Acaso los grandes monarcas no asociaban su sede temporal a la morada divina? ¿No debía ser el palacio parte del templo, recordando al rey que cumplía la función de primer sacerdote de Dios?

–¿Me comunicaréis vuestros planos?

–No –repuso Hiram–. Deben permanecer secretos. El arte del trazo es una ciencia reservada a los arquitectos.

–David no hubiera admitido tanta insolencia.

–Vos sois Salomón, yo un extranjero. No somos de la misma raza ni de la misma religión. Pero estamos asociados en la misma creación. Me comprometo a construir y a entregaros mi ciencia. Vos os comprometéis a proporcionarme los medios de hacerlo.

–Sea. ¿En cuánto tiempo estimáis la duración de las obras?

–Siete años al menos.

–He aquí mi propio plano, maestre Hiram. Sólo vos lo conoceréis.

Los dos hombres se encerraron todo el día en el despacho del rey, donde no fue admitido Elihap, el secretario.

Salomón había decidido orientar el conjunto de la sociedad israelita hacia la edificación del templo. Por medio de decretos, que aplicarían los prefectos de las regiones, labradores y ganaderos se pondrían al servicio de los obreros enviados a las obras del templo. Tendrían prioridad en la atribución de productos alimentarios. Los trabajadores de Eziongeber abandonarían el puerto en el más breve plazo posible para formar un primer cuerpo de jornaleros. Diez mil hebreos partirían hacia el Líbano donde recibirían los cargamentos de madera que cortarían los leñadores del rey de Tiro. Tras un mes de trabajo, durante el que efectuarían un penoso y peligroso transporte, Salomón les concedería dos meses de descanso.

El monarca había fijado los efectivos indispensables: ochenta mil canteros, setenta mil porteadores, treinta mil artesanos trabajando permanentemente en la obra. Exigiría que, en el transcurso de un año, cada israelita participase de un modo u otro en la gran obra. El templo sería la creación de todo un pueblo.

Aquella radical modificación de la economía implicaba la creación de nuevos impuestos y la organización de un trabajo forzoso impuesto como deber nacional. Que se produjera un levantamiento popular era un riesgo que debía correrse. El rey estaba seguro de dominarlo.

Hiram manifestó sus exigencias. Los vendedores de paño y los sastres deberían fabricar miles de delantales de tosca lana que los jornaleros se ceñirían a la cintura. Para los capataces, los curtidores prepararían delantales de cuero teñidos de rojo, de blanco para los compañeros y los aprendices. A los constructores se les proporcionarían esteras, tamices, estacas, mazos, azadas, palancas, moldes para ladrillos, hachas, azuelas, sierras, buriles. Los cinceles de cobre provendrían de los almacenes de Eziongeber. El propio Hiram elegiría a los canteros que extraerían, con el pico, los bloques de basalto y de calcáreo. Instruiría a los talladores de piedra que, hasta entonces, se limitaban a fabricar muelas o lagares. Los mejores, los que manejaban con habilidad el pulidor, habían edificado las casas de los ricos. Pero ninguno había sondeado nunca los misterios del arte del trazo. Hiram convertiría a los cortadores de madera, que trabajaban por su cuenta en las aldeas, en carpinteros capaces de producir largas vigas y realizar complicadas estructuras. Debían formarse albañiles que no se limitaran a levantar muros de granja sino que manejaran el tendel, el nivel y la plomada para pasar del plano al volumen. Les ayudarían algunos especialistas fenicios, establecidos en la costa y requisados por Salomón.

El rey y el maestro de obras eran conscientes de la magnitud de su tarea. El templo trastornaría todo un país y, sin duda, las re-

174

giones vecinas. Borraría el pasado y cimentaría un porvenir en la gloria de Dios.

–Los canteros están bajo vuestra única autoridad, maestre Hiram. Por lo que se refiere a los trabajos forzosos, serán organizados por el mejor arquitecto hebreo.

Hiram aprobó la decisión. Él no tenía que ocuparse de contratar y controlar a los jornaleros.

–¿Quién es?

–El que construyó mis establos, Jeroboam.

Capítulo 26

El aspecto de los terrenos que precedían las fortificaciones de Jerusalén se había modificado profundamente. Los campesinos que cuidaban pequeños huertos habían sido expulsados. Alababan a Salomón, que les había atribuido granjas y campos en la campiña circundante. Con los talladores de madera, Hiram había edificado una alta empalizada que ocultaba a los profanos las obras del templo. Una sola puerta, custodiada noche y día, permitía el acceso. Cada trabajador recibía del propio Hiram una contraseña.

En el interior, el maestro de obras había hecho construir varios edificios de ladrillo: depósitos para útiles, dormitorios, refectorios, almacenes que contenían alimentos y ropas. El más importante era el taller del trazo donde Hiram pasaba la mayor parte de su tiempo. Una caja de madera de pino contenía ostraca, fragmentos de calcáreo en los que realizaba los dibujos preparatorios; otra, rollos de papiro donde se trazarían los planos definitivos. El propio arquitecto cosía las hojas que iba enrollando alrededor de un cilindro para obtener un papiro de más de cincuenta metros de largo. Extendido en el suelo, contendría las estructuras de la obra.

Desde el inicio efectivo del trabajo, Hiram había vuelto pocas veces a la gruta donde tan bien se sentía. Su perro, *Anup*, le festejaba y gemía cuando se marchaba. En cambio, el cojo Caleb perdía su jovialidad. Ciertamente, tener una yacija y techo, estar por fin al abrigo de la necesidad, era una apreciable ventaja. Pero añoraba la hermosa casa de Jerusalén y sus comodidades; no le gustaba demasiado verse obligado a alimentar el perro y velar por su salud. Pero temía la cólera de Hiram en caso de negligencia.

El maestro de obras trabajaba noches enteras, dibujando cien figuras y aceptando sólo una o dos. Recuperaba la inagotable energía que debía presidir una creación. Hiram se identificaba con el futuro templo, preparaba su génesis como si fuera la de un ser vivo. Una extraña fiebre se había apoderado de él, abrasando la fatiga.

El alumno de los maestros de Karnak mesuraba la dificultad de su tarea: dar a luz un santuario que sería el de Yahvé, pero cuya arquitectura y simbolismo desarrollarían los de los templos egipcios. Transcribir sin traicionar, transmitir sin divulgar, encarnar el cielo en la tierra. La ambición era inmensa, el deber abrumador.

Concluía una nueva noche de labor. Esta vez, el agotamiento dominaba la mano de Hiram. Dejó su cálamo, limpió los cubiletes que contenían tinta negra y roja, enrolló un papiro y apiló los ostraca tras haberlos numerado.

Al salir del taller, contempló las obras. Los distintos edificios estaban casi terminados. Los obreros dormían: Hiram había sabido insuflarles su entusiasmo, darles la seguridad de participar en una aventura que estaba fuera de lo común. En aquel lugar cerrado, protegido, reinaba una secreta armonía que aquellos duros hombres, aprendiendo a trabajar juntos, descubrían hora tras hora.

El maestro de obras cruzó el puesto de guardia donde acababa de efectuarse el relevo. Caminó hacia la base de la roca, levantando una vez más los ojos a la cima. La obra debía comenzar por arriba aunque la empresa pareciera irrealizable.

El galope de un caballo quebró el ligero aire del alba.

Jeroboam se detuvo a un metro del arquitecto y descabalgó. El coloso pelirrojo parecía furioso.

—El rey me ha confiado la responsabilidad de los trabajos forzosos —anunció—. Soy un fiel servidor. Obedeceré, pero rechazo vuestras órdenes.

–Imposible –estimó Hiram–. Los trabajos no dependen de una decisión arbitraria. Forman parte del plan de la obra. Salomón no puede haberos dicho lo contrario. Me daréis cuenta diariamente. Quiero saber el número exacto de hombres empleados y la naturaleza de su tarea. Un solo quebrantamiento de esta regla y seréis destituido.

Jeroboam, impresionado por la severidad de las palabras de Hiram, comprendió que el maestro de obras tomaba una estatura oficial que sería incómodo socavar. Las simples amenazas serían inoperantes.

–Sois un hombre autoritario, maestre Hiram.

–Mi función lo exige. ¿Estáis decidido realmente a servirme, también a mí, con la fidelidad que el rey exige?

–No lo dudéis –afirmó Jeroboam cuya rencorosa mirada desmentía sus palabras.

Salomón se preguntó por unos instantes si su maestro de obras no estaría sumiéndose en la demencia. El proyecto que le exponía, en la cima de la roca, desafiaba la razón.

–¿Estáis seguro de no encaminaros a la catástrofe?

–Mis cálculos no pueden engañarme. Conseguiremos cubrir el barranco del Mello y cerrar la brecha que separa la ciudad de David del paraje donde se edificará el templo. Se creará así una suave pendiente que facilitará el transporte de los materiales y permitirá a la ciudad baja comunicarse con el nuevo centro de la capital.

El rey examinaba el plano que el arquitecto estaba trazando en la arena. La visión era tan sencilla como grandiosa. Se imponía, se hacía evidente. Como Salomón había presentido, el templo, con su sola presencia, modelaría una nueva Jerusalén, una villa celestial que las Escrituras habían prometido a los justos.

Hiram pensaba en los inmensos trabajos que habían preludiado el nacimiento de las pirámides de Gizeh: elección de varias hectáreas de terreno elevado, apertura de gigantescas canteras, enrasamiento y nivelación de una meseta, puesta a punto de rampas de acceso y técnicas de elevación cuyo secreto no había sido divulgado, rigurosa organización de una obra donde trabajaban gran número de jornaleros y una pequeña cantidad de geómetras y talladores de piedra. Unir, por medio de un terraplén, un espolón rocoso y una colina habitada, le parecía una tarea casi fácil si se comparaba con aquellos antiguos prodigios.

–¿No arriesgaréis la vida de vuestros obreros?

El maestro de obras abrió unos ojos exasperados.

–No sospechéis nunca que soy capaz de tal bajeza. Si así fuera, abandonaría inmediatamente mi cargo. La seguridad de los hombres que trabajan bajo mi dirección es lo más importante para mí; si puede imputárseme algún accidente, despedidme de inmediato.

Salomón lamentó haberle herido.

En la hora siguiente, Hiram reunió los centenares de obreros que habían llegado ya a la obra, cuyos anexos no dejaban de extenderse alrededor del núcleo principal y cuyo centro era el taller del trazo. Algunos tenían experiencia, otros estaban en su primer trabajo. Hiram los encuadró utilizando a los técnicos que había formado en Eziongeber. Era todavía demasiado pronto para distribuirlos de acuerdo con los grandes rituales aplicados en Egipto. Dando cotidianamente sus directrices, Hiram ejercía una constante vigilancia. Separó a los valerosos de los perezosos, a los atentos de los negligentes, a los hábiles de los incapaces. Cerrar el barranco no exigía notable competencia pero sí una perfecta organización Hiram nombró, pues, capataces que pudieran hacer aplicar sus órdenes. Semanas más tarde, Jerusalén había cambiado de rostro. La roca no reinaba ya en un soberbio aislamiento. Se había hecho accesible gracias a una amplia pendiente que llegaba a las casas de la ciudad baja. Todos se sintieron orgullosos del resultado obtenido, sintiendo que el sueño de Salomón podía hacerse realidad. Al domeñar la roca salvaje, Hiram había modificado su naturaleza. El orgulloso pitón se convertía en la humilde plataforma del futuro santuario.

Salomón no había encontrado resistencia alguna. Ningún desfallecimiento se había producido. Ninguna protesta se alzaba entre el pueblo. Israel parecía transportado por una ola mágica que le llevaba hacia un nuevo horizonte, resplandeciente y grandioso. Mensajes de felicitación llegaban de las regiones vecinas. La paz deseada por Salomón iba consolidándose día tras día. El pacto de no-agresión con Egipto, la presencia de una hija del faraón en la corte de Israel disuadían a los agitadores de manifestarse.

¿Comenzaba una era de felicidad? ¿Se elevaría la ciudad santa en el punto culminante de Jerusalén? Una nueva fe hacía florecer los corazones. Si no hubiera sido impío venerar a un hombre como si fuera Dios, habrían dado gracias a Salomón.

Hiram permanecía en la sombra, sin tomar reposo ni permitirse distracción alguna. El trabajo le absorbía. Le era necesario progresar formando buenos obreros, con la esperanza de convertirles en artesanos de élite a los que pronto iba a necesitar. Aquí era imposible contar con aprendices pacientemente educados por los geómetras de los templos de Egipto. Hiram buscaba caracteres fuertes, equilibrados, receptivos. En pocos meses deberían aplicar una ciencia que, por lo general, los adeptos aprendían en varios años. Era el aspecto más inquietante de aquella loca empresa: confiar en el naciente genio de algunos, constituir una cofradía de compañeros en el propio lugar de su aprendizaje. ¡Cómo le habría gustado a Hiram contar con la ayuda de otros maestros de obra! Pero era pura utopía. La fraternidad de la piedra le había enseñado lo real. Soñar con ilusorias ayudas era una pérdida de tiempo.

El maestro de obras terminó de hacer una lista que comprendía unos cincuenta nombres. Los de los aprendices a quienes iniciaría en el conocimiento de las leyes de creación del tiempo, en el manejo de los útiles y la colocación de la piedra. Estaba leyéndola de nuevo cuando le llegaron los ecos de un altercado que tenía lugar en la única puerta del recinto.

Alguien intentaba forzar el acceso a la obra.

Hiram salió precipitadamente del taller del trazo, convocó a unos obreros que estaban descansando y se dirigió hacia el guardián del umbral que estaba rechazando a un intruso.

Unos ladridos saludaron la llegada del maestro de obras. Hiram reconoció a su perro, que corrió hacia él abandonando a Caleb en manos de varios obreros. Las llamadas de socorro del cojo no fueron vanas. Hiram le salvó de las agresivas manos antes que lo maltrataran.

–¿Ignoras que el lugar está prohibido a los profanos?

–¡Dejadme hablar, príncipe! Vuestro perro ha entrado y...

Caleb se lanzó a una larga súplica en la que se quejaba de estar abandonado, de tener frío, de ser incapaz de cubrir sus necesidades, de estar cayendo en la miseria, de haber sido maldecido por el propio Yahvé.

Interrumpiendo aquel chorro de palabras, Hiram se lo llevó a un edificio cuya puerta estaba cerrada con llave. Abrió. Caleb vio una estancia dos veces más larga que ancha, iluminada por tres ventanas enrejadas.

–Si deseas entrar en la obra, tienes que sufrir una prueba. Aquí y ahora.

Caleb dio un paso hacia atrás.

–¿Correrá... peligro mi vida?

–Es peligroso –confesó Hiram.

–Pero ¿me ayudaréis a mí, a vuestro servidor?

–La regla de la obra me lo impide.

–¿Es indispensable esta... prueba?

–Indispensable.

Caleb recuperó el paso retrocedido.

–Prefiero no ver nada.

–Como quieras.

Hiram vendó los ojos del cojo.

–No te muevas –ordenó.

El maestro de obras penetró en la sala de las pruebas. En el centro colocó, uno sobre otro, dos bloques cúbicos. Luego apoyó en ellos una tabla larga y estrecha y regresó con Caleb.

–Toma mi mano –le recomendó–. No temas. Si eres valeroso, vivirás.

Caleb temblaba de los pies a la cabeza. Acentuando su cojera, avanzó. De pronto, tuvo la impresión de escalar una pendiente lisa y muy pronunciada. Hiram le soltó.

–¡Tengo miedo! –aulló.

–Sigue, no vuelvas atrás –recomendó Hiram.

Bajo el peso del hombre, la tabla cedió. Desequilibrado, Caleb lanzó un grito de desesperación y cayó hacia delante, convencido de que iba a romperse los huesos.

Hiram sostuvo al cojo antes de que cayera al suelo. Hizo que se sentara, colocó las piedras y la tabla junto a una pared y le quitó la venda.

–Lo has conseguido. Ahora perteneces a la cofradía.

Caleb recuperaba trabajosamente el aliento.

–Si hay otras pruebas como ésta, prefiero renunciar –contestó el cojo.

–Tranquilízate. Te destino a una misión precisa.

–¿Cuál?

–Serás mis ojos y mis oídos en la obra. Circularás por todas partes, observarás, escucharás. Tu memoria es excelente. No seas un delator. Olvida los elogios. Recuerda sólo las críticas y las insatisfacciones.

En la puerta de la sala de las pruebas, *Anup*, moviendo la cola en señal de júbilo, aguardaba a Hiram. Saltó en sus brazos. También él sabría acechar. Hiram no estaba solo por completo, podía contar con dos vigilantes.

Capítulo 27

Por orden de Hiram, Caleb contactó, uno a uno, con los obreros cuya lista había establecido el maestro de obras. Les comunicó una contraseña, «mi fuerza es la del maestro», y los convocó en la sala de las pruebas. Se presentaron al caer la noche. Hiram les interrogó y les dio el abrazo. Cuando estuvieron reunidos en la esquina nordeste, les explicó lo que exigía de ellos: no sólo un trabajo igual al de sus camaradas, sino también una iniciación en el arte de construir, que les sería transmitida mientras la obra durmiera. Los futuros adeptos debían jurar que guardarían silencio, so pena de perder la vida, sobre todo lo que vieran y oyeran.

Tres de ellos prefirieron renunciar y abandonar a la asamblea. Los demás, prestaron juramento. La instrucción comenzó inmediatamente: Caleb, envuelto en una manta de lana, montaba guardia en el exterior del edificio. Así lo haría varias noches consecutivas y, por una bondad de Hiram, se beneficiaría de una jarra de leche y panes de higo. *Anup* le ayudaría en su tarea.

Los obreros se sentaron en el suelo. Hiram les entregó tiza y unos ostraca. Pacientemente, les enseñó a trazar los signos de la cofradía de los constructores: punto, línea recta, cuadrado, rectángulo. Impuso una mano segura que, de un solo trazo, obtenía la perfección. Luego, les hizo tomar conciencia de que el cuerpo humano estaba construido de acuerdo con proporciones geométricas que testimoniaban la acción de un arquitecto divino. Les permitió así experimentar la eternidad de formas nacidas del espíritu y transcritas por la mano. Finalmente, les comunicó los primeros preceptos de la regla de los constructores: trabajar a la gloria del Príncipe creador, no buscar beneficio personal, dar preferencia al interés de la cofradía, saber callar y respetar los útiles como si fueran seres vivos. Durante la consolidación de la vía de acceso a la roca y su enrasamiento, Hiram dispensó una enseñanza intensiva. Los neófitos, desigualmente dotados, dieron pruebas de idéntica voluntad de avanzar por el camino que el maestro de obras les trazaba. Una admiración que crecía sin cesar había sucedido al temor que por él sentían. El arquitecto sabía dirigirse a cada uno de sus alumnos en los temas que les convenían. Severo, intransigente; sin aceptar relajación alguna; se mostraba sin embargo afectuoso en cuanto habían dado un nuevo paso.

Dos meses más tarde, tenían la impresión de haber cambiado de mundo. Hablaban otro lenguaje, se estimaban como hermanos, compartían el mismo ideal, los mismos secretos, los mismos deberes. Hiram había conseguido su primer objetivo: establecer cierta coherencia en el interior de un pequeño grupo destinado a encuadrar a los demás obreros.

Se anunciaba una etapa decisiva: la celebración del rito de aprendizaje. La ceremonia se realizó una noche de luna llena y duró hasta el alba. Cada neófito, tras un período de aislamiento, fue puesto ante una piedra angular tallada por el cincel del maestro y se comprometió a prolongar la obra participando con humildad en la construcción del templo. Absolutamente desnudos, los aprendices fueron rociados con agua purificadora. Luego, Hiram les hizo contemplar la llama de una antorcha que sirvió para cauterizar las heridas cuando hubieron mezclado sus sangres.

Cuando el maestro de obras ciñó el paño de cuero blanco a la cintura de sus aprendices, les dio un nuevo nombre. Simbolizaba así su nuevo nacimiento en el futuro templo, del que serían piedras vivas.

Los adeptos, ebrios de fatiga y de felicidad, se habían dormido. Caleb había regresado a su yacija de paja fresca, feliz de ver terminado por fin aquel penoso período de instrucción. El propio

Anup dormitaba. La obra estaba desierta. Sólo se animaría con los primeros rayos del sol, cuando las estrellas regresaran al cuerpo inmenso de la Viuda de Osiris, que envolvía al mundo con una luz invisible, Isis la de la corona de constelaciones.

Hiram saludó al guardia del umbral y franqueó el recinto. Flanqueó las tiendas donde moraban los contingentes de jornaleros temporales que los trabajos forzosos requerían. Pronto una ruidosa agitación sucedería al silencioso vacío. El campamento terminaba en una zona de maleza por donde corrían los zorros.

Ante un árbol muerto se hallaba una mujer, vestida con una larga túnica blanca, con los negros cabellos flotando sobre los hombros.

—Soy la reina de Israel —dijo Nagsara—. Venía a visitar vuestra obra, maestre Hiram.

—Sólo esta parte es accesible, majestad.

—¿Por qué esta empalizada, por qué tanto secreto?

—Así lo exige nuestra regla.

—¿Y no puede derogarse alguna vez?

—Nunca.

—También yo tengo un secreto. Pero soy menos avara que vos.

En el azul rosado de los primeros momentos del día, Hiram creyó distinguir una silueta deslizándose tras una tienda. Al no haber oído ruido alguno, decidió que era uno de los últimos espectros nocturnos que regresaba a la nada.

Nagsara se acercó mucho al maestro de obras. Descubrió su pecho.

—Mirad —dijo—. Los dioses inscribieron vuestro nombre en mi carne. ¿Por qué? ¿Qué misterio mantenéis para que pueda infligirme semejante sufrimiento?

Las letras brillaban como si la blanca piel de la reina fuera iluminada por un fuego que corriera por sus venas. Hiram sólo había visto a la pequeña Nagsara durante las fiestas en las que el faraón se mostraba al pueblo rodeado de su familia. Descubría ahora a una joven de frágil encanto, condenada como él al exilio, pero que vivía en la intimidad de Salomón, el hombre que estaba igualándo-

185

se a un rey de Egipto. ¿Quién no se sentiría turbado por aquella belleza descubierta a la incierta claridad de la mañana, por aquella visión irreal de una reina que proclamaba un milagro despreciando su pudor?

Nagsara percibió la turbación de Hiram. Cubrió su seno y puso las manos en el pecho del maestro de obras.

–Mi suerte está unida a la vuestra –dijo–. Necesito elucidar este enigma. ¿Os negaréis a ayudarme?

–Que los dioses me preserven de esta cobardía.

Las palmas de Nagsara eran suaves. A Hiram le hubiera gustado prolongar aquel momento. Pero la reina se alejó de pronto, consciente de su audacia.

–Nos veremos en palacio. Israel es rico en profetas. Uno de ellos levantará el velo.

La blanca silueta pareció disolverse en la nube de arena levantada por el viento del desierto. Hiram cerró los ojos. ¿Qué significaba aquella aparición? Hasta entonces, sólo había tenido que luchar contra Salomón y contra sí mismo. El templo había invadido su alma, suprimiendo el mundo exterior. Nagsara le recordaba sus amores en las riberas del Nilo, los paseos en barca por los canales, entre los bosques de papiros, sus inflamados impulsos en los palmerales donde los monos domesticados saltaban de árbol en árbol. Qué ardiente, pero qué breve había sido su juventud...

Un grito desgarrador le sacó de sus recuerdos.

Oculto tras una tienda, un hombre había saltado y, lanzándose sobre la reina, la había apuñalado. «¡Muere, perra impía!», aullaba en su delirio.

Hiram llegó en pocos pasos al lugar de la agresión. Dominó fácilmente al criminal, un flaco individuo al que derribó de un puñetazo en la nuca.

La sangre corría por el pecho de la reina. Con la mirada perdida, intentaba hablar inútilmente y se desvaneció. Con poderosa voz, Hiram llamó a los aprendices.

Un triste cortejo pasó por las calles de Jerusalén, dirigiéndose al palacio de Salomón. Hiram llevaba en sus brazos a una joven desmayada, incapaz de retener la vida que escapaba. Le seguían unos obreros empujando al criminal que les insultaba.

Salomón acababa de exponer al sumo sacerdote Sadoq las nuevas disposiciones adoptadas para asegurar la financiación del templo. Había ordenado un impuesto que obligaba a los sacerdotes, como a todos los hebreos, a ofrecer la décima parte de las riquezas naturales, ya se tratara de la décima oveja de un rebaño o del décimo huevo puesto por una gallina. En el reino, dividido en doce provincias, cada una de ellas satisfaría por turno las necesidades de la obra.

Sadoq protestaba con energía. Sólo él, gracias a su rango y su posición, podía resistirse todavía a Salomón.

–¿Por qué malgastar tantas riquezas para construir una capilla más? A Yahvé le satisfacía el albergue que le habíamos dado. La desmesura le disgustará.

–El templo no es una capilla ni un capricho real –objetó Salomón–. Será el centro sagrado de nuestro país. Mantendrá la presencia de Dios en esta tierra y la paz entre los Estados. La unidad de Israel se afirmará en torno a este santuario.

–¿Es acaso cierto que Dios habita aquí abajo? –ironizó Sadoq.

–¿Quién se atreve a afirmar que el rey de los hebreos propaga semejante herejía? Aquel que no puede ser contenido por el cielo sigue siendo invisible para nosotros, pero Su fulgor es perceptible. Su presencia, y no Él mismo, habitará en una nueva morada.

–¿No es ésta la doctrina de los egipcios?

–¿Es contraria a nuestra fe, Sadoq? ¿No se manifestará el dios único en la obra de los constructores, que Él coronará con Su luz?

El sumo sacerdote hizo una mueca. No creía que Salomón fuera también ducho en el campo de la teología. Prosiguió el combate en otro terreno.

–El pueblo no aceptará tan pesados impuestos. Se rebelará.

—El templo traduce de modo material el orden espiritual que reina en nuestro país –indicó el soberano–. El corazón del pueblo y el del santuario latirán al unísono. Verá de qué modo se transforma su labor. Sabrá que cada parcela del impuesto se ha convertido en piedra del templo. Que la ciudad santa ha sido reconstruida por el señor. Los campos, hasta el Cedrón, le estarán consagrados. Ya nunca serán asolados ni destruidos. Pues la misión del templo es propagar la paz.

—¿No carecerá de subsidios el ejército?

—¿Un sumo sacerdote que se preocupa por la estrategia? Nuestro ejército es fuerte, nuestra seguridad está garantizada. No nos lanzamos ya a ruinosas guerras. El templo nos protegerá.

Falto de argumentos, Sadoq se disponía a oponer una categórica negativa al proyecto de Salomón cuando el secretario, Elihap, irrumpió en la sala del trono.

—Señor..., un drama abominable.

Hiram agarró por el cuello al agresor de Nagsara y lo lanzó al suelo.

—He aquí al miserable que ha intentado matar a la reina de Israel.

El hombre lanzó una mirada implorante hacia Sadoq antes de cubrirse el rostro con sus manos. Pero Salomón había tenido tiempo de reconocerle.

—¿No es un sacerdote este criminal? ¿No forma parte de los ritualistas?

Sadoq no lo negó. Su acólito lloraba.

—Me retiro –dijo Hiram–. La justicia pertenece al rey. Salomón se levantó.

—La reina...

—Vuestros médicos intentan salvarla. La obra me reclama.

El rey se volvió hacia Sadoq.

—No estás en condiciones de hacer la menor protesta, sumo sacerdote. Cumple con tus deberes religiosos y vela mejor por la integridad de tus subordinados.

Nagsara besó la mano de Salomón y la estrechó entre las suyas ¡Qué agradable era verle sentado junto a la cama donde descansaba! Cada día pasaba, por lo menos, dos horas a su lado, contemplándola con aquellos ojos de un azul oscuro que contenían toda la belleza del mundo. La reina bendecía a su agresor. Gracias a él, gracias a la herida que le había infligido, gozaba ahora de la presencia de su señor, de su atención, de su inquietud más cara todavía que el amor.

Imaginaba así la cómplice ternura de los viejos matrimonios que perciben sus intenciones sin pronunciar una palabra. Escucharse respirar, degustar el instante de comunión que ningún destino podría robarles. Luchaba para no perecer y prolongar así esos momentos vividos en espacios paradisíacos, lejos de la alcoba de una moribunda.

Nagsara no tenía más ambición que resucitar mil y mil veces en el corazón de Salomón. Aquí estaba su jardín de tranquilizadoras sombras, aquí florecía el sicomoro con las ramas cubiertas de gozosos pájaros, aquí resplandecía un sol que no podía ser alcanzado por los demonios nocturnos.

Amaba al rey más que a su propia vida, le veneraba con la locura de su juventud, se embriagaba con una felicidad fulgurante como el salto de una gacela.

Nagsara había olvidado que la hoja del puñal la había golpeado en el lugar preciso donde, en su carne, estaba grabado el nombre de Hiram.

Ojo por ojo, diente por diente, mano por mano, pie por pie, quemadura por quemadura, herida por herida, llaga por llaga, vida por vida: ésa era la ley de Israel. El sacerdote que había intentado matar a la reina debía ser sacrificado como víctima expiatoria. Así, de acuerdo con la sentencia pronunciada por Salomón, fue lapidado ante la corte.

El sumo sacerdote Sadoq no prestó atención alguna al suplicio. Su mirada estaba clavada en Salomón.

Capítulo 28

Sadoq estaba radiante. Arrojó al enlosado de la sala de audiencias una docena de amuletos que representaban estrellas, ibis que simbolizaban al dios Thot, collares de fecundidad, ojos mágicos, serpientes de plata, hipopótamos de lapislázuli.

—He aquí, rey de Israel, lo que hemos descubierto en la obra de maestre Hiram. Estas monstruosas figuritas demuestran que hay idólatras entre los obreros. El responsable debe ser castigado.

Salomón comprendía muy bien. El sumo sacerdote quería atacarle a través de la persona de su maestro de obras.

—¿Te atreves a nombrarlo, Sadoq?

—Caleb el cojo, el criado de Hiram. Los amuletos estaban ocultos en la paja de su yacija.

—¿Y el autor del hallazgo?

—Me avisó un obrero fiel a Yahvé.

—Una denuncia...

—Un acto de valor, majestad.

—¿Reconoce Caleb ser el dueño de esos objetos?

—No deja de insultar a los sacerdotes que lo tienen custodiado.

—¿Están los sacerdotes convirtiéndose en policías?

—Velan por la salvaguarda de Israel. Exigen que se haga justicia y que la ley de Yahvé reine sin competencia.

Un trono de madera decorado con láminas de oro fue llevado a la puerta de la obra. Salomón se sentó en él, rodeado de una cohorte de sacerdotes. Sadoq había propagado la noticia: había paganos empleados en la construcción del santuario de Yahvé, mancillando el templo del dios único. Debía interrumpirse una empresa que se había convertido en satánica o condenar a severas penas. Los religiosos exigían que se azotara a los culpables con zurriagos de cuero, que se quemaran sus pies y sus manos. Los más exaltados querían arrojarlos desde lo alto de la roca.

Salomón se mostraba huraño. Sadoq estaba haciendo un juego destructor cuyo resultado sería abandonar el proyecto al que el rey había consagrado su existencia. Pronunciada contra Caleb, fuera o no culpable, la condena descalificaría a Hiram ante sus obreros. Todos sabrían que Hiram había favorecido a un idólatra. El arquitecto se vería salpicado por el escándalo, Salomón ridiculizado... Ésos eran los objetivos perseguidos por el sumo sacerdote. Y el soberano no tenía derecho a evitarlo; debía hacer justicia en función de los hechos.

Un inquietante rumor alimentaba los temores del rey: Hiram se había negado a permitir el paso a la guardia. Banaias se alegraba. Correr al asalto, derribar la empalizada, exterminar a aquellos pordioseros y humillar la soberbia del maestro de obras serían hazañas de las que se hablaría mucho en Jerusalén.

Salomón había caído en la trampa. Aunque la cofradía defendiera su derecho, aunque estuviera convencido de que Sadoq había montado una maquinación, no podía tolerar que su autoridad fuera discutida. Si la puerta de la obra no se abría, se vería obligado a actuar con violencia.

Un sabor amargo llenó la boca de Salomón. ¿Por qué los humanos se encerraban sin cesar en el pasado, por qué se asían a irrisorios privilegios, olvidando que la celebración presente de la grandeza divina era condición indispensable para su salvación? ¿Tenía que resignarse a la pequeñez, a las intrigas de palacio, a la división de las provincias, a las querellas intestinas y a las estúpidas guerras en las que sólo el sufrimiento vencía? Salomón tomaba conciencia de la fragilidad de un trono que muchos creían inquebrantable. Los sacerdotes de Israel conspiraban, instalando un Estado en el Estado que el rey quería desmantelar creando un nuevo templo, una nueva jerarquía religiosa, un nuevo impulso de todo el pueblo hacia lo sagrado. Sadoq, acostumbrado a las sutilezas del poder, fortalecido por su envidiado cargo, había advertido las intenciones del monarca e inventado un modo de frenarlas.

–¡Abrid en nombre del rey! –ordenó Banaias.

La guardia se había desplegado a uno y otro lado del único acceso a la obra. Las lanzas se levantaron. La rabia de los sacerdotes se encendió. Sadoq sonreía. La irrupción en aquel maldito trabajo bien valía algunos cadáveres. Israel conocería la voluntad de Dios y sabría que un rey, aunque se llamara Salomón, no gobernaba sin el consentimiento del sumo sacerdote.

El monarca vaciló antes de ordenar el asalto. Destruiría la esperanza de su reinado, lo reduciría a una irrisoria huella en la historia de los hombres. La cima permanecía desierta, hostil fortaleza que desafiaba a un joven rey que había creído en la protección del Señor. Salomón estaba seguro de que Hiram no cedería ante el peligro. Organizaría a sus obreros y preferiría lanzarlos a una insensata resistencia antes que quedar en ridículo.

Banaias miró a Salomón. Éste se veía obligado a intervenir. Aplazarlo más arruinaría su prestigio.

La puerta del recinto se abrió lentamente.

Apareció Hiram, con el torso desnudo, con un largo delantal de cuero ceñido a su cintura y un pesado mazo en la mano derecha.

–¿Quién se atreve a turbar mis trabajos?

–¿No me reconoces? –preguntó Banaias–. Soy el jefe de la guardia real. Vengo a detener a tu impío servidor.

–Cruzado este umbral, no eres nadie. En la obra del templo sólo reina la ley de los constructores.

Banaias desenfundó la espada. El arquitecto no manifestó el menor terror. Sus dedos apretaron el mango del mazo.

–Caleb el cojo está acusado de ocultar amuletos sacrílegos. Este crimen es una injuria a Yahvé. Merece un castigo ejemplar.

–¿Quién acusa?

Sadoq indicó por señas a un sacerdote que saliera de la fila.

–Yo –dijo malhumorado.

–Tú no eres obrero. ¿Cómo has entrado en la obra?

El sacerdote pareció molesto.

–No importa –estimó Sadoq.

–Muy al contrario –afirmó Hiram–. ¿Cómo juzgar sin conocer toda la verdad?

–Habla, sumo sacerdote –exigió Salomón.

–Nadie puede poner en duda la palabra de un servidor de Yahvé. Este sacerdote consiguió introducirse en la obra y obtener la prueba del sacrilegio. El arquitecto intenta demorar la sentencia de Salomón.

–Mentira –afirmó Hiram–. Nadie cruza la puerta de la obra sin el permiso del guardián del umbral. Que comparezca ante esta asamblea.

–Es inútil –protestó el sumo sacerdote.

–Así sea –dijo Salomón.

El guardián del umbral, un hombre de edad, con una pronunciada mandíbula, se adelantó con paso vacilante.

–¿Dejaste entrar a este sacerdote? –interrogó Hiram.

El guardián del umbral se postró a los pies del maestro de obras.

–Acepté el siclo de plata que me ofreció. No estuvo mucho tiempo... fue la noche pasada...

–¡Qué importa! –interrumpió Sadoq–. ¡Los amuletos existen!

Hiram avanzó hasta el pie del trono.

–¿Qué juez aceptaría una prueba obtenida por corrupción?

Sadoq se interpuso.

–Majestad, no vais a escuchar...

–Basta –concluyó Salomón–. El rey de Israel no mancillará la justicia de la que es garante. El proceso no puede celebrarse. Quienes han intentado comprometerme se arrepentirán.

El sumo sacerdote no se atrevió a contradecir la sentencia del soberano.

–Son deplorables acontecimientos –prosiguió el rey–. No volverán a repetirse. A quien cruce la puerta de la obra sin autorización de maestre Hiram se le cortará el pie.

La palabra del rey era ley.

Desde el jardín donde descansaba, Nagsara oía los ruidos procedentes de la ciudad baja y del inmenso campamento de tiendas ocupado por los centenares de hombres alistados para el trabajo forzoso. Fuera de peligro, la reina se recuperaba lentamente de sus heridas. A medida que su convalecencia iba avanzando, Salomón espaciaba sus visitas. La vida era más amarga que el sufrimiento. La fuerza que regresaba a sus miembros la alejaba de su señor. Como todo Israel, Salomón sólo se preocupaba del futuro templo, olvidando el amor de una joven egipcia de ojos enfebrecidos.

Sin embargo, Nagsara estaba segura de que la pasión no había desaparecido de las entrañas de Salomón. Seguiría luchando contra aquel rival de creciente poder, aquel santuario de un dios celoso de su soledad. Ella, una extranjera, frente al símbolo de la gloria de Israel. Ella, un ser de carne, oponiéndose a un cuerpo de piedra.

Nagsara había interrogado varias veces la llama para conocer su propio destino. Pero sólo había descubierto sombras inciertas, como si la diosa Hathor se negara a darle la llave del porvenir. La reina no se resignaría.

No permitiría que Salomón alcanzara las riberas de la indiferencia. Fuera cual fuese el precio, conquistaría a su rey en esta tierra y en el más allá.

Capítulo 29

La luna llena del equinoccio de primavera había inaugurado, como cada año, las fiestas de la Pascua. Más de cien mil hombres procedentes de las provincias habían abandonado ciudades y pueblos para dirigirse a Jerusalén y ver la obra del famoso maestre Hiram. Invadiendo calles y callejas, los peregrinos lanzaban una distraída mirada hacia las gruesas murallas y el viejo palacio de David. La roca, la nueva vía de acceso, el campamento de tiendas y la empalizada que aislaba a los calificados artesanos del mundo exterior excitaban su curiosidad.

Circulaban mil y un rumores. Cada uno de ellos sabía más que su vecino, conocía parte del plan secreto del arquitecto, describía el futuro edificio y los misteriosos ritos que se practicaban en el interior del recinto. No había un solo curioso que no conociera los designios de Salomón, ni un solo paseante que no fuera amigo de un discípulo de maestre Hiram que le había revelado las claves de numerosos enigmas. Olvidaban que la Pascua celebraba la hazaña de Moisés al arrancar su pueblo de la persecución y sacarlo de Egipto. Ya no pensaban en la presencia del Ángel exterminador que amenazaba a los impíos. ¿Acaso el país entero no se identificaba con un templo invisible todavía, el más bello y grandioso que un rey había concebido nunca?

Las plegarias ascendieron a Yahvé. Los corderos fueron degollados, su sangre salpicó las puertas de las casas, hedores de carne quemada llenaron la capital. «Bendito sea, por su bondad, el nombre del Señor», cantaron los creyentes durante el banquete. «Que la gloria sea Suya y no nuestra.»

La reina Nagsara, débil todavía, sólo asistió al inicio de las ceremonias. Cuanto más avanzaban, menos alegría reinaba.

Una horrible noticia había corrido con la rapidez del lebrel de Egipto: maestre Hiram renunciaba a construir el templo de Dios. De hecho, Salomón presidía solo la fiesta cuando todos esperaban ver a su lado al arquitecto. Se buscaba a Hiram por todas partes. Nadie le había visto, aunque durante la Pascua, la obra estaba cerrada. Los obreros confirmaron que no se ocultaba en el taller del trazo.

La radiante cara del sumo sacerdote, a quien el rey honró de acuerdo con la costumbre, confirmó los peores temores. Pueblo bajo y nobles conocían el odio que Sadoq sentía contra maestre Hiram. Sin duda había conseguido que se fuera. Sin querer reconocer su derrota, Salomón la disimulaba con el silencio. Los empleados en el trabajo forzoso serían despedidos uno tras otro, los artesanos regresarían a sus provincias, dentro de unos meses desmontarían la empalizada o dejarían que se pudriera sin tocarla. La roca, en su desnudez, seguiría burlándose de Jerusalén.

Cuando las copas de libación circularon, pasando de mano en mano, no cabía ya duda: maestre Hiram había abandonado la obra, cediendo ante las amenazas de los sacerdotes. Sin duda había regresado a Tiro.

Los profetas, al predecir que ningún monarca modificaría la ciudad de David, habían acertado.

El antiguo triunfaba.

Hiram, avanzando por un campo blanqueado por la cosecha, probó una espiga de cebada ya madura. Cerca de allí, los campesinos manejaban sus hoces cuyas dentadas hojas segaban los altos tallos. Los agavilladores ataban los haces, abandonando aquellos que iban a recoger los pobres cuyo dominio se limitaba a los sembrados.

Anup trotaba ante Hiram, venteando el luminoso aire de la primavera. Al extremo del campo, una era pacientemente apisonada por los bueyes recibía las primeras espigas. Dispuesta sobre un promontorio expuesto a los vientos, era visible desde lejos. Algunos campesinos preparaban el trillo provisto de untas que les serviría para desgranar, dejando tras su paso una dorada masa de granos, pacas y paja. Los aventadores aguzaban las puntas de sus horquillas antes de lanzar la mezcla al aire, confiando a la brisa la tarea de selección. La paja volaría a lo lejos, en la era se amontonaría el grano purificado por el espíritu del viento. Los granjeros lo almacenarían bajo sus techos, al abrigo de lluvias y ladrones, de bestias o merodeadores.

Precedido por su perro, el maestro de obras dejó atrás la era donde los días eran siempre iguales. Cruzó el jardín, lleno de flores silvestres, ante el umbral de la casita donde vivía desde hacía varios días. En el sótano excavado junto a la vivienda, tomó un odre de agua fresca y vino. Luego, en un horno al aire libre, asó unos granos de trigo y preparó pasteles de flor de harina perfumados con comino y buñuelos de miel. *Anup* bebió y comió vorazmente. Hiram se sentó bajo la higuera para saborear su condumio.

En Jerusalén se hacían las peores acusaciones. ¿No era un cobarde y un fugitivo? ¿Acaso no había traicionado a Salomón? No aguantaba el desprecio de los abandonados obreros, cruelmente decepcionados por aquel a quien habían considerado un padre. La veneración que habían sentido por el maestro de obras se transformaba en asco. Su fama se apagaba para siempre.

Anup ladró, avisando a Hiram de la llegada de un chamarilero que tiraba de un asno cargado de alfombras, túnicas y vajillas. Casi calvo, con los miembros muy delgados y el habla ronca, el vendedor ambulante iba de aldea en aldea.

–¿Qué os hace falta, señor?

–Sigue tu camino –dijo Hiram.

El chamarilero tenía buen ojo. Si aquel hombre no era un cliente, necesitaba al menos sus habilidades.

–¡Soy también barbero, el mejor de Israel! Corto los cabellos, los perfumo y recorto la barba. Por lo que a vos respecta, señor, he llegado a tiempo. Mañana no pareceríais ya un ser humano.

Hiram sonrió y se puso en manos del barbero.

–¿Vivís solo aquí?

–El silencio es mi único amigo –repuso Hiram.

El barbero, para quien la conversación era la golosina preferida, contuvo su lengua. Advirtió en aquel hombre tranquilo una fuerza peligrosa que mejor era no despertar. Se concentró, pues, en su trabajo.

–Hace mucho tiempo que no voy a Jerusalén –dijo Hiram–. ¿Qué ocurre en la capital?

–¡Un terrible escándalo! El arquitecto del templo ha abandonado la obra. Ha regresado a Tiro, su patria de origen, pues es incapaz de trazar unos planos que se adecuen a los deseos de Salomón. El rey ha renunciado a sus proyectos. Los sacerdotes están contentos y son más poderosos que ayer. Salomón es sólo un prisionero en sus manos.

–¿Qué piensas tú de Hiram?

–Es un extranjero: el destino de Israel no le importa. Y además, ¿de qué serviría un nuevo templo?

Cuando el sol se estaba poniendo y un nuevo día nacía con la aparición de las estrellas, Hiram dirigió una plegaria de Egipto a la luz que nimbaba la santidad de la noche. Encendió una lámpara de aceite cuyo fulgor anaranjado respondió a otras claridades, que nacían de casa en casa y formaban una inmensa cadena, vencedora de las tinieblas. Sentado en la terraza de su vivienda provisional, el arquitecto contempló la estrella polar, por la que pasaba el eje del mundo, a cuyo alrededor giraban los infatigables planetas. De la tierra caliente ascendía un aroma a tomillo y flores silvestres, poblando la paz que se vestía con el lapislázuli de un cielo inmenso. ¡Qué amargura debía de sentir Jerusalén, creyéndose engañada por un maestro de obras infiel!

Hiram degustaba la sublime quietud de un crepúsculo al que, sin embargo, faltaba el brillo de las aguas del Nilo, la majestad de los templos erigidos por los antepasados, el misterio del desierto donde nacían las purificadas líneas, de los futuros monumentos. La tentación de una verdadera fuga oprimió su alma. Era la serena riqueza de aquellos monumentos lo que deseaba, y no la encarnizada lucha que se había iniciado en la ciudad de Salomón. Dejar sus útiles, olvidar el plan de la obra, emprender el camino que conducía a Egipto, la tierra amada por los dioses...

Hiram cruzó un brazo de agua en el que se había construido una pequeña presa. Inspirándose en los métodos inventados por los faraones, los campesinos hebreos habían implantado una red de canales de riego eficaces contra la sequía. Allí, en la frontera de Samaria, al norte de Jerusalén, en la confluencia del Yabboq y el Jordán, el arquitecto había hallado lo que había venido a buscar. La misión confiada por Salomón debía realizarse en el más absoluto secreto. Por lo tanto, el maestro de obras, saliendo a pie durante la noche, sólo se había llevado su perro.

Los sacerdotes celebraban la huida de Hiram. Aquella ilusoria victoria calmaba su rabia y debilitaba su vigilancia. Salomón prefería no chocar frontalmente con Sadoq. El plan de obra de Hiram había llegado a uno de sus más delicados puntos y el rey le había pedido que actuara con la mayor discreción para que ningún manejo de la casta eclesiástica pudiera impedir su acción.

El caótico terreno que Hiram examinaba ocultaba una mina de cobre mencionada por viejos textos que habían escrito los geógrafos. Ofrecía, sobre todo, un lugar perfecto para fundir el bronce. La arcilla proporcionaría excelentes moldes. Los obreros dispondrían de toda el agua que quisieran. El viento bastaría para el tiro de sus pequeños hornos, cuyo uso estaría reservado a artesanos especializados. El bronce correría por canales de arena, bajo los cadenciosos golpes de los martillos. ¿Quién sino Hathor, dama de la turquesa, enseñaba el arte de los fundidores?

Pero el maestro de obras se enfrentaba a una dificultad: el terreno pertenecía a un campesino cuya esposa era hija de un sacerdote de la tribu de Sadoq. Una intervención autoritaria por parte del rey hubiera producido la ira del gran sacerdote y el consiguiente recurso al tribunal, lo que habría retrasado la buena marcha de los trabajos. Hiram se había comprometido, pues, a concluir el asunto por medio de una compra con todos los requisitos.

El campesino estaba labrando un pedazo de tierra. El olor de los terrones, de pesado y tranquilizador perfume, encantaba su nariz. Cuando vio a Hiram, dejó de trabajar.

El maestro de obras depositó en una piedra plana una bolsa con varios siclos de plata y un contrato. La suma era muy superior al valor del terreno.

El campesino, sin precipitarse, se dirigió a su granja y regresó con una balanza de fiel y unas pesas de basalto. Un objeto precioso que le permitía efectuar con toda seguridad las transacciones más arduas. Leyó el contrato, redactado en sencillos términos, y pesó las monedas de plata, verificando su validez. Satisfecho, se quitó las sandalias y las tendió al comprador. En adelante, seguiría hollando como propietario la tierra que le ofrecía una inesperada riqueza.

El campesino desapareció. No se había pronunciado ni una sola palabra. Hiram acababa de adquirir el lugar donde se instalarían las fundiciones del templo.

Capítulo 30

En el lugar donde Jacob había luchado con el Ángel, centenares de trabajadores manejaban moldes para metales y hacían funcionar enormes fuelles que atizaban el fuego de los hornos. Cada semana se entregaban enormes cantidades de leña. Las primeras coladas de bronce, puestas en manos de los escultores conducidos por Hiram, se convirtieron en una pareja de leones. Hiram asistió a todas las etapas de la creación de aquellos animales que adornarían los alrededores del templo, como velaban por las calzadas que ascendían del valle del Nilo a los santuarios secretos.

El maestro de obras realizaba numerosas idas y venidas entre las fundiciones a orillas del Jordán y las canteras próximas a Jerusalén. Los bloques que debían desprenderse eran señalados con un signo de cantero egipcio, cercano a la cruz ansada. Hiram había enseñado a los aprendices cómo extraer bloques excavando a su alrededor dos surcos lo bastante amplios y profundos para hundir en ellos cuñas de madera dispuestas a intervalos regulares. Lo esencial era elegir la capa de la que dependería la solidez de la construcción. Canteros y talladores de piedra, tras haber maltratado el oficio y estropeado algunos útiles, trabajaban con mano cada vez más segura. Extraían las piedras capa a capa, tallando los bloques sin provocar fragmentaciones.

Cuando se irguieron las primeras columnas de cobre y calcáreo, Hiram supo que sus aprendices habían asimilado los preceptos elementales del arte de construir. Convocó, pues, a los mejores en el taller del trazo, donde les inició en la ciencia de los compañeros que les permitiría levantar muros y repartir en ellos, con armonía, los bloques correctamente tallados. Vistiendo un delantal de cuero blanco, cuidadosamente limpiado al final de cada jornada de trabajo, los adeptos juraron no revelar nada a los aprendices ni a los profanos. Convirtiéndose en depositarios de una antigua sabiduría, la de transformar los planos en volúmenes, comenzaban a reinar sobre la materia en cuyo corazón se ocultaba el espíritu. En la sala de pruebas, siempre sumida en la penumbra, Hiram trazó un doble cuadrado. Unió dos de sus ángulos por medio de una diagonal. Así manifestaba el espacio donde se inscribía la proporción divina, aquel Número surgido del oro que los arquitectos egipcios consideraban el más inmenso de los tesoros. Ante los maravillados ojos de los nuevos compañeros, Hiram desplegó los mundos del cubo, de los poliedros, de la espiral, de la estrella de los sabios cuyas puntas llameaban y que indicaba el camino al viajero perdido en las tinieblas. Les enseñó cómo resolver la cuadratura del círculo, percibir la ley de las proporciones sin cálculo, manejar el tendel de trece nudos, dándole a veces la forma de una escuadra y otras la de un compás. Les transmitió el conocimiento de las eternas formas de la vida, inscritas en el universo y que ellos integrarían en el cuerpo del templo para asegurarle un armonioso crecimiento.

Al cabo de cinco días y cinco noches de enseñanza, los compañeros estaban llenos de un saber que superaba su entendimiento, pero sentían hacia maestre Hiram un agradecimiento que no podía expresarse con palabra alguna. La fraternidad que les unía a él tenía el fulgor de un sol de estío.

El arquitecto avanzaba paso a paso por el camino. Desarrollar las obras, construir los hombres, preparar el nacimiento del edificio eran etapas del plan de obra cuyo dominio debía mantener en cualquier circunstancia. Deseaba no haberse equivocado otorgando su confianza a los compañeros. Pero ¿quién podía presumir de conocer el corazón de los hombres tan profundamente como el de las piedras?

Los jornaleros alistados en el trabajo forzoso recibían su paga al final de cada semana de trabajo. No sucedía lo mismo con los compañeros y los aprendices, gratificados con un salario en la fiesta de la nueva luna, en el interior del recinto, ante la cerrada puerta del taller del trazo. Los aprendices formaban una primera columna silenciosa, los compañeros la segunda. Uno a uno, se presentaban ante Hiram y murmuraban a su oído la contraseña correspondiente a su grado. El maestro de obras la cambiaba varias veces al mes, desalentando así cualquier tentativa de fraude. Les pagaba con monedas de oro y de plata sacadas de los cofres que la guardia personal de Salomón depositaba en la obra.

Hiram quería realizar personalmente esta tarea, para que no se cometieran injusticias ni exacciones. En efecto, cada miembro de la cofradía recibía una suma distinta, correspondiente a la calidad y a la intensidad del trabajo realizado durante una luna. Quien se sintiera perjudicado tenía derecho a protestar ante el arquitecto.

Cuando esa ceremonia terminaba, Hiram, con una antorcha en la mano, descendía hasta lo más oscuro de la cantera. Allí estaba tallando, personalmente, una sala subterránea en el interior de la roca. Trabajando hasta el agotamiento, no permitía a nadie entrar en aquel lugar secreto cuyo destino sólo él conocía.

¿Cuándo podría utilizarla?

Nagsara se puso un vestido de un amarillo pálido, adornado con un cinturón dorado que ponía de relieve la finura de su talle. Se había pintado de un suave naranja las uñas de las manos. Calzaba sandalias de cuero blanco, de elegantes tiras, y con la suela de corteza de palmera. Del vestido pendían cintas de seda. En las muñecas llevaba brazaletes de oro y en los dedos anillos de plata maciza.

Así ataviada, la reina de Israel salió de palacio a mediodía. Los servidores se acercaron corriendo ofreciéndole una silla con brazos que Nagsara rechazó. Apartó a los guardias responsables de su seguridad, exigiendo permanecer sola.

El sol la deslumbró. Avanzaba sin prisas por el pendiente camino hasta la barrera que impedía el acceso a la amplia vía que llevaba a la roca, reservada para el transporte de materiales. En aquel día de sabbat, nadie trabajaba. Un aprendiz de escultor y un soldado designado por Banaias, sentados junto a un bloque de calcáreo, impedían el paso.

–Apartaos –ordenó Nagsara.

El soldado y el obrero se levantaron. El primero había reconocido a la reina.

–Perdónenos vuestra majestad... Es imposible.

–¿Deseáis morir por haber injuriado a vuestra soberana?

El aprendiz se marchó corriendo. El militar cedió ante la decisión de Nagsara. ¿Cómo podían aplicarse a su esposa las consignas dadas por Salomón? Nagsara descubrió la vasta plataforma enrasada. La roca había aceptado aquella primera domesticación. Pero no había rastros de cimiento. Sólo la piedra desnuda, aplastada por la luz. ¿El arquitecto tenía realmente la intención de construir un templo? ¿No estaría engañando a Salomón, anunciándole maravillas que era incapaz de realizar? Había colmado el barranco, ciertamente, pero aquello estaba al alcance de un hábil capataz. La duda heló el corazón de la joven. ¿No estaría su marido metiéndose en un callejón sin salida, cegado por una vanidad a la que creía voluntad divina? No importaba, Salomón actuaría según sus deseos. Los de Nagsara no se orientaban al santuario de Yahvé. Sólo deseaba la felicidad del rey, que su radiante rostro iluminara el tranquilo curso de los años que ella pasaría a su lado.

Una mujer de Egipto, instruida por los magos, no permanecía pasiva ante un destino que la contrariaba. Cambiaría su naturaleza. Aceptar la fatalidad hubiera sido estúpido y cobarde. Nagsara debía asfixiar aquel templo antes de que naciera, apartar a Salomón de aquella obsesión y recuperarlo para sí. Con el juego de su cuerpo y el fervor de sus pasiones, sabría retenerle.

Avanzando hasta el extremo de la roca, del lado opuesto a la ciudad de David, Nagsara contempló, a su derecha, el valle del

Cedrón y, en lontananza, las llanuras de Samaria. La belleza de la primavera de Israel le hizo añorar la de Egipto. En aquella época, la joven princesa solía pasear en barca por los canales de Tanis, flanqueados de tamariscos. Ella misma manejaba el remo y se divertía persiguiendo las familias de patos. Por la noche, en los pabellones erigidos en los islotes, escuchaba los conciertos de flauta y arpa que daban los músicos de la corte.

Aquí, en esta silvestre soledad, la música de la naturaleza sonaba con rudeza. Israel era un país demasiado joven, carecía de aquella madurez que confería una sabiduría arrugada por los siglos. Los hebreos poseían el ardor de un pueblo inexperto, ignorando todavía la serena actitud de los viejos escribas de redondeado vientre, que desplegaban sobre sus rodillas los papiros donde vivían inmortales palabras. El fracaso de la obra le enseñaría humildad a Hiram.

Un bloque que sobresalía claramente por encima del vacío llamó la atención de la reina. Llevaba una marca de cantero parecida al signo de la cruz ansada. Un obrero que había estado en Egipto, sin duda. En aquel lugar habría podido esperarse, más bien, el signo de Salomón, los dos triángulos entrecruzados que aseguraban la perennidad de una obra. Sólo las cofradías conocían su propio lenguaje. Pero carecería de fuerza si se oponía a los hechizos de una reina.

Nagsara se quitó brazaletes y anillos. Los depositó en círculo, ante ella. Luego desató sus sandalias y se desciñó el cinturón, formando una segunda circunferencia que englobaba la primera. Se arrodilló, abrió sus brazos y dirigió una invocación a los vientos de los cuatro puntos del espacio, para que desintegraran la roca y la condenaran a permanecer estéril. Como ofrenda lanzó las joyas al vacío. Para sellar el hechizo pronunciado, anudó lazos y cinturones, creando una cuerda que unía su pensamiento a la diosa Sekhmet.

Vana hazaña si Salomón permanecía lejos de ella. Nagsara conocía el precio de su acto. Entregaba varios años de su existencia a la terrorífica leona, a Sekhmet, ávida de sangre. Pero ¿podía una anciana atraer el amor de Salomón? ¿No era mejor una vida breve y ardiente, consumida por el fuego de un amor enloquecido?

Nagsara se quitó su vestido amarillo. Lo tendió sobre la cuerda de los sortilegios. Desnuda, abandonada al sol, sólo debía ya derramar su sangre.

Sus dedos acariciaron el puñal con empuñadura de plata proveniente del tesoro de Tanis. Había pensado utilizarlo para defenderse de los asaltos de un rey horrible al que habría detestado... Y ahora se convertía en instrumento de amor, en trazo de luz ensangrentada.

Nagsara no soportaba ya llevar escrito en sus carnes el nombre de Hiram. Atravesándolo con una hoja, transformando las letras en lágrimas rojas, se liberaría del maleficio que impedía a Salomón amarla.

Se golpeó.

El puñal pareció negarse. La hoja resbaló sobre la piel, trazando un ardiente surco. Una niebla ocre turbó la visión de la reina.

Escuchó su nombre. Alguien, al otro extremo de la roca, estaba llamándola. Alguien suplicaba que no se matara.

Tenía tiempo todavía de ser la víctima a la que Salomón amaría tiernamente, pero temblaba. La niebla se hacía más densa. Una mano tomó su muñeca y la forzó a soltar el arma.

Hiram recogió el vestido amarillo y cubrió a Nagsara. Con el pie, lanzó la cuerda al abismo.

–No –protestó débilmente la reina–. No tenéis derecho...

–Nadie impedirá el nacimiento del templo. Sólo la voluntad celeste podría ser más fuerte que la mía. Destruiré los maleficios.

La reina inclinó hacia atrás su cuello, absorbiendo de nuevo una vida que, un instante antes, huía de ella.

–¿Quién sois, maestre Hiram? ¿Por qué grabáis un signo egipcio en las piedras que cimentarán el templo?

–No hubierais tenido que ver esta marca, majestad.

–¿No debe un arquitecto afrontar la realidad? Y si fuerais un traidor, si engañarais a Salomón...

–Venid, majestad, estas pruebas os han agotado.

–¿Os negáis a contestar?

–No me importa lo que piensen de mí.

La sangre empapaba la fina tela amarilla. La niebla que oscurecía la vista de la joven se hacía más densa. Ya no veía a Hiram. El abismo estaba tan próximo, era tan atractivo... Recurriendo a las últimas fuerzas de su cuerpo, Nagsara sólo debía dar unos pasos para olvidar cualquier angustia.

–Sois egipcia –recordó el maestro de obras–. Os está prohibido daros muerte. Actuando así, destruiríais vuestra alma y perderíais para siempre el amor de Salomón.

–¿Cómo..., cómo os atrevéis...?

Hiram sostuvo a la reina, ayudándole a caminar.

–Debemos curar vuestra herida, majestad.

El contactó con aquel hombre de majestuosa fuerza la turbó. Su malestar desapareció. El sol volvía a lucir.

–Quiero saber, maestro de obras, quiero saber por qué...

–Somos juguetes de lo invisible. Lo demás es sólo silencio.

Hiram acompañó a Nagsara a palacio. Una extraña paz la había invadido. El ardor de la herida había cesado. Pero el misterio permanecía, insoportable. El arquitecto le pareció próximo y lejano a la vez, tierno e insensible. ¿De qué magia era hijo?

Capítulo 31

Descontento, Salomón se había visto obligado a ceder a la petición del sumo sacerdote que solicitaba la convocatoria del consejo de la Corona formado por el propio Sadoq, el general Banaias y el secretario del rey, Elihap. El soberano de Israel sintió que su irritación aumentaba al escuchar las palabras del religioso.

–Os lo repito, majestad –insistía Sadoq–. Maestre Hiram se está convirtiendo en un personaje peligroso. Sin vuestra aprobación, se ha atribuido el control militar de los obreros.

–¿Los trabajos forzosos no son responsabilidad de Jeroboam?

El sumo sacerdote respondió mordaz.

–¡Una ilusión más! Incluso entre los jornaleros, el prestigio de vuestro arquitecto es inmenso. Obedecen a Jeroboam pero admiran a Hiram. ¿Ignoráis acaso que ha creado su propia comunidad, compuesta por aprendices y compañeros que le son tan sumisos como esclavos? Vos mismo, majestad, aceptasteis que la obra del templo estuviera sometida a su propia ley.

–¿Es un reproche, Sadoq?

Elihap dejó de tomar notas de la entrevista. Aprobaba las advertencias de Sadoq pero temía que sus palabras hubieran sido demasiado prematuras.

El sumo sacerdote bajó el tono.

–Maestre Hiram extiende su poder día tras día. El día de mañana gobernará un ejército más numeroso que el de Banaias.

El general inclinó la cabeza. Su aspecto desabrido revelaba su mal humor.

–Un ejército pacífico –precisó Salomón.

–Podemos dudarlo, majestad. Están armados con instrumentos que muchos de ellos han aprendido a manejar con destreza. Si su dueño decidiera fomentar una rebelión... Hemos evaluado mal la influencia del tal Hiram. ¿No será hoy el hombre más poderoso de Israel?

–¡Injurias al rey, sumo sacerdote!

Sadoq plantó cara.

–¿Por qué no vigilasteis mejor a ese arquitecto extranjero? ¿Por qué le concedisteis tantos privilegios? Hablo por el bien de Israel y de su soberano. ¿No es el prestigio de Hiram una auténtica injuria?

–El sumo sacerdote tiene razón –masculló Banaias–. Ese tirio no me gusta.

Elihap seguía callando. Pero Salomón le conocía bastante como para saber que su silencio se añadía a las reticencias de los otros dos miembros del consejo.

–Tenéis que actuar –insistió Sadoq–. Jeroboam sería un excelente arquitecto.

–Sólo ha construido establos y fortificaciones.

–Es un servidor fiel cuyo nombramiento sería aprobado por el consejo.

Una oscura pasión abrasaba a Sadoq. Pero sus argumentos no carecían de fuerza: Salomón admitía que su entusiasmo le había ocultado ciertos peligros. Tal vez había evaluado mal la ambición de maestre Hiram, su deseo de sujetar, por su mera función, las riendas de la economía de Israel. Tal vez había albergado en su seno un dragón que se disponía a devorarle.

Viendo que el rey reflexionaba, Sadoq sintió una profunda satisfacción. Había llevado a cabo un juego peligroso, pero esperaba una solución satisfactoria. Puesto que seguía influyendo en Salomón, ¿no podría impedir la edificación del templo?

–El consejo de la Corona no gobierna Israel –dijo por fin Salomón–. Su papel es formular propuestas. Al rey le toca aceptarlas o rechazarlas. Por lo que se refiere a maestre Hiram, seguirá siendo arquitecto del templo, y seguirá dependiendo de mí.

Salomón pasó la noche pensando y sin visitar a Nagsara. La reina, recuperada de su herida, sentía una languidez que sólo podía curar la presencia del rey. Sensible a su frágil belleza, éste aceptaba el tibio abrigo de sus brazos y el ardor de sus besos. Tras la tormentosa reunión en la que había desautorizado a sus consejeros, los placeres del amor le parecían insípidos y vanos. Se había retirado, pues, a la alcoba mortuoria de David, donde nadie había entrado desde su desaparición.

Salomón había olvidado el modesto lecho, los toscos muros, el perfume de la desesperación. Los propios rasgos de su padre desaparecían en la espesa sombra de la muerte. Pero ¿no era aquél el lugar donde se encontraba con el alma del monarca a quien Dios había impedido llevar a cabo la obra? ¿No debía pedirle ayuda en el más allá?

Maestre Hiram no era un hermano ni un amigo. No se comportaba tampoco como un servidor, sino como el organizador de una cofradía que absorbía las fuerzas vivas de Israel y amenazaba con utilizarlas en beneficio propio. ¿Quién, sino un reyezuelo, habría aceptado que su trono se agrietara de ese modo? Sadoq, pese a su odio, razonaba bien. ¿No habría renunciado David a construir el templo previendo una inevitable toma del poder por una horda de obreros que, conducidos por hábiles cabecillas, tomarían conciencia de su poder? El nacimiento del edificio estaba, sin embargo, vinculado a un cambio en Israel, a la existencia de una inmensa obra en la que cada hebreo se implicara.

¿El camino elegido por David no era el de la prudencia? ¿No debía Salomón limitarse a reinar sobre el presente, desdeñando el porvenir, preservar la tradición en vez de trastornar lo ya adquirido? Qué preciosa le hubiera sido la presencia de un padre y de un consejero... Sólo quedaba ya la muda sombra de una habitación vacía, que albergaba los rastros de la agonía.

Salomón se puso en manos de Dios. Rogó con la inquietud de un hijo extraviado en busca de su morada, con la desesperación de un mendigo ante el que se cierran todas las puertas.

Poco antes del alba, cuando las colinas se teñían de naranja y violeta, Dios habló a Salomón.

Le prometió una señal decisiva. El primer ser con el que se encontrara le daría la esperada respuesta. Entonces sabría si debía o no abandonar la edificación del templo.

El rey de Israel salió de la alcoba fúnebre y recorrió los pasillos desiertos y fríos del antiguo palacio. Impaciente por conocer el mensaje del señor de las nubes, no sufría por la falta de sol. ¿Sería hombre, animal, lluvia o viento, aquel primer ser? ¿Tendría que interrogar a una piedra o al polvo del camino? Dirigirse a un mudo o a un pájaro? Un irresistible impulso obligó a Salomón a abandonar aquellos lugares. Pasando entre los dos guardias apostados a uno y otro lado de la escalera que llevaba al atrio, descubrió una silueta que abandonaba las últimas tinieblas y caminaba hacia la mansión real.

Con los brazos extendidos ante él, el caminante llevaba un cofre que ocultaba su rostro.

Él era el enviado de Yahvé.

Salomón corrió a su encuentro.

El hombre se detuvo en medio del atrio y dejó el cofre. Salomón le reconoció, pese a la penumbra que ocultaba sus rasgos.

–Maestre Hiram...

–Solicito audiencia, majestad.

–¿A estas horas?

–Acabo de terminar el plano de los edificios que cubrirán la roca. Mostrároslo no admite dilación.

El arquitecto abrió el cofre y sacó un papiro de unos cincuenta metros de largo que desenrolló en el atrio. Actuaba con precaución para que las hojas cosidas unas a otras se extendieran sin hacer dobleces.

La luz del amanecer crecía con los gestos del maestro de obras. Iluminó un plano detallado. En el interior de un vasto recinto rectangular, cuyos largos costados no eran paralelos, se habían previsto los emplazamientos de un palacio, una sala del trono, una sala de columnas, un tesoro y un gran templo. Cada línea tenía cotas que indicaban una proporción. Cada parte del plano estaba unida a los demás dispositivos arquitectónicos con trazos que formaban una gigantesca estrella.

Salomón sintió una armonía clara y estable a la vez, la de un ser humano cuya alma hubiera contemplado antes de que tomara la forma de un cuerpo. El dibujo no podía compararse a un simple diseño. Latía en él un corazón geométrico, indiferente a las vicisitudes humanas.

Dios le había contestado.

Durante más de una hora, hasta que el primer sol dispensó generosamente sus rayos, Salomón contempló el plano de la obra. Lo leyó con los ojos de un monarca, convirtió los trazos en piedra, imaginó el volumen. ¿En verdad la mano que había creado aquel esplendor era sólo la de un hombre? ¿Maestre Hiram no habría sido inspirado por el Único, aunque no creyera en Él?

El arquitecto no dio explicación alguna. Salomón no se rebajó a pedírsela. Le convocó en palacio a comienzos de la primera vela.

Hiram llegó con retraso. La limpieza de los útiles y la inspección de la obra habían exigido su presencia. Salomón no tuvo en cuenta la afrenta. Su huésped rechazó alimento y bebida.

—Vuestro plan me satisface. Llevadlo adelante. ¿Dónde pensáis conservar el precioso documento?

—En el taller del trazo.

—Esa choza no conviene ya a vuestra dignidad. En adelante, os alojaréis en una de las alas del palacio. El plano de la obra estará seguro en el tesoro real.

—Me niego.

—¿Por qué?

—Lo que se refiere a la obra debe permanecer en la obra. Las comodidades de que dispongo me bastan.

Salomón se veía desafiado en su propia morada. El plano de la obra era prodigioso, pero su autor adquiría una magnitud que no se adecuaba a su primera función. La actitud de maestre Hiram corroboraba las suposiciones del sumo sacerdote.

–Como deseéis –cedió Salomón.

En una aldea perdida en las montañas de Efraím, los jefes de las tribus de Manasés y Efraím, varios religiosos tradicionalistas amigos del sumo sacerdote depuesto, Abiatar, y algunos jefes de milicias campesinas, escuchaban el discurso de Jeroboam.

El gigante pelirrojo a quien Salomón había confiado el cuidado de organizar los trabajos forzosos hablaba con pasión a una concurrencia atenta, oculta en la cima de una colina rocosa custodiada por vigías. El regalo de Jeroboam había impresionado a sus huéspedes: dos becerros de oro que recordaban las famosas fiestas durante las cuales los hebreos, lejos de Yahvé, se habían entregado a placeres prohibidos.

–¿Deseas abandonar el culto del dios único? –preguntó un sacerdote.

–Puesto que esa injusta potencia favorece los designios de un rey loco, ¿por qué seguir adorándola? –repuso Jeroboam–. Yahvé, antaño, nos guiaba a la guerra. Hoy, nuestro pueblo es cobarde y débil. El verdadero Yahvé no necesita un templo suntuoso. Le basta el Arca de la Alianza. Es nómada, como vosotros y yo, ¡y ávido de victorias! Salomón quiere obtener la unidad religiosa del reino para convertirse en sacerdote de un dios pacífico del que será el único confidente. Salomón es un faraón, no un rey de Israel. Arrebatará el poder a los jefes de las tribus. Eliminará a Sadoq como expulsó a Abiatar. Aumentará los impuestos, arruinará el país para alimentar ese maldito templo. No tenemos derecho a dejarle por más tiempo con las manos libres.

Las palabras de Jeroboam sembraron la turbación en las conciencias. El jefe de los trabajos forzosos, a quien Salomón había negado el título de maestro de obras, se tomaba la revancha.

Un servidor sacó de un tonel una mezcla de jugo de higos y de algarrobas, que vertió en las copas ofrecidas a los miembros de la conspiración.

–¿Deseas ocupar el trono de Salomón? –preguntó el jefe de la tribu de Efraím.

La angulosa barbilla de Jeroboam se levantó. Por fin se abordaba el verdadero objeto de aquella reunión secreta.

–Israel necesita un monarca fuerte y valeroso, no un poeta y un cobarde. La paz de Salomón conduce nuestro país a la ruina. Egipto nos invadirá a la primera ocasión. Conmigo, los soldados recuperarán la confianza y atacarán el imperio del mal.

Cuando se inició el debate, Jeroboam estaba seguro de haber ganado la partida. ¿Quién podía no ver en él a un guerrero capaz de galvanizar las tropas ávidas de combate? El gigante pelirrojo respiró a pleno pulmón el aire de las montañas. Aquella provincia, como todas las demás, sería suya. Poseería esa tierra, le devolvería el orgullo de su proverbial valor.

Las deliberaciones fueron breves.

El jefe de la tribu de Efraím se dirigió a Jeroboam.

–Permaneceremos fieles a Salomón –anunció–. Olvidaremos tu discurso.

Los conspiradores bajaron por los senderos que llevaban a la llanura. Jeroboam aulló de furor. Derribó el tonel de un puntapié. Al verter el zumo que enrojeció el suelo, el gigante pelirrojo lanzó su maldición sobre los cobardes que le habían traicionado.

Capítulo 32

Anup ladraba. Caleb reunía a gran número de aprendices y compañeros. Todos estaban consternados por el horrible descubrimiento. El barrendero les había avisado. En la víspera del sabbat había subido al tejado del taller del trazo, hecho de cañas y tierra batida. Alguien lo había agujereado, introduciéndose en el edificio cuya puerta, cerrada con llave, daba cierta ilusión de seguridad.

Hiram, que estaba desde hacía dos días en Eziongeber, donde inspeccionaba los altos hornos, fue llamado a Jerusalén. Nadie se atrevía a comprobar, antes que él, la magnitud de la catástrofe.

El maestro de obras hizo girar la llave en la cerradura y entró en los dominios que creía protegidos. Los útiles, los papiros y los cálamos habían desaparecido. Un pálido Hiram levantó la tapa del cofre donde estaba el plano de obra. Éste no había sido robado.

Extraño latrocinio, en verdad. ¿Por qué habían respetado lo esencial? El arquitecto desenrolló el precioso papiro, temiendo que hubiera sido dañado. Vano temor. Pidió a los compañeros que construyeran un nuevo techo con una terraza de ladrillos donde se apostaría un centinela.

Anup, lleno de alegría al ver de nuevo a su dueño, intentó llevarlo a dar un paseo. Pero Caleb se interpuso y solicitó una inmediata entrevista, lejos de la obra. Pese a su cojera, caminaba deprisa, como si le persiguieran los demonios. Al perro le gustaba aquel ritmo y se hundía en los matorrales, surgía otra vez de la espesura, presentía el camino que iban a seguir. Ambos hombres anduvieron largo rato por la campiña, hasta una estrecha garganta sembrada de pequeñas grutas donde se refugiaban los rebaños durante las fuertes lluvias. Caleb, agotado, se sentó bajo una higuera silvestre llena de enormes frutos.

–Soy demasiado viejo para tales caminatas.

–Te había encargado que vigilaras la obra –recordó Hiram–. Se ha cometido un robo. ¿Qué sabes de eso?

–Lamentablemente, nada. La fechoría ha sido perpetrada durante la noche. Dormía. Y vuestro perro también. ¡Pero he sido vuestros ojos y vuestros oídos! ¿Debo contar, realmente, lo que he visto y oído?

Un pesado calor llenaba la rocosa hondonada. Faltaba aire. El cojo no pudo contener sus confidencias.

–El rey David se ocultó aquí durante una revolución de palacio. Haríais bien imitándole y olvidando el templo de Salomón. Mirad qué hermosos higos... Hay muchos por los alrededores. Si me comprarais una granja, los recogería, los secaría al sol y los vendería en los mercados. Nos dividiríamos los beneficios y llevaríamos una tranquila existencia.

El silencio de Hiram convenció a Caleb de que no debía proseguir en el mismo tono.

–Os obstinaréis en construir el templo, claro... ¡Mejor será que sepáis la verdad! Entre vuestros obreros hay muchos bribones, perezosos o mentirosos. Temo incluso que algunos aprendices se hayan unido a esa pandilla. Los edificios avanzan muy lentamente... Nadie ve el final de la obra. Se están cansando. Murmuran que estáis estancado, que vuestros proyectos son demasiado ambiciosos. Soportan mal el trabajo. Algunos compañeros creen, incluso, que están mal pagados y que no reconocéis sus méritos. Mañana vais a convertiros en el chivo expiatorio. Sed lúcido. Os calumnian y os traicionan. Sois cada vez menos popular. La tormenta quebrará el sueño de Salomón. Y entonces será demasiado tarde para huir. El país se sumirá de nuevo en la guerra de las tribus. Nadie podrá evitar el desastre. Habrá muertos, muchos muertos. Marchaos, maestre Hiram. Marchaos enseguida.

Al caer la noche, Hiram comprobó una a una las tablas de la empalizada. Examinó el terreno que rodeaba el recinto, buscando las huellas del túnel que los ladrones podían haber excavado para introducirse en la obra. Pensó en la utilización de escalas de cuerda.

No había traza alguna, indicio alguno.

–Los hombres, maestre Hiram –murmuró una voz a su espalda–. La solución son los hombres.

El arquitecto se dio la vuelta para enfrentarse con el rey Salomón. Espesas nubes cubrían la luna nueva. La oscuridad de la noche ocultaba al soberano y al maestro de obras.

–Habéis olvidado que yo reino en este país, maestre Hiram. Me ha bastado con sobornar al guardián del umbral, a algunos vigilantes y pagar a un muchacho delgado. No le costó perforar el techo de vuestro taller. ¿Cómo probaros, si no, que el plano de la obra sólo estará seguro bajo mi protección, mi palacio? ¿Aceptaréis por fin venir a vivir conmigo?

«Ha llegado el momento», pensó Hiram. Era el propio Salomón quien le obligaba a franquear esa nueva etapa que tanto temía. El taller del trazo estaría abierto a los compañeros, que guardarían allí útiles y delantales asegurando su custodia noche y día.

–No, majestad. En adelante, viviré en la cantera, en contacto directo con la piedra. Ella es la solución. Es menos mentirosa que los hombres. No engaña a quien la respeta.

Salomón no intentó retener a Hiram. Se había equivocado intentando quebrar su resistencia con aquella demostración de fuerza. Por un lado, se sentía pesaroso al advertir el fracaso de su artimaña. Por el otro, le tranquilizaba haber dado al templo un maestro de obras de aquel temple. Desconfió, sin embargo, de aquella admiración que le debilitaba. Sólo él gobernaba, sólo él debía gobernar. Éste era el precio de la felicidad de Israel.

El arquitecto trabajó durante varias noches para concluir la sala subterránea a la que llevaba un estrecho pasillo en descenso, cuyo acceso estaba prohibido a Caleb y *Anup*. Le había dado las proporciones de un cubo. Al fondo, una hornacina que reproducía la de la cámara media de la Gran Pirámide, una especie de escalera hacia el cielo por la que ascendía el adepto, partiendo del corazón de la tierra y del centro de piedra, pasando por un infinito número de puertas visibles e invisibles que le acercaban a la luz y a los orígenes.

Durante la ceremonia del pago, Hiram eligió a nueve compañeros a los que no les dio salario, pidiéndoles que le esperaran. Tan insólito proceder suscitó temores y envidias entre sus cofrades. ¿Qué ocurría? ¿Aquellos hombres iban a ser ascendidos o castigados? ¿Por qué aquéllos y no otros?

El arquitecto se vio obligado a imponer silencio.

Luego, llevó a los nueve compañeros hasta la gruta, mientras el perro y el cojo, a retaguardia, comprobaban que nadie les siguiera.

Tras los pasos de Hiram, cada uno de los elegidos inclinó la cabeza y descendió, encogido, por el intestino de piedra que llevaba al santuario secreto, iluminado por una sola antorcha. Se pusieron en círculo alrededor del maestro de obras que, quitando una piedra corrediza que se había encargado de ajustar perfectamente, hizo aparecer el codo y el bastón de siete palmas.

–He aquí los instrumentos de los maestros –reveló–. Con ellos calcularéis las proporciones del templo. Os enseñaré los números que crean, en todo instante, la naturaleza y cuyo secreto nos transmiten las piedras calladas. Pero, antes, tendréis que morir para este mundo.

Algunos refunfuñaron. Todos eran jóvenes que no tenían el menor deseo de desaparecer.

–¿Alguien de vosotros tiene miedo?

Todos se interrogaron. El temor atenazaba los vientres, pero el deseo de acceder a nuevos misterios prevaleció.

Hiram ofreció a cada compañero una copa de vino.

–Si sois dignos del magisterio, este brebaje os dará fuerzas para superar las pruebas. Pero si habéis mentido, si habéis traicionado, si vuestra palabra no era pura, pereceréis inmediatamente.

Al recibir la copa, las manos temblaron, pero ninguna la rechazó.

—Bebed —ordenó Hiram.

Los compañeros obedecieron con un nudo en la garganta. Uno de ellos sintió en el pecho una atroz quemadura. Creyó que la horrenda muerte se apoderaba de él. Pero el malestar se disipó, Sus colegas habían permanecido de pie. Se contemplaron unos a otros, satisfechos de haber superado el obstáculo.

—Tendeos en el suelo, con los ojos hacia la bóveda de piedra.

Hiram quitó el delantal a los compañeros y cubrió con él sus rostros.

—No pertenecéis ya al universo de los hombres comunes. En vosotros se enfrentan la vida y la muerte, para que la muerte muera y la vida viva. Vuestro pasado no existe ya. Pertenecéis al templo futuro. Sois los servidores de la obra. Ningún otro maestro podrá imponeros su ley. Por la regla de la cofradía de la que soy depositario, os hago nacer al magisterio.

Hiram depositó el bastón sobre el cuerpo de los yacentes. De la cabeza a los pies, se convertía en su eje a cuyo alrededor, en adelante, se construiría su existencia. El arquitecto transmitía la iniciación que había recibido. Él mismo había experimentado el poder de aquella regla del maestro de obras en la que estaban inscritas las proporciones que crearían el templo como si fuera un ser vivo.

Un agradable sopor se apoderó de los compañeros. No era sueño, sino un sereno éxtasis, iluminado por un sol anaranjado que brillaba mucho más allá del techo de la gruta. Ésta no era ya una barrera de piedra, sino un cielo estrellado donde la luz del día brillaba en plena noche. Los adeptos gozaron de un profundo bienestar. Tenían la impresión de moverse fuera de ellos mismos, como liberados del peso de sus cuerpos. Y escuchaban la voz de Hiram que les desvelaba los secretos y los deberes de los maestros.

Cuando abandonaron aquellas travesías de espacios coloreados, los compañeros poseían la vejez de la tradición geométrica de los antiguos constructores y la juventud de los conquistadores.

Hiram los levantó, uno tras otro.

–La norma del templo de Salomón será la medida que va de mi codo a la punta del mayor –indicó–. Obtendréis las proporciones a partir de ella.

Hiram entregó a los nuevos maestros una caña de medida, de cincuenta y dos centímetros, que sería la clave para la construcción del edificio.

–¿Hemos atravesado la muerte? –preguntó uno de los adeptos.

–La ambición personal se ha apagado en vosotros –dijo el maestro de obras–. A mi lado y a mis órdenes actuaréis, en adelante, para transformar la materia en piedra de luz. En vosotros ha muerto vuestro aspecto perecedero, vuestro egoísmo, vuestra pequeñez. En adelante cumpliréis la función de capataces y enseñaréis a los compañeros y los aprendices. Vigilaréis la obra y reclamaréis el trabajo de los jornaleros forzosos, si su ayuda se hace necesaria. Yo pasaré aquí la mayor parte del tiempo, para preparar la mutación del plano en volumen. Vosotros os reuniréis conmigo en la primera vela, y juntos estudiaremos el desarrollo del edificio.

Los maestros se comprometieron, por su vida, a guardar el secreto que compartían.

El corazón de Hiram se llenó de júbilo. Con aquellos seres, animados por otra visión, podría, pese a su escasez e inexperiencia, dirigir con eficacia centenares de obreros. Salomón se había lanzado a la más loca aventura. No había advertido sus reales dificultades. Sin duda, sólo creía a medias en su sueño. Sin embargo, Hiram y su cofradía lo harían realidad.

Capítulo 33

La campesina empujaba el mango para que la muela de arriba girara sobre la de abajo. Durante horas y horas, repetiría el mismo gesto para moler el grano. Al frotar una con otra, las piezas lanzaban un plañidero lamento. Sufrían, como la mujer, para alimentar decenas de vientres. Si el rumor de las muelas se detenía, afirmaban los sabios, sería el fin del mundo. Fatigada, la campesina cedió el lugar a una muchacha y entró en su casa donde, manejando la rueca y el huso, tejería túnicas. Una décima parte de esa producción sería entregada, de acuerdo con la ley dictada por el rey, a los recaudadores de Salomón. Pesada pero indispensable medida para la gente del pueblo. ¿Entregar para construir el templo no era, acaso, asegurarse una resurrección entre los justos?

Un ruido la inquietó. Un roce metálico mil veces repetido.

Enloquecida, abandonó su obra y salió. Un velo cubría el sol de aquella tarde. Un velo cuya terrorífica naturaleza identificó la campesina. Lanzó un grito de espanto seguido, muy pronto, por un concierto de lamentaciones. El trabajo cesaba en todas partes. En todas partes habían reconocido la plaga que caía sobre Israel.

Millones de langostas peregrinas oscurecían el astro del día. Volando en compactos enjambres, formaban un cielo gris, una inmóvil bóveda de varias toneladas nacida de la suma de insectos que pesaban unos pocos gramos. Aquellos monstruos de antenas perpetuamente agitadas se lanzaron sobre los cultivos. Una langosta comía, cada día, su peso en alimento. Sus enjambres atacaban incluso los corderos, cuya lana devoraban.

Nada podía escapar. Guiadas por un infalible instinto, descubrían campos y pastos sin olvidar una sola espiga o una brizna de hierba. En el primer asalto, un viejo labrador blandió su horquilla y mató algunas decenas. Pero sus acólitos le mordieron hasta hacerle sangre, encarnizándose mientras huía. Durante el reinado de David, dos niños de pecho habían sido devorados por las langostas.

Hiram, que examinaba las bases de las columnas que estaban puliendo los compañeros, advirtió el peligro. Los años en que la diosa leona no había sido correctamente conjurada, nubes de langostas amenazaban con sumir Egipto en la hambruna. Sólo la magia de un faraón podía rechazar la invasión. ¿Durante cuántas semanas sería Israel víctima de aquellos implacables agresores? ¿Durante cuánto tiempo se interrumpiría la obra, se desorganizarían los trabajos? Los hombres no habían conseguido poner trabas a la acción del maestro de obras. Los insectos amenazaban con lograrlo.

La reina Nagsara, que descansaba en su jardín, se refugió en sus aposentos. Durante los banquetes celebrados en el palacio de Tanis, los narradores habían evocado el año de las langostas. No había más escapatoria que refugiarse en las casas y obstruir herméticamente las aberturas.

Salomón, desde lo alto del palacio de David dominado por la roca, enrolló el papiro en el que estaba escribiendo un himno a la sabiduría. ¿Era la horrible nube de insectos un castigo enviado por Dios o una maldición del diablo? ¿Condenaba Yahvé el deseo del rey? ¿El poder de las tinieblas intentaba aniquilarle? Salomón disponía de un medio para saberlo: interrogar a Nagsara.

No le quedaba tiempo. Todo el pueblo comenzaba a enloquecer de terror. Haría a Salomón responsable del cataclismo. El rey tendría que responder ante Dios, y ante sus súbditos. El sumo sacerdote le acusaría de haber provocado la cólera de lo alto mancillando con un edificio impío la eminencia que los precedentes soberanos habían respetado.

Nagsara se inclinó ante su señor. Con sólo verle se sentía inmensamente feliz. Los negros ojos de la egipcia brillaron con su ardiente juventud. Salomón se mostró tierno, pero no ocultó que necesitaba sus talentos de hechicera.

Nagsara no se negó. Consultó la llama una vez más, entregándole algunos meses de su existencia. Pero nada era tan maravilloso como satisfacer a Salomón.

La respuesta de lo invisible fue clara. Salomón estrechó largo rato a Nagsara entre sus brazos. Con su calidez, devolvió la energía al agotado cuerpo de su esposa. Cuando concilió el sueño, el rey utilizó su rubí. La piedra mágica le permitía escuchar la voz de los elementos. Uno de ellos era, pues, lo bastante poderoso como para luchar contra los insectos.

Las campiñas de Judea y de Samaria habían sido abandonadas. En las plazas de las aldeas no había alma viviente. La propia Jerusalén estaba invadida por racimos de langostas que roían los escasos jardines. Salomón oraba desde la víspera. ¿Podría su plegaria llegar al cielo, atravesaría el escudo de insectos que ocultaba el sol?

Cuando el viento nació, levantando nubes de polvo en la obra, Hiram esperó y se angustió al mismo tiempo. ¿El remedio del rey de Israel no sería peor que la enfermedad? Aquel soplo violento, ardiente, era el temible khamsin[1].

La temperatura se hizo pronto insoportable. Pero el khamsin expulsó hacia el norte las nubes de langostas. La noche siguiente a su partida fue glacial. Muchos obreros cayeron enfermos. El agotamiento abrumó a quienes no sufrían de anginas o pleuresía. Hiram les hizo tomar miel y distribuyó mantas. Al alba regresó la canícula, sometiendo a los organismos a una dura prueba. Un aprendiz, cuyo pecho era desgarrado por los accesos de tos, parecía incluso a las puertas de la muerte. El maestro de obras, pese a su robusta constitución, comenzaba también a sentir los prime-

---

1. Viento del desierto que, en los peores períodos, produce tempestades de arena.

ros asaltos del cansancio. Se obligaba a caminar de tienda en tienda, a alentar a los obreros. El temor aparecía en sus pensamientos. ¿No surgía, de aquel tormento, el espectro de una epidemia?

Mientras Hiram hablaba con un capataz, intentando aligerar el programa de trabajo para las próximas semanas, unos gritos de alegría llegaron a sus oídos. ¿Qué incongruente acontecimiento, en tan tristes momentos, las provocaban? Hiram se dirigió a la entrada del campamento. Inválidos o sanos, los obreros y jornaleros aclamaban a Salomón. Con su larga túnica púrpura de flecos dorados, el soberano imponía respeto.

El maestro de obras apartó a los celadores del rey para ponerse frente a él.

—El viento nos ha traído la enfermedad, majestad. Es imprudente entrar en la obra.

—El khamsin ha alejado a las langostas. Los campos se han salvado. Habrá alimento para todos.

—¿Quién tendrá todavía fuerzas para trabajar? ¿El que ha hecho soplar ese viento destructor es consciente de las consecuencias de su acto?

—Sólo Dios domina los elementos —recordó Salomón—. ¿Lo dudáis acaso?

Hiram no respondió a la ironía de Salomón, aunque estuviera convencido de la intervención mágica del soberano.

—No os expongáis más —recomendó el arquitecto.

—He venido a curar. ¿Quién conoce mejor que yo los demonios que corroen las sienes, desgarran los cráneos, inflaman los ojos, torturan los oídos, roen las entrañas, apagan los corazones, destrozan los riñones o rompen las piernas? Los reyes aprenden a luchar contra los calambres, los abscesos, los dolores, las fiebres y las lepras. Que me traigan a los que sufren.

No aguardaron la autorización del maestro de obras para obedecer las órdenes de Salomón. Pronto se organizó una hilera de pacientes. Los que peor se encontraban eran llevados en brazos por sus camaradas. Salomón impuso su sello en la nuca de cada uno de ellos.

Mientras curaba, de la tierra brotaban gemidos y lamentos, los demonios expulsados por el rey parecían desaparecer en las profundidades, abrumados por los sufrimientos que habían provocado. Salomón trabajó hasta que aparecieron las estrellas.

Un sueño apaciguador reinaba en las tiendas.

El soberano de Israel y el arquitecto permanecían frente a frente. Como el faraón de Egipto, Salomón se había mostrado capaz de aliviar los males y practicar el arte del taumaturgo.

–Hermosa victoria, majestad, pero peligrosa empresa.

–En absoluto, maestre Hiram. ¿Por qué no utilizar lo que recibí de mis padres? Los que se han beneficiado de la imposición de mi sello no conocerán el sufrimiento ni la muerte mientras dure la construcción del santuario de Yahvé. Los peligros han sido conjurados. Trabajad en paz.

–Habéis disminuido mi autoridad. Yo debía ocuparme de esos hombres.

–Vos sois constructor, no sanador. Sería vanidad creer que podéis llevar a cabo solo la obra. Vuestro dominio de las técnicas y el arte del trazo es total. Una vez más, olvidáis a los hombres. No todos son capaces de igualaros, ni siquiera de secundaros. Vuestro ardor es excesivo. Os odian tanto como os admiran. Éste es vuestro destino, y no intentéis modificarlo.

–Sólo los reyes gozan de ese poder.

–Es cierto –reconoció Salomón–. ¿No os he probado ya que contabais con mi ayuda? Será más eficaz todavía, si lo deseáis.

Sólo deseaba un rápido regreso a Egipto, a la tierra de sus antepasados. Si había un ser incapaz de ayudarle, ése era Salomón.

–Sólo os pido, majestad, el gobierno de la obra de la que soy responsable. Lo demás no me concierne.

–No sois un dios. Os acechan la enfermedad y el sufrimiento. Si os debilitáis, el templo corre peligro. ¿Por qué no aceptáis la imposición de mi sello y os protegéis así del asalto de las fuerzas del mal?

Las estrellas brillaban. Tras partir los insectos para sembrar a lo lejos la desolación, el cielo había recuperado su pureza y su anchura. En el silencio de la noche cantaba una tibia brisa.

–Seguid vuestro camino, majestad; yo seguiré el mío.

–¿Y no se reúnen?

–Se cruzan durante los años en que esta obra permanezca. Luego, se separarán.

–En Egipto, el faraón otorga a sus íntimos la vida, la salud y la fuerza. Lo mismo ocurre conmigo. ¿Por qué rechazáis esos dones?

–No soy uno de vuestros súbditos, sino un nómada que cumplirá su palabra. En cuanto el edificio esté concluido, se habrá cumplido y partiré. No quiero deberos nada. Gobernad vuestro país. Yo reino en mi obra.

Salomón no insistió. Había debilitado al arquitecto sin conseguir someterlo.

–No olvidéis que vuestra obra forma parte de mi reino.

–No olvidéis a los hombres, majestad. Aprendices, compañeros y maestros dependen de una sola autoridad: la mía. Sin esta jerarquía, el templo no verá la luz.

Capítulo 34

Para facilitar el paso de carretas y narrias cargadas de piedras talladas, Hiram había hecho destruir unas vetustas casas, ampliar calles demasiado estrechas. Rompiendo el dédalo de la ciudad alta, había creado una vasta perspectiva que daba al palacio de Salomón, dominando la antigua ciudad de David.

Cuando los trabajos estuvieron lo bastante adelantados, el maestro de obras condujo al rey y la reina de Israel al paraje. La austera roca había cambiado mucho. Un tramo de peldaño conducía a una explanada. En el ángulo norte se erguían los muros del futuro tesoro, en el ángulo oriental los de las salas del trono y del juicio. Era preciso flanquear los muros de esta última para descubrir el palacio, cuyas numerosas estancias se levantaban en torno a un patio interior al aire libre. Los soberanos contemplaron los enormes cimientos y los bloques de cinco metros de altura, pulidos como mármol. Nagsara pasó la mano por las piedras, las consideró tan perfectas como el granito trabajado por los escultores egipcios. Hiram y sus artesanos habían realizado un auténtico prodigio, uniendo solidez y finura. Los apartamentos del monarca y de su esposa, casi terminados, estaban ya adornados con madera. Las vigas de cedro de los techos se elevaban a más de seis metros, dando una impresión de grandeza. Según la tradición, Hiram había separado la alcoba del rey de la de la reina, así como sus anexos, cuartos de baño, retretes, despachos, recibidores, vestíbulos. La pared norte del palacio le pareció a Salomón mucho más gruesa que las demás. El maestro de obras le explicó que sería medianera con el templo. En el centro abriría una puerta que comunicaría la casa del rey y la de Dios.

Salomón permaneció frío y reservado. No quería manifestar el inmenso orgullo que le dominaba. Jamás un rey de Israel había vivido en palacio más espléndido, al que se añadirían salas para banquetes y conciertos, los aposentos de las concubinas, funcionarios, servidores y guardias. Hiram había concebido un dispositivo tan armonioso como confortable.

—Viviremos aquí a partir del mes que viene —decidió Salomón.

—Los ruidos de las obras... —objetó Nagsara.

—Serán agradables a nuestros oídos. No habrá ya otra morada para el rey de Israel. Que el maestro de obras apresure la conclusión de las estancias principales.

Hiram, sonriente, se inclinó.

Los deseos de Salomón se vieron satisfechos. Los compañeros trabajaron sin descanso en el interior del palacio, bajo la atenta vigilancia de Hiram. Los maestros encuadraban a los aprendices, compañeros y jornaleros, tanto en Eziongeber como en Jerusalén, tanto en las forjas como en las canteras, para que prosiguiera la producción de útiles, especialmente cinceles de cobre que se gastaban muy deprisa y piedras talladas de acuerdo con las instrucciones del maestro de obras, antes de ser numeradas y colocadas en los almacenes. Jeroboam organizaba el trabajo forzoso sin rezongar. Aunque sus relaciones con los maestros fueran distantes, atendía sus peticiones.

Los carpinteros de Hiram habían fabricado un admirable mobiliario para la pareja real. Lechos, tronos, sillas, mesas, cofres de cedro, olivo o acacia, la mayoría recubiertos de láminas de oro. Pedestales de bronce aguantaban antorchas de distinto tamaño, destinadas a dar una luz más o menos intensa según el lugar que iluminaban. La circulación de aire se lograba gracias a una ingeniosa distribución de las ventanas, fáciles de ocultar durante los períodos fríos.

Pese a la insistencia del mayordomo de palacio, encargado del protocolo, Salomón no aceptó inauguración oficial alguna antes de la consagración del templo. En tres años, maestre Hiram había conseguido lo más fácil: edificar la residencia real. Una etapa brillante, ciertamente, aunque muy alejada de la meta.

Cuando la reina ocupó por primera vez el ala que le habían reservado, el rey aceptó su invitación a cenar. La joven, que entraba en su vigésimo año, se había vestido a la egipcia: túnica de lino transparente con tirantes, que dejaba los pechos al descubierto, pectoral de oro, cornalina y lapislázuli; brazaletes de oro en muñecas y tobillos. Los cabellos habían sido trenzados y perfumados, le habían enrojecido los labios y ennegrecido las cejas. ¡Qué seductora era aquella extranjera cuya pasión se revelaba en cada mirada! ¡Cómo se ofrecía en cada uno de sus graciosos gestos, en su febril aliento!

Salomón desdeñó la cena. La desnudó con lentitud y le hizo el amor con tanto fervor y ternura que la joven vibró con todo su ser, como una lira bajo los dedos de un músico inspirado.

Cuando Nagsara se durmió, ahíta de goce, Salomón la contempló. Desnuda, abandonada, era pura armonía pese a la extraña marca que adornaba su pecho, aquellas letras del más allá que formaban el nombre de Hiram.

Salomón sintió en la boca un gusto a ceniza.

No podía mentirse a sí mismo.

Ya no amaba a Nagsara.

Hiram respondió con reticencia al mensaje de la reina rogándole que fuera a examinar su sala de recepción. Al hallarse en dificultades con el transporte de los materiales provenientes de las canteras, al arquitecto no le interesaba escuchar los caprichos de una soberana.

En cuanto Hiram llegó, la reina se quejó de la mala calidad de algunas maderas y de una silla de tijera mal terminada. Enojado, Hiram realizó sin embargo un atento examen.

–¿Os estáis burlando de mí, majestad? No veo defecto alguno.

–Y vos, maestre Hiram, ¿por qué mentís?

Un helado furor encendió la mirada del acusado.

–No permitiré que nadie me injurie de este modo. Vuestro rango no os autoriza a ser injusta.

–Si sois tan inocente como pretendéis, explicadme por qué el plano de este palacio se parece tanto al de Tanis, por qué las técnicas empleadas son tan parecidas a las de los arquitectos egipcios, por qué, en estos muros, me siento de regreso a mi país.

Hiram aguantó la mirada de Nagsara, pero permaneció mudo.

–Me habéis salvado dos veces la vida e ignoro quién sois. Afirmáis que nacisteis en Tiro. Lo dudo. Habéis vivido en Egipto. En vos, todo me recuerda el comportamiento de los arquitectos de mi padre, aquellos hombres de alta frente y severo aspecto que, a veces, parecen estar tan lejos de este mundo. Confesad, os lo ordeno.

Hiram se cruzó de brazos.

–Por fin comprendo por qué vuestro nombre está grabado en mi carne. Pertenecemos a la misma raza, nacimos en la misma tierra. Sois un exiliado, como yo. Los dioses me ordenan que me acerque a vos, como si fuerais la clave de mi felicidad. Pero amo a Salomón... Sólo él es mi vida. Quiero destruir esta inscripción que une nuestros destinos, maestre Hiram. La odio y os detesto. Sólo queda una solución para borrar el maleficio que impide a Salomón sentir por mí una creciente pasión: vuestra marcha. Salid de Israel. El palacio está terminado. Habéis cumplido vuestro contrato. En cuanto estéis lejos de aquí, vuestro nombre desaparecerá de mi pecho. Mi piel se verá purificada. Sois el genio maligno que destruye mi alegría. Marchaos, os lo suplico. Marchaos y callaré lo que he descubierto.

–No temo nada de lo que podáis divulgar –declaró el arquitecto–. Vuestra imaginación está enferma. Juré construir un templo y cumpliré mi palabra. Luego, me marcharé.

–¿Cuánto tiempo falta todavía...?

–Varios años.

—¡Es imposible! ¡El maleficio habrá matado el amor de Salomón!

Nagsara se arrojó a los pies de Hiram.

—Os lo suplico..., no me hagáis sufrir más. Regresad a vuestro país.

Hiram levantó a la reina.

—La palabra dada se cumple, majestad.

—No me comprendéis... Esta marca, vuestro nombre... ¡No puedo soportarlo ya!

El arquitecto volvió la espalda a Nagsara. No la vio enarbolar un puñal y lanzarse sobre él, pero advirtió el peligro como una bestia salvaje.

Con el antebrazo, detuvo el ataque y desvió la trayectoria del arma. Nagsara soltó el puñal y retrocedió varios pasos.

—Salid de Jerusalén u os mataré —prometió.

Un viento invernal barría la roca desde hacía varios días y varias noches. Sin embargo, la pareja real permaneció en su nuevo palacio, decorado ahora con azulejos. Los braseros proporcionaban una suave calidez.

Violentas lluvias sucedieron al viento. Provocaron corrimientos de tierra que sorprendieron a los ganaderos, acostumbrados a permitir que sus rebaños pacieran en la cima de las colinas. Torrentes y uadis se llenaron de furiosas aguas que corrían por las pendientes.

Una crecida anegó el campamento de tiendas de los obreros que residían en Jerusalén, otra las fundiciones junto al Jordán. Algunos hombres se ahogaron. Entre los obreros en el trabajo forzoso, se contó un centenar de víctimas. Jeroboam se declaró incapaz de luchar contra la catástrofe. Hizo a Hiram responsable de ella. El maestro de obras no lo eludió. Organizó los socorros ayudado por Salomón.

Útiles y piedras talladas habían sufrido daños. La principal cantera, inundada, sería inutilizable durante varias semanas. Los caminos de tierra, desbordados por las aguas, impedían circular a los vehículos. Algunas regiones se hacían inaccesibles.

Sadoq y los sacerdotes profetizaban el fin de los trabajos. El pueblo comenzaba a murmurar contra maestre Hiram. El entusiasmo de los primeros años se debilitaba. El templo se convertía en un objetivo utópico. La roca era ahora ocupada por el palacio real. Salomón había afirmado su prestigio. ¿Qué más querían?

Ayudado por los maestros, Hiram encendió unos fuegos de campamento a cuyo alrededor se reunieron los obreros. La administración real procuró que no les faltara alimento ni ropa. El rey y el maestro de obras unieron sus esfuerzos.

El verbo de Hiram fue un arma eficaz; con su ardor y su fuerza de convicción, persuadió a su cofradía de que la cantera no sería abandonada y de que el plan de obra se cumpliría hasta el final.

Salomón hizo las mismas declaraciones ante el consejo de la Corona. El pueblo supo que la voluntad del rey era inflexible.

Cuando reapareció el sol, las aguas retrocedieron. Prosiguió el trabajo. Ninguno de los hebreos curados por la imposición del sello de Salomón había perecido. La vuelta del buen tiempo se atribuyó a Salomón, cuya sabiduría había sido reconocida por Dios.

Capítulo 35

El carácter de Hiram fue ensombreciéndose. No le importaba que la belleza del palacio sirviera a la gloria de Salomón y no a la suya. Pero la edificación del templo se hacía cada vez más difícil, prolongando por lo tanto la duración del exilio. Los hombres del trabajo forzoso se quejaban. Jeroboam se expresaba en su nombre: deploraba las míseras condiciones de existencia cuyo único responsable era Hiram. Para calmar la naciente cólera, Salomón se había visto obligado a aumentar la paga, vaciando sus arcas con más rapidez de la esperada. Algunos aprendices habían accedido al grado de compañero. Pero ningún compañero había llegado a maestro. Los nueve elegidos de Hiram formaban el núcleo de la cofradía y permanecían mudos sobre los secretos que detentaban. Respondían al unísono a los compañeros que solicitaban un ascenso y mejor salario, que no tenían poder de decisión. Sólo Hiram, si lo consideraba oportuno, podía elevar un compañero al magisterio. Un aprendiz impaciente, que se había permitido insultar al maestro de obras, fue devuelto a su aldea. La sanción se consideró severa, pero nadie la discutió.

Hiram se permitía sólo un placer: largos paseos por la campiña con su perro, algunas horas por semana. Olvidaba las preocupaciones cotidianas, soñaba en una libertad perdida, pensaba en los paisajes de Egipto. Comulgaba con el sol y el aire, creía aislarse de aquella labor en la que se escapaba su vida. Se permitía la ilusión de ser un viajero que partía hacia su tierra natal.

En aquella ocasión, al paseo le faltaba sabor, parecía una comida sin sal. La ejecución del plan de obra no satisfacía las exigencias del arquitecto. Los tiempos de descanso eran demasiado prolongados. Los obreros se relajaban. Pese a los alegres saltos de su perro y al esplendor de una naturaleza que despertaba a la primavera, Hiram no dejó de pensar en una nueva organización del trabajo. Al día siguiente doblaría los equipos utilizando los efectivos del trabajo forzoso.

Caleb, como cada víspera de sabbat, limpió la sala subterránea donde se había instalado maestre Hiram. Había llenado de aceite las lámparas y depositado en una piedra un plato de habas, galletas e higos. La tradición obliga, el día del reposo sagrado, a no cocinar y comer frío.

—¿Otra vez sabbat? —protestó Hiram, que acababa de tomar un baño.

Al día siguiente, estaría prohibido lavarse.

—Es nuestra tradición más sagrada —indicó el cojo—. La hemos observado de generación en generación. ¿Acaso el propio Dios no descansó el séptimo día, tras haber terminado la creación?

—Yo no he terminado la mía. Estos días perdidos afectan mi plan de trabajo.

Caleb consideró inadmisible la actitud del maestro de obras.

—¡Tenemos que recuperar el aliento! ¿Olvidáis que el primer hombre nació a comienzos del primer sabbat? ¿Ignoráis que nuestro pueblo consiguió salir de Egipto el día del sabbat? No respetarlo sería una falta muy grave. Príncipe, no estaréis pensando en...

—Barre, Caleb.

Unos carpinteros, ayudados por algunos jornaleros, depositaron en tierra un gigantesco tronco de árbol. Comenzó enseguida el desramado. Hiram dio órdenes secas e imprecisas. Sólo quedaba algo más de una hora antes de que comenzara el sabbat. Hiram observaba el cielo. Aguardaba con impaciencia el momento en que los hombres quedarían liberados del trabajo. Cuando las tres primeras estrellas aparecieron en el crepúsculo, el sabbat comenzó a brillar. Sonó por primera vez la trompeta, indicando a los trabajadores que dejaran su actividad. Los jornaleros se plegaron enseguida a la costumbre. Cuando resonó el segundo toque, los comerciantes cerraron sus tiendas. Al tercero, se encendió una lámpara ante cada morada, símbolo de la presencia divina que manifestaba en el reposo de las almas. Cenarían dentro de poco. En el menú figuraban vino y sustancias aromáticas, todo ello tres veces bendecido.

Uno de los compañeros carpinteros, de acuerdo con la regla promulgada con maestre Hiram, recogió las ramas cortadas. Al finalizar el trabajo, la obra debía estar limpia.

Furioso, Jeroboam tomó una piedra y la arrojó a la cabeza del compañero. Éste se derrumbó. Su sangre enrojeció la tierra.

–¡Ha violado el sabbat! –aulló el gigante pelirrojo–. ¡Merecía la muerte!

Los obreros se interpusieron entre su jefe e Hiram.

En las familias se levantaban las plegarias de paz.

Salomón, pese a la insistencia de Hiram, no había aceptado reunir su tribunal. De acuerdo con numerosos testigos, la infeliz víctima había cometido un pecado tan grave que la cólera divina había caído enseguida sobre ella. Jeroboam sólo había sido el brazo de Yahvé. ¿Quién podía atreverse a castigarlo?

Frente al rey, el arquitecto no ocultó su cólera.

–Fiestas religiosas, descansos sagrados, ritos inflexibles... ¿Justifican para vos el asesinato de un inocente?

–Era culpable –repuso Salomón–. El sabbat es el momento sagrado en el que Dios prepara, con el reposo, una nueva creación del mundo. Es anterior a la ley de Israel y la justifica. Quien no la respeta, sabe a lo que se expone.

–Ese compañero obedecía la regla de la obra.

–No puede ser contraria a la de Israel. Vos sois el responsable de esta tragedia, Hiram.

El arquitecto caminaba por las avenidas desiertas a orillas del Jordán. Los ojos estaban fríos, apagados desde hacía una semana. El trabajo forzoso había sido suspendido. Los obreros, refugiados en las tiendas, jugaban a los dados. En la roca de Jerusalén había cesado la actividad de los constructores. El palacio real presidía, soberbio y huraño.

La acusación hecha por Jeroboam había sido anotada por el secretario Elihap y desembocaría en un proceso. ¿No había maestre Hiram, según los fieles creyentes, despreciado el sabbat, pisoteado los galones más altos de Israel? ¿No era más culpable que el compañero lapidado?

El sumo sacerdote había apoyado la queja de Jeroboam, de modo que Salomón se vio obligado a presidir un tribunal de justicia. ¿Cómo dudar del resultado? Hiram había cerrado las obras. Había anunciado a los maestros que su empresa iba directa al fracaso. Si el maestro de obras era condenado, ni aprendiz ni compañero alguno aceptaría otra autoridad. Pero el arquitecto exigía que ninguna revuelta turbara el orden impuesto por Salomón.

Con la entrada de la alcoba subterránea custodiada por Caleb y *Anup*, y la del taller del trazo guardada por los maestros, Hiram se había retirado a la soledad de aquellos lugares que había aprendido a amar, aquellos lugares animados antaño por gritos, cantos y palabras de aliento. El vacío le sentaba mal.

Sólo la voz de los instrumentos los hacía hermosos. Sin ella, sólo quedaban las huellas del sufrimiento de los hombres, de sus esfuerzos hacia la perfección.

Hiram no aceptaba que la suerte le contrariara. Un maestro salido de la Casa de la Vida se hacía indigno de su cargo si renunciaba a la obra. Fueran cuales fuesen las circunstancias y los obstáculos, sólo se culpaba a sí mismo.

Había sido estúpido, incapaz de desmontar las artimañas de Salomón que una vez concluido el palacio, había encontrado el medio de desembarazarse de un arquitecto molesto.

Cambiar su destino... Sí, un adepto egipcio, iniciado en los misterios, podía hacerlo. Utilizaba aquella forma inmortal del espíritu sobre la que ningún acontecimiento tenía poder. Orientaría de otro modo el espejo de su ser y los rayos del sol lo golpearían desde otro ángulo. Así se modificaba el curso de una existencia. Pero Hiram no abandonaría el camino que se había trazado ante él y a su pesar. Más allá de la orden del faraón y de la voluntad de Salomón, estaba el desafío que el propio Hiram se había lanzado. Le habría gustado ver nacer aquel templo para encarnar en él la sabiduría que le había sido transmitida y dar pruebas de su arte en el corazón de la enfermedad.

Y ahora el rito del sabbat y la intervención de rencorosos personajes le reducía a la impotencia, al silencio definitivo incluso. Al menos, no tendrían la satisfacción de verle huir.

Hiram se preparaba para comparecer ante el tribunal de Salomón cuando Caleb, alegre, le entregó un cordero.

–¡Mirad, príncipe!, todavía está caliente... Acaba de morir. Dios nos lo ofrece. Tendríamos que marcarlo con tinta roja, en un lugar poco visible. Pero ¿por qué?

–¡Os digo que es un don del cielo! Marcadlo, yo me encargaré del resto. Limitaos a seguir vivo.

Caleb se negó a explicarse. Cumplido su deseo, corrió hacia un destino que sólo él conocía, estrechando en sus brazos el despojo como si se tratara de un inestimable tesoro.

Salomón celebraba audiencia en el antiguo palacio de David. Recibir a Hiram en el nuevo pórtico del juicio era imposible. En realidad, el lugar sólo existiría tras la inauguración del templo.

El templo... ¿Quién lo construiría tras la condena del arquitecto? ¿Cómo se comportaría la cofradía que le había dado su confianza? Pero Hiram había transgredido la ley. Salomón no podía absolverle sin renegar del orden sagrado que daba vida a Israel. ¿No ocurría lo mismo en el país de la sabiduría, en aquel Egipto donde la ley divina, Maat, era la base intangible de la civilización?

El rey estaba obligado a juzgar y castigar a un maestro de obras excepcional sin el cual el santuario de Yahvé nunca pasaría de ser un proyecto. La regla de vida que debía preservar le obligaba a destruir la obra que daba sentido a su reinado. Prisionero de su propio trono, implacable adversario de quien debiera ser su amigo, Salomón se sentía abandonado por la sabiduría. ¿En qué desierto, en qué inaccesible barranco se había refugiado? ¿Por qué huía de él? ¿No estaría alejándose, segundo a segundo, de Jerusalén para ir a la tierra de los faraones?

El sumo sacerdote estaba a punto de vencer al rey. Eliminado Hiram; Salomón se refugiaría en su palacio de la roca, creyendo dominar a un pueblo del que se separaría cada vez más.

Junto al trono estaba Sadoq. Vestido ritualmente, el sumo sacerdote mostraba de modo ostensible el rollo de la ley. Recordaba la importancia del sabbat. En nombre del respeto a la religión, exigiría la lapidación de Hiram, culpable de sacrilegio y de subversión. Salomón no podría mostrar clemencia alguna. El arquitecto pagaría con su vida la muerte de un compañero que había cometido el error de obedecer sus órdenes.

Sadoq había convocado a los dignatarios civiles y religiosos que componían una numerosa concurrencia, animado por el deseo de venganza contra un maestro de obras extranjero que no había cesado de desdeñarle. Ninguna sabiduría ayudaría a su real protector.

Hiram se dirigió a la sala del juicio. No pensaba en un resultado que conocía de antemano, sino en el compañero ejecutado ante sus ojos.

El maestro de obras llevaba un vestido blanco. En el pecho, un pectoral de oro. En su mano derecha, el bastón que simbolizaba su autoridad en la cofradía.

El mayordomo de palacio, con la llave al hombro, introdujo al acusado en el tribunal.

En cuanto apareció Hiram, unos suspiros de asombro brotaron de todos los pechos. Sadoq cambió de rostro. Pálido, con los labios prietos, comprendió que el arquitecto gozaba de una gracia sobrenatural. Como él, todos lo presentes veían materializarse en la persona de Hiram al constructor de los orígenes anunciado por la Tradición[1].

Salomón, radiante, supo que la sabiduría no le había abandonado.

–Mirad bien a ese arquitecto –ordenó–. Nadie puede juzgarle. Él lleva el bastón con el que el constructor llegado del cielo midió el futuro templo. Maestre Hiram ejecuta la palabra de Yahvé. Detenta el instrumento de su creación.

Llenando el umbral con su presencia, el arquitecto blandió el bastón profético. Todos se inclinaron, salvo Salomón.

---

1. Figura mítica conocida en toda la tradición del Próximo Oriente. De origen egipcio, fue evocada por el profeta Ezequiel.

Capítulo 36

Salomón volvió a leer los informes de Elihap, llenos de columnas de cifras. Las sumas no mentían. Los cofres se vaciaban con mayor rapidez de la prevista. En menos de un año, el tesoro real se habría agotado y el templo estaría muy lejos de haberse terminado. ¿No se rebelaría el pueblo, si lo supiera? Era preciso degollar a quien no dejaría de dividir al país y revitalizaría las antiguas facciones. La ocasión que se le ofrecía era un regalo de Dios. De ese modo, Salomón se dirigió a la capilla donde el sumo sacerdote acababa de celebrar el oficio matinal. Sadoq se sorprendió. Nunca el rey le había hecho semejante visita. ¿Comprendía por fin que la soberanía no podía ejercerse sin compartirla y que debía prestar acatamiento al clero?

El monarca se sentó en un banco de piedra. Sadoq se sentó a su derecha.

—¿Conoces los deberes de un sumo sacerdote, Sadoq?

—Naturalmente, majestad.

—Por lo tanto, no te has casado con una viuda.

—¡Claro que no!

—¿Ni con una divorciada?

—Majestad...

—¿Ni con una antigua prostituta?

—Majestad, bien sabéis que soy viudo y que no he vuelto a tomar mujer.

—Muy bien, Sadoq. Tampoco has recortado las puntas de tu barba.

—¡Dios me libre! Sería una falta imperdonable.

—Igual que beber vino antes de los oficios.

Sadoq se sintió inquieto.

—¿Habéis venido a hablarme de las prescripciones rituales concernientes a mi función?

—De una de ellas en especial. ¿Ignoras que te está prohibido comer una bestia muerta que no haya sido abatida por el cuchillo del sacrificador?

—Ésa sería una culpable ignorancia.

—Ayer consumiste un cordero impuro.

—¡Es imposible, majestad!

—Tengo una prueba y un testigo —afirmó Salomón—. Has sido imprudente.

El rey no citó a Caleb el cojo, que había tendido una trampa al sumo sacerdote tras haber informado a Salomón.

Sadoq inclinó la cabeza. El monarca no acusaba a la ligera. El sumo sacerdote podía ser destituido del modo más infamante. La reputación de su linaje quedaría mancillada para siempre.

—Pero acepto ser indulgente —dijo Salomón—. Siempre que te encierres en esta capilla y no pronuncies ni una sola palabra más contra maestre Hiram. Deja de oponerte a la construcción del templo.

En la roca, maestros y compañeros habían vuelto al trabajo, guiados por el plano de la obra desenrollado en el suelo de un nuevo taller construido para albergarlo. Los maestros descifraban las cotas inscritas por maestre Hiram que, cada mañana, revelaba las proporciones que permitían pasar del plano al volumen, de la abstracción a la realidad.

Cuando el arquitecto abandonó definitivamente la sala subterránea para instalarse en la obra y dormir junto al plano, Salomón lo convocó a palacio.

Jóvenes sirvientas de esbelto cuerpo ofrecieron copas de vino fresco y deliciosos dátiles.

El arquitecto se negó a sentarse.

–No es momento para recepciones, majestad. Voy muy retrasado.

–Y podéis retrasaros más si os negáis a escucharme.

–¿Nuevos obstáculos?

–El templo es una obra inmensa. La economía de Israel está a su servicio. El esfuerzo que el pueblo ha aceptado se adecua a la empresa y a su esperanza. Sin embargo...

–Sin embargo, los meses pasan deprisa y el tesoro real se está agotando –dijo Hiram.

Salomón había contado con la perspicacia del arquitecto. De su decisión dependería el porvenir del santuario.

–Un rey no puede rebajarse a pedir ayuda a un servidor –prosiguió maestre–. Sobre todo un rey con reputación de ser un sabio. Apuntasteis muy alto, majestad. Israel no era lo bastante rico como para transformar esa roca en morada de Dios.

Salomón sintió deseos de matar a Hiram, de acallar su orgullo y su arrogancia. El soberano no iría más lejos por el camino de la humillación.

–Sólo me gusta la grandeza –confió Hiram–. Vuestra aventura se ha hecho mía. Recurriré una vez más al primer ministro de la reina de Saba. Que los campos de Israel produzcan mucho trigo y, de nuevo, obtendréis oro.

Cuando el oro de Saba llegó al puerto de Eziongeber, marinos, soldados y descargadores corearon el nombre de Salomón.

¿Acaso no había obtenido los favores de la reina de inagotables tesoros? ¿No la había convencido de que tratara a Israel como un aliado privilegiado? Muchos soberanos habían fracasado. El éxito de Salomón se debía a la sabiduría, siempre presente a su lado. ¿No inspiraba su pensamiento, no le dictaba su conducta?

Maestre Hiram silenciaba su intervención, dejando la gloria a Salomón.

La nueva deuda contraída por el rey de Israel le ponía de mal humor. El maestro de obras no cedía ni una pulgada de terreno.

Sin embargo, habría podido obtener más evidente ventaja del prestigio que se le reconocía. Los sacerdotes habían abandonado sus ataques. El pueblo le temía. Algunos altos funcionarios deseaban que se le atribuyera el título de intendente general. Pero Hiram no aparecía en palacio. Permanecía encerrado en las obras del templo.

Aquella actitud intrigaba a Salomón. No creía que al arquitecto le fueran indiferentes los asuntos humanos. A la cabeza de una severa jerarquía, rodeado de un gobierno de maestros que proclamaban su absoluta fidelidad, Hiram tenía un lugar cada vez más relevante en el corazón del Estado hebreo.

¿No sería por voluntad del maestro de obras que la construcción del templo fuera tan lenta y los trabajos sufrieran las trabas del retraso? ¿No habría Hiram elegido convertir su saber de constructor en un creciente poder que pronto le haría aparecer como el indispensable consejero de Salomón?

La llegada de Nagsara no tranquilizó al rey. Desde hacía más de un mes no había hablado con ella. Obtenía con sus concubinas, dóciles y silenciosas, el placer que necesitaba.

La joven reina, de temperamento celoso y exclusivo, no toleraría más aquella situación. Escuchar sus recriminaciones le parecería a Salomón inaguantable. ¿Le obligaría a repudiarla? Nagsara sonreía, floreciente. Se acurrucó a los pies del rey, abrazando tiernamente sus piernas.

–Mi amor es inmenso como el mar, mi deseo de haceros feliz inagotable como las olas –afirmó–. Estoy en condiciones de daros la felicidad que esperáis de mí.

–Queréis decir que...

–¡Mi vientre lleva un hijo vuestro, oh amado mío!

Salomón levantó a la reina y la tomó en sus brazos. Los hijos nacidos de las concubinas sólo serían príncipes sin papel dinástico. El hijo de la reina de Israel sería su sucesor legítimo, el hijo concebido por el rey de Israel y una hija del faraón. Gracias a él, la política de paz sería duradera. Salomón transmitiría a aquel niño su experiencia, su visión y su magia. Le enseñaría a reinar, le instalaría en un trono sólido, ilustre y próspero, le trazaría el camino de un imperio luminoso.

Un imperio en el que dos países hermanos, Israel y Egipto, se repartirían el mundo. El templo era necesario, más que nunca. Así, el nombre de Salomón y el de su hijo resplandecerían por los siglos de los siglos.

Hiram trabajaba con los maestros hasta muy tarde. El edificio iba tomando cuerpo en sus mentes. Sus proporciones vivían ya en manos de los artesanos. La exaltación dominaba los corazones, y el maestro de obras la calmaba. Excluía la precipitación que llevaría a una construcción viciada, exigía lentitud y prudencia. Insistía en el menor detalle, rectificaba proyectos que parecían perfectos.

Cuando los ojos de los agotados maestros se cerraban, les despedía. Mientras Caleb limpiaba el taller, el arquitecto se sentaba en el extremo de la roca. Con el perro acurrucado a su lado, meditaba en el silencio de la noche.

¿Por qué había ayudado a Salomón? Si la financiación del templo se hubiera interrumpido, Hiram habría salido de Israel y regresado a Egipto. Pero se había enamorado de su obra. El santuario no sería de Yahvé, sino suyo propio.

Imprimiría en él la marca y el genio del antiguo Egipto, transcribiría en una forma nueva la eterna sabiduría.

Hiram había caído en sus propias redes. No servía a un hombre. ni a un rey sino a un ser de piedra al que ofrecía su ciencia y su vida.

La cofradía se mostraba obediente y eficaz. Pacientemente constituida a lo largo de los años, habría podido rivalizar con uno de aquellos poderosos cuerpos de Estado que creaba la Casa de la Vida para construir las mansiones de los dioses. Casi sin advertirlo, Hiram se había comportado como un arquitecto de Tanis o de Karnak a quien el faraón hubiera encargado llevar un programa de grandes obras. El faraón... ¿Por qué se le parecía tanto Salomón?

Capítulo 37

La parte norte del barrio bajo de la ciudad vieja era una madriguera de gente de paso, bandidos de poca monta y traficantes. Respetando su propia ley, procuraban no violar la de Salomón. De este modo, la policía real evitaba las sórdidas callejas de nauseabundos hedores donde, de madrugada, yacía a veces algún cadáver que un discreto servicio de orden hacía desaparecer enseguida.

Salomón se había negado a demoler aquel mísero enclave. Prefería un absceso de fijación a una difusión de las fuerzas del mal por el conjunto de Jerusalén. Así los controlaba con el mínimo esfuerzo.

Elihap, su secretario, no estaba tan tranquilo. Con la cabeza cubierta por un velo marrón, vistiendo una túnica polvorienta, había conseguido parecerse a los habituales de aquel lugar de mala fama. Gracias a las precisas informaciones que Jeroboam le había dado, encontró fácilmente la casa donde le aguardaba el jefe de los trabajos. Empujó una carcomida puerta y bajó por una escalera de gastados y enmohecidos peldaños. Llegó así a un sótano débilmente iluminado donde le recibió el gigante pelirrojo.

–Bienvenido, Elihap, no te equivocas concediéndome tu confianza.

–¿Por qué me has citado aquí?

–Actúo por orden de quien quiere salvar Israel.

Tomando una antorcha cuya humareda ennegrecía el húmedo techo del subterráneo, Jeroboam iluminó la esquina donde se hallaba un flaco personaje cuya barba no tenía los extremos recortados.

–Sumo sacerdote..., sois vos...

–No eres un amigo, Elihap –dijo Sadoq–. Aunque seas un egipcio, te has convertido en uno de los nuestros. Sé que no apruebas ya las decisiones del rey Salomón. Como nosotros, debes actuar y velar por la felicidad del pueblo que el rey está poniendo en peligro.

Elihap tenía miedo. Se veía arrastrado, a su pesar, a una conspiración de la que se convertía en miembro forzoso. Jeroboam no le dejaría salir vivo de aquel sótano si se oponía a los designios del sumo sacerdote. El secretario se sentía culpable al traicionar a un rey que le había salvado de la desgracia y, luego, elevado a una envidiable dignidad. Pese al riesgo corrido, habría debido defenderle, demostrar a los facciosos que se equivocaban, convencerles de que permanecieran fieles a Salomón. Pero Elihap no tenía vocación de guerrero. Sólo tenía una vida. Su poderoso protector cedería fatalmente ante la adversidad y la creciente oposición a su política. ¿No debía el secretario preparar el porvenir, su porvenir? ¿No tenía razón Sadoq al intervenir en aquel turbulento período, cuando el monarca veía su poder disminuido por un maestro de obras extranjero? ¿No intentaba Hiram, también él, derribar el trono para imponer el reinado de su cofradía? No oponerse habría sido un acto criminal.

–Os apruebo –declaró Elihap.

El sumo sacerdote abrazó al secretario de Salomón, concediéndole así la más significativa prueba de amistad.

–Eres un hombre valeroso –dijo Sadoq–. Contigo reconstruiremos Israel.

–¿Cuál es la propuesta de Banaias?

–El general es un ser simple. Sólo conoce el manejo de la espada. Nuestra acción debe permanecer secreta, nuestro rostro indescifrable. Ponerle demasiado pronto al corriente de nuestros proyectos sería un error. Pero está con nosotros de corazón y nos obedecerá cuando llegue el momento.

Jeroboam exultaba. Ante él se abría un glorioso camino. Mañana, sería rey de Israel y jefe de sus tropas. El viejo Banaias sería enviado a una residencia de provincia para terminar allí sus días; Sadoq recluido en la antigua capilla de David; Elihap, condenado por alta traición. Él, Jeroboam, dispondría de un poder absoluto para crear el mayor ejército que Israel hubiera tenido nunca. Se apoderaría de Tiro y de Biblos, luego atacaría las fronteras del Delta egipcio, exterminaría a las tropas del faraón y entraría, victorioso, en la orgullosa ciudad de Tanis.

Gracias a Elihap, conocería el funcionamiento de la administración de Salomón como si él mismo dirigiera el Estado. Espiar al rey en su mismo palacio le impediría que pudieran cogerle desprevenido. Sólo un obstáculo a superar: Hiram y su cofradía.

–¿Cómo pensáis actuar? –preguntó Elihap.

–Nos mantendrás informados de las intenciones de Salomón –repuso Sadoq.

–Vigila sus relaciones con Hiram –añadió Jeroboam–. Queremos quebrar su nefasto entendimiento.

–Su entendimiento... –repitió el secretario, dubitativo–. ¿Es ésta la palabra adecuada? A veces tengo la sensación de que están unidos como hermanos de sangre y que nada romperá su amistad. Sin duda es sólo una ilusión. Salomón detesta a Hiram. Su fama le hace sombra. ¿Cómo se librará de él cuando el templo esté edificado? Pese a los rumores, que él mismo debe originar, todos sabemos que el maestro de obras no abandonará Jerusalén tras haber realizado su obra. Su prestigio será entonces igual, al menos, que el de Salomón y deseará disfrutarlo.

–Por eso impediremos el nacimiento de ese inútil santuario –afirmó Sadoq–. Salomón nos lo agradecerá.

–Y nos odiará por haber arruinado el proyecto que debía coronar su reinado –objetó Elihap.

–El rey es un tirano y un loco –afirmó Jeroboam–. Ya no merece gobernar Israel.

–Impedir la construcción del templo... ¿Quién será capaz de hacerlo?

–Yo –repuso Jeroboam.

Los dos obreros se acercaron, inclinados, a la entrada de la obra. Sólo podían penetrar allí los miembros de la cofradía. Los cimientos del templo estaban terminándose e Hiram no admitía ya a ningún profano. Quienes participarían en la elevación del plano habían prestado juramento de fidelidad al maestro de obras y habían prometido guardar secreto sobre lo que vieran y oyeran. Su iniciación en los misterios del trazo les permitiría manejar piedras con amor y colocarlas con rectitud en el edificio.

Hiram daba cuentas del regular proceso de la obra, pero se negaba a revelar las técnicas utilizadas. Cada vez más sombrío, el arquitecto espaciaba sus breves entrevistas con el monarca. El trabajo le retenía permanentemente en la roca donde, tras las altas empalizadas, el santuario crecía sin cesar.

Los obreros se inmovilizaron. La puerta de la obra estaba vigilada por dos guardianes del umbral, uno en el interior y otro en el exterior. Llegar hasta aquí había sido fácil. Sobornados por Jeroboam, los soldados que impedían tomar el camino que llevaba a la roca habían dejado pasar a los mensajeros del jefe del trabajo. El resto de la expedición sería menos fácil. ¿Hacían rondas los artesanos de Hiram? ¿Había centinelas apostados tras los grandes bloques amontonados junto a la entrada?

Observaron en el azul del crepúsculo. El guardián del umbral, sentado con las piernas encogidas y hecho un ovillo, parecía dormir. Sin detectar nada insólito, los enviados de Jeroboam se levantaron. Uno de ellos se dirigió al centinela. El otro, más retrasado, le había entregado una antorcha encendida en las brasas que contenía un recipiente para fuego.

Sorprendido por el fulgor, el guardián del umbral despertó.

–¿Quién eres, amigo?

–Un jornalero que pide ser admitido en la obra del templo.

–Sigue tu camino. Maestre Hiram ya no contrata a nadie.

Me dijeron lo contrario.

–Te engañaron.

–He aquí una vanidosa cofradía... Quienes detentan secretos son cobardes o conspiradores.

–¡Vete o probarás mi bastón!

–¡Recibe pues tu castigo!

Con el extremo de la antorcha, que manejó como una espada, el jornalero inflamó las ropas del guardián del umbral. Mientras el infeliz pedía socorro y se revolcaba por el suelo aullando de dolor, los dos jornaleros huyeron corriendo.

El atentado había hecho mucho ruido. Las quemaduras graves del guardián del umbral habían sido curadas en palacio por el propio Salomón. El magnetismo del rey, algunos bálsamos procedentes de Sais, la ciudad de los médicos egipcios, y unos emplastos de higos le sanaron. Pese a las investigaciones realizadas por el mayordomo de palacio y el secretario, los dos asesinos no habían podido ser hallados.

Hiram se había opuesto firmemente al establecimiento de un cordón de guardias armados alrededor de la obra. Pese a los riesgos que corrían, los miembros de la cofradía siguieron velando por su propia seguridad.

El rey promulgó un decreto anunciando la inmediata lapidación de quien atentara contra un maestro, un compañero o un aprendiz. Nadie podría llegar a la cima de la roca sin un salvoconducto, una tablilla de madera marcada con el sello de Salomón.

El pueblo murmuró. Todos estimaron que la dependencia del monarca con respecto a Hiram aumentaba de un modo inquietante. ¿No cedía el rey ante cualquier exigencia de su maestro de obras? ¿No se estaba convirtiendo en un juguete entre sus manos? De hecho, Salomón seguía recurriendo a su tesoro para financiar unos trabajos cada vez mas costosos. Hiram rechazaba las piedras que tenían algún defecto, por mínimo que fuera, dislocaba las columnas cuyo torneado no respetara las proporciones justas, derribaba los muros que no correspondían a lo que él había exigido.

Ante la desesperación del rey, actuaba como si dispusiera de toda la eternidad.

En una noche sin viento ni nubes, Hiram reunió a toda la cofradía. En silencio, los constructores observaban al maestro de obras. Con la ayuda de una varilla de cedro que tenía en un extremo un punto de mira, apuntó a la estrella polar. Su brazo tendido se convertía así en el codo de las estrellas. Los cimientos se impregnaban con la inalterable luz del norte. Tomando vida, las piedras no sufrirían los estragos del tiempo.

Aquella noche, el vino corrió a raudales en la obra. Los artesanos intercambiaron sus seguridades y sus esperanzas. Eran conscientes de ser partícipes en una grandiosa aventura. Sólo la voz de Hiram, tan cercana por la fraternidad y tan lejana por la ciencia, les daba una inagotable energía. A la mañana siguiente, olvidando jaqueca y sueño, todos siguieron disponiendo los bien regulados bloques de base y utilizando los taladros con broca de sílex para desbastar las piedras.

Los compañeros las alisaron con mazos de dolerita, procediendo al acabado con cinceles de cobre que golpeaban con martillos de madera. Las hojas, que se gastaban muy pronto, eran aguzadas de nuevo y, luego, los útiles eran reemplazados.

Una orden de Hiram interrumpió el canto de los cinceles. Los artesanos se reunieron a su alrededor. El maestro de obras subió a la más alta hilada del templo, que formaba un peldaño en relación con el zócalo. Tenía a sus pies varias vigas. Colocó una vertical y la sujetó con tres jambas de abeto. Luego, levantó una segunda viga y la fijó perpendicularmente a la primera, de modo que pivotara de arriba abajo. Levantó por fin una tercera viga y la fijó. Anudó unas cuerdas. Dos maestros levantaron un bloque y lo suspendieron al extremo de la viga más cercana al eje. Los otros siete maestros tiraron de las cuerdas, formando un contrapeso que permitió al maestro de obras levantar, sin grandes esfuerzos, el bloque hasta la hilada superior, imaginaria todavía. Bastaría utilizar un madero suplementario, algunas palancas y calces para que las más pesadas piedras se deslizaran con toda seguridad y fueran colocadas en su lugar con gran precisión. Así, ante los admirados ojos de los miembros de su cofradía, Hiram acababa de revelarles una de las técnicas de levantamiento utilizadas por los constructores de las grandes pirámides de Egipto.

Capítulo 38

Hiram enrolló el papiro que contenía el plano del templo. Llevándolo en sus brazos, se dirigió al extremo de la roca, donde se levantaría el Santo de los santos. Luego, pegó fuego a las hojas cosidas unas a otras.

El arquitecto ya no necesitaba el plano. Entre las llamas desaparecían las claves de las proporciones y las medidas que sólo subsistirían en su memoria. El edificio se había convertido en la carne del maestro de obras, en su sustancia. No cometería error alguno al guiar a los maestros y compañeros en el desarrollo del diseño. En adelante, el templo hablaría a través de él. El deseo de crearlo abrasaba como una pasión insaciable. Para seguir viviendo, Hiram debía construir.

En la luz anaranjada que se levantaba hacia el cielo nocturno, el arquitecto distinguió otras llamas. Alguien, a lo lejos, había encendido otro fuego, insólita respuesta al sacrificio llevado a cabo por el maestro de obras. Hiram, intrigado, salió de la obra y siguió a lo largo del muro de palacio. Dominando la ciudad de David, la fuente de Gihón y el valle del Cedrón, descubrió el lugar de donde surgía una hoguera que desprendía un humo negro y nauseabundo. Hiram cruzó la barrera establecida por los soldados de Salomón y caminó hasta el lindero de aquel valle profundo y aislado. Allí, agachados, se encontraban unos mendigos que no parecían incomodados por el hedor a carne quemada.

–No vayáis allí, señor –recomendó uno de ellos–. Es la Gehena, el vertedero de Jerusalén. Ni siquiera los miserables como nosotros se atreven a penetrar ahí.

–Antaño, se mataba a los inocentes para apaciguar la cólera de Moloch –añadió otro–. Hoy, tiran la basura y los cadáveres de animales. Antiguos demonios siguen merodeando por ahí...

–Por la noche, los espectros devoran a quien se aventura por ese vertedero –precisó un tercero.

Los mendigos no bromeaban. Hiram tomó muy en serio su advertencia. Pero una fuerza irresistible le obligaba a explorar la Gehena. Pese a los lamentos de aquellos desgraciados, siguió avanzando.

Era, efectivamente, el infierno. Inmundos desechos y hedores agredían la vista y el olfato. El arquitecto saltó sobre montones de huesos. El fuego brillaba al fondo de aquel valle de desesperación cuyo horror rechazaba la presencia humana. Sin embargo, al pie de las llamas, con el rostro enrojecido, un hombre harapiento reía con demente carcajada.

–¡Impuro! –gritó al ver a Hiram–. Eres un impuro, sólo yo soy puro.

El loco tenía el rostro y las manos cubiertos de tatuajes que representaban a Moloch y otros demonios de ensangrentadas fauces.

–¡No sigas adelante! ¡No tienes derecho!

Por unos instantes, el fulgor iluminó una maciza forma cubierta de inmundicias. El arquitecto se acercó.

–¡Detente! ¡Sólo un ser puro puede tocar esta piedra!

Perdido en plena Gehena, un enorme bloque de granito rosado yacía en el suelo. Hiram pensó en las enseñanzas de su maestro. ¿No se trataba de la piedra caída del cielo, del tesoro ofrecido a los artesanos por el arquitecto de los hombres para que construyeran en ella el santuario de Dios?

El poseído se levantó. Bruscamente, su delirio se apaciguó.

–¡No toques este bloque, maestro de obras! Ninguna fuerza, ni de lo alto ni de abajo, podrá levantarla.

Hiram no atendió aquella orden. Cuando su mano entró en contacto con el granito perfectamente pulido, supo que aquella obra maestra procedía de Egipto. Sólo un adepto de la Casa de la Vida había podido hacer tan lisa aquella superficie negra y rosada.

—Olvídalo —le exhortó el poseído—. ¡Márchate, aléjate de aquí! ¡De lo contrario, tu obra será destruida!

El loco lanzó un aullido que llegó al cielo. De un salto, se arrojó al fuego. Sus harapos se inflamaron, sus cabellos se transformaron en una antorcha. Murió entre carcajadas.

Aterrado, Hiram sintió sin embargo una viva alegría. Acababa de descubrir la piedra angular del templo.

Después de que un centenar de hombres hubieron trazado un camino en las basuras de la Gehena y hubieran librado el bloque de su ganga de podredumbre, Hiram y los maestros intentaron en vano desplazarlo. Primero sería necesario cavar la tierra a gran profundidad y, luego, construir unos sólidos aparejos.

Salomón, acompañado por el general Banaias y su secretario Elihap, acudió a admirar la maravilla. También él la tocó con respeto.

—¿Cómo pensáis emplear este bloque?

—Como cimiento del lugar Santo de los santos —repuso Hiram—. Siempre que pueda manejarlo.

Salomón se volvió hacia occidente, cerró su mano derecha sobre el rubí y levantó la cabeza al cielo.

—Donde los hombres fracasan, los elementos tienen éxito. ¿Advertís el poderoso soplo que se levanta, maestre Hiram?

Se levantó un violento viento. Más rabioso que el khamsin, sacudía los cuerpos hasta hacerlos vacilar.

—Conozco el espíritu del viento —prosiguió Salomón—. Sé dónde se forma, en la inmensidad del universo, junto a las orillas del mar de las algas. Él, por orden del Eterno, abrió las olas del mar Rojo para dejar pasar a mi pueblo. Hoy, su fuerza será mayor todavía. Levantará la piedra.

Desencadenado, el tempestuoso huracán obligó a Elihap y Banaias a protegerse. Salomón permanecía de pie, como insensible. Su mirada se cruzó con la de Hiram cuando el bloque gimió, como si se arrancara de su base. El arquitecto no vaciló. Con una señal, ordenó a los maestros que rodearan la piedra con cuerdas. Uno de ellos fue a buscar a los compañeros. Con la ayuda del viento, procedente de la raíz del cosmos, tras haber derramado leche, sobre el camino de sirga, la cofradía hizo deslizarse la piedra angular del templo hacia su destino.

Mientras Jerusalén festejaba la reunión de la Hasartha[1], en la que el pueblo, consumiendo panes de ofrenda, conmemoraba el don de la ley divina a Moisés, Hiram acababa de erigir los imponentes troncos de ciprés de perfumada madera que cubrirían el suelo del templo. Luego, comprobó el perfecto estado de los olivos, elegidos uno a uno en la campiña. Estos árboles empapados de sol, de doce metros de altura y al menos de cuatrocientos años de edad, proporcionarían la materia de las simbólicas esculturas que adornarían el santuario. Las piedras talladas en las canteras, puestas sobre zócalos de granito, formaban un imponente cortejo aguardando ser utilizadas en la construcción. Se anunciaba la etapa decisiva. Durante varios días, nadie había oído el canto de los cinceles, los martillos, los raspadores, los pulidores. El hierro no rompió el silencio de la cantera pues maestros y compañeros habían recibido, por boca del maestro de obras, los secretos necesarios para trasponer en el espacio el arte del trazo inscrito en el plano de la obra.

Los narradores, ante una apasionada muchedumbre, proponían cien explicaciones, a cual más magnífica, para justificar esa ausencia de ruidos. Gracias a la intervención de Salomón, los demonios habían dejado de destrozar cada noche el trabajo de los constructores. Luego, por orden del rey, se habían castigado participando en la construcción. Rindiendo homenaje a la sabiduría de Salomón, aquellas fuerzas hostiles habían aceptado ayudar a

1. Pentecostés.

los artesanos. Brotando de la tierra, de las aguas, de los aires, de las llanuras y los barrancos, de los bosques y los desiertos, surgiendo de los metales ocultos, en las profundidades, de la savia de los árboles, de los relámpagos de la tempestad, de las olas del mar o del perfume de las flores, los demonios se inclinaron ante Salomón, que los marcó con su sello. Así, transportaron bloques y troncos, oro y bronce, arrastrándolos por el suelo. Pero el más inspirado de los narradores sabía más todavía: un águila de mar, de alas tan vastas que su cuerpo se extendía del oriente al occidente y del mediodía al septentrión, había traído a Salomón una piedra mágica extraída de la montaña del poniente. El rey se la había entregado a Hiram, envolviéndola en una preciosa tela colocada en el interior de un cofre de oro. Al maestro de obras le bastaba con trazar una señal en la roca de la cantera y colocar el talismán: la piedra se hendía por sí misma. Los canteros ya sólo tenían que transportar los bloques hasta la obra. Para ajustar las unas a las otras, no necesitaban pulidor: gracias al regalo del águila, se ensamblaban con tal exactitud que no era necesaria juntura alguna.

—Hemos fracasado —advirtió Sadoq—. Salomón e Hiram son más fuertes que nunca.

Reunidos en el sótano de la ciudad baja, lejos de oídos curiosos, Elihap y Jeroboam se mostraban contrariados. Según el informe del secretario, los trabajos del templo, tras cinco años de minuciosa preparación, avanzaban ahora con sorprendente rapidez. Concluidos los cimientos, colocadas ya las primeras hiladas de piedras, emplazado el bloque fundacional del lugar Santo de los santos, el santuario crecía a un nuevo ritmo. Por lo que al palacio del rey se refería, iba embelleciéndose día tras día. La sala de audiencias estaba decorada. Al día siguiente se edificaría el Tesoro.

El pueblo estaba furioso. El esfuerzo pedido por Salomón le parecía ligero. Si la sabiduría inspiraba al rey y habitaba en su corazón, ¿por qué no concederle una total confianza? Cumplía lo que había prometido. La orgullosa roca, cuya soberbia había sido domeñada por la cofradía de Hiram, se había convertido en servidora del templo de Dios donde brillaría la luz de la paz.

–Esos malditos artesanos no han tenido miedo –se quejó Jeroboam–. Sin embargo, el atentado contra el guardián del umbral debería haber provocado una desbandada. Si volviéramos a empezar...

–Es inútil –objetó Elihap–. Maestre Hiram les libra de todo temor. Están dispuestos a morir por él y no cederán ante ninguna amenaza.

Presa de la furia, el gigante pelirrojo golpeó con el puño el húmedo muro.

–¡Destruyamos pues al arquitecto!

–Demasiado peligroso –consideró el sumo sacerdote–. Está protegido por los maestros y los compañeros. Las investigaciones de Salomón pronto llegarían a nosotros. Si atacáramos a maestre Hiram, perderíamos la vida.

–¿Tenemos pues que abandonar la lucha, resignarnos al triunfo de Salomón e Hiram?

–Claro que no, nos queda la astucia. ¿No es verdad, Elihap, que algunos aprendices se quejan de los modestos salarios?

–Es cierto –repuso el secretario–. Desean convertirse en compañeros, pero maestre Hiram no piensa conceder ascensos.

–Entonces, sembremos el desorden en la cofradía –propuso Sadoq.

–Esos hombres han prestado juramento –recordó Egipto–. No traicionarán a su jefe.

–Todo individuo tiene su precio –dijo Jeroboam–. Dispongámonos a pagarlo.

Capítulo 39

El primer día de la fiesta del esquilado de las ovejas y la consagración de los rebaños, a comienzos de estío, Hiram dio descanso a los artesanos de la cofradía. Participaron en los banquetes organizados por los campesinos, que no obtuvieron respuesta alguna a las múltiples preguntas sobre el estado de los trabajos.

El arquitecto no asistió a ninguna festividad. Paseaba por la campiña, lejos de las aldeas, acompañado por su perro.

Ante la puerta de la obra se hallaba un Caleb furioso por haber sido nombrado guardián del umbral exterior. ¡Qué largas le parecían las horas! ¿Quién se atrevería a pedirle paso cuando más de cien soldados, de acuerdo con maestre Hiram, vigilarían el lugar hasta que regresara la cofradía? Al cojo le horrorizaba la soledad, sobre todo cuando perdía la ocasión de comer hasta hartarse y embriagarse con vino fresco. Nadie se oponía ya a la construcción del templo. Todos esperaban con impaciencia poder contemplar su esplendor. Caleb hubiera sido más útil llenando las copas que vigilando el vacío, sentado a la magra sombra de la puerta de la obra. Cuál no fue su sorpresa, pronto teñida de temor, cuando vio avanzar hacia él a un hombre alto, tocado con una diadema de oro y vestido con una túnica blanca con orla de oro.

Caleb tembló al reconocer al rey Salomón.

–¡Nadie..., nadie puede entrar aquí sin saber la contraseña! –declaró con voz insegura.

El soberano sonrió.

–Mi sello me da acceso a todos los mundos. Si te opones a mí, te transformaré en bestia salvaje o en demonio sin cabeza.

Caleb se arrodilló ante Salomón.

–¡Señor..., he recibido órdenes!

–¿Eres miembro de la cofradía?

–Un poco..., sólo un poco... ¡Pero no sé nada importante!

–En ese caso, olvidarás mi venida. Contén tu lengua y apártate de mi camino.

¿No pertenecía el templo al rey de Israel? ¿Qué importancia tenía que lo viera antes o después? Aun cojo, a Caleb le gustaba la forma humana que Dios le había dado. Enfrentarse con la magia real hubiera sido una sinrazón. Por lo tanto obedeció con diligencia.

Cruzado el umbral, Salomón avanzó con paso lento por los dominios de Hiram.

Ocultos por la empalizada, los muros del templo habían sido construidos con ladrillos forrados de madera. La parte inferior se componía de tres hiladas de piedras talladas, coronadas por filas de maderos de cedro que servían de armadura y aseguraban la cohesión hasta lo más alto. Un envigado de madera de cedro sujeto a los muros por cabestrillos formaba un robusto techo que soportaría las terrazas. El conjunto daba una impresión de gracia y serenidad. El arquitecto había sabido traducir en las líneas del edificio los más secretos pensamientos de Salomón, su ardiente deseo de una paz que quería extender a todo el mundo. Tablas y bloques calcáreos impedían el acceso. Frustrado, el rey se introdujo en la parte de la obra donde se guardaban los útiles y se levantaba el taller de Hiram. El silencio del lugar, tan animado por lo común, le colmaba de difusa felicidad. Tenía la sensación de colaborar en el trabajo de los escultores, de percibir la belleza de sus gestos, de sentarse a su lado en su reposo nocturno. En ausencia de los artesanos, su espíritu seguía transformando la materia, como si la obra continuara por sí sola, más allá de los hombres.

El taller del trazo... Esta parte de su reino le estaba prohibida. En ese modesto edificio se elaboraba, sin embargo, el santuario de Yahvé. Salomón no resistió el deseo de empujar la puerta.

Se abrió.

En el umbral, una puerta de granito en miniatura. En el frontón, una inscripción: «Tú que crees ser un sabio, sigue buscando la sabiduría». En el techo, estrellas de cinco brazos alternándose con soles alados. En el suelo, un tendel de trece nudos que rodeaba un rectángulo plateado. En las esquinas de la estancia, jarras y recipientes que contenían escuadras, codos y papiros cubiertos de signos geométricos. En el muro del fondo, una segunda inscripción: «No te cargues con bienes de esta tierra; vayas a donde vayas, si eres justo, nada te faltará».

Salomón meditó largo rato en el interior del taller. Hiram se había burlado de él, pretendiendo darle una lección. Al nombrar a Caleb guardián, el maestro de obras sabía que no opondría obstáculo alguno a la curiosidad que, fatalmente, llevaría al rey a la obra desierta. Palabras y objetos habían sido dispuestos para el indiscreto visitante.

La vanidad de un tirano habría sufrido cruelmente. Pero Salomón vivió la prueba con la sensación de pertenecer, en adelante, a una cofradía que, en vez de rebajarle, exaltaba en él el amor a la sabiduría.

También a él le habría gustado manejar los útiles, vivir la calidez de una fraternidad, empeñarse en la perfección de un trabajo concluido.

Pero era el rey. Y nadie sino él mismo podía recorrer el camino que Dios le había trazado.

¿No era un hijo la corona de los ancianos, un brote de olivo que debía crecer bajo un cielo luminoso, la flecha en manos de un héroe, la recompensa de un sabio? Sí, un hijo se anunciaba como una bendición.

La reina de Israel iba a dar a luz al hijo de Salomón, ayudada por varias comadronas que la colocaron en la silla de partos. El rey imaginaba el delicioso instante en el que tendría en sus brazos aquel cuerpecito que sería bañado, frotado con sal y envuelto en pañales antes de que Salomón lo mostrara a una numerosa concurrencia que lanzaría gritos y aclamaciones. El monarca soñaba en la ceremonia de la circuncisión. El sacerdote llevaría a cabo con precisión la ablación del prepucio y colocaría en la herida un emplasto de aceite, comino y vino. El padre tomaría al hijo en sus rodillas y, calmando el dolor con su magnetismo, le hablaría de su porvenir de heredero de la corona. Le enseñaría que olvidar el uso del bastón suponía odiar a su hijo. Locura y ruina acechaba a aquel cuyo padre no encaminaba hacia el cielo. Los lamentos de Nagsara inquietaron a Salomón. La joven sufría por el castigo divino que pesaría sobre el nacimiento de los humanos hasta el final de los siglos.

El parto tuvo lugar. Una comadrona presentó el recién nacido a Salomón.

El rey lo rechazó.

Nagsara no le había dado un hijo sino una hija.

La madre, considerada impura, debía permanecer aislada durante veinticuatro días. Le estaba prohibido salir de su alcoba.

Nagsara no dejaba de llorar. ¿Cómo podría hacerse perdonar? Dando un hijo a Salomón, habría recuperado el corazón de su esposo. Aquella niña, a la que ni siquiera había querido ver, injuriaba la grandeza del rey de Israel.

Cuando Salomón aceptó visitarla, Nagsara imploró su clemencia.

–¡Olvidemos esa desgracia, dueño mío! ¡Os juro que concebiré un hijo!

–Tengo otras preocupaciones. Descansa, Nagsara, estás agotada.

–No... Me siento fuerte. Deseo levantarme y serviros.

–No hagas locuras. Ponte en manos de tus sirvientas.

–Yo necesito las vuestras.

Salomón permanecía distante.

–La administración del país requiere siempre mi presencia.

La joven sintió un nudo en la garganta. Se negaba a creer en la decadencia que la acechaba.

—¿Cuándo volveré a veros?

—Lo ignoro.

—¿Queréis decir que... me repudiáis?

—Eres la hija del faraón y mi esposa. Con tu presencia, Siamon unió el destino de Egipto al de Israel. No romperé esta unión ni la nuestra. Jamás te repudiaré.

La esperanza abrió el ennegrecido cielo. Nagsara se inflamó.

—Entonces, vuestro amor no ha muerto... Permitid que permanezca a vuestro lado. Callaré, seré más impalpable que una sombra, más transparente que un rayo de sol, más suave que la brisa otoñal.

Salomón tendió las manos a Nagsara, que las besó con fervor.

—No tengo derecho a mentirte, Nagsara. Te he amado, pero la llama se extinguió. La pasión huyó como un caballo embriagado por los grandes espacios. Como el de mi padre, mi deseo salta de valle en colina, de promontorio en montaña. Ninguna mujer me aprisionará.

—¡Venceré a mis rivales! Las desgarraré con las uñas, las arrojaré a la podredumbre de la Gehena.

—Apacigua esta fiebre, esposa mía. El odio no puede alimentar el amor.

—Sólo vuestro afecto me importa. Todas mis fuerzas se consagrarán a conquistarlo.

—Ya tienes mi respeto.

—No me basta y nunca me bastará.

Salomón se apartó. ¡Cómo le hubiera gustado sentir la misma pasión que la joven egipcia! Pero ¿qué ser humano podía rivalizar con el templo? Era lo único que llenaba el corazón del rey. Lo único que, en adelante, tendría su amor. El placer era sólo exaltación pasajera y distracción del cuerpo. El templo absorbía todo el ser del soberano de Israel.

Cuando salió de la alcoba, la reina, pese a su debilidad, decidió consultar la llama. ¿Cuántos años de su existencia le robaría, esta vez, para concederle la verdad? Al final de su vigencia, Nagsara se desvaneció. Permaneció varias horas inconsciente.

Cuando despertó, lo supo.

En el azul anaranjado de la llama del más allá no había visto el rostro de una rival sino un inmenso monumento, delirantes piedras que dominaban una ciudad regocijada.

El templo de Jerusalén. El templo de Salomón.

Así, el santuario de Yahvé mataba en Salomón cualquier ternura hacia la mujer que le ofrecía su vida. ¿Cómo combatir un ser de piedra que, día tras día, se hacía más poderoso, sino golpeando a quien lo hacía crecer, el arquitecto Hiram?

Nagsara recurriría a la diosa Sekhmet, la terrorífica, la destructora, la propagadora de enfermedades.

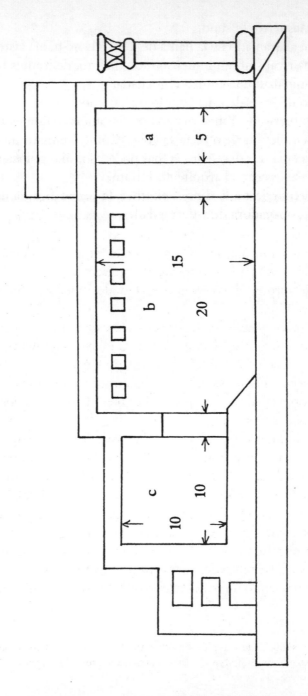

a *Ulam/Elâm* (Vestíbulo) — b *Hêkal* (Santo) — c *Debîr* (Santo de los santos)

(Medidas expresadas en metros)

Capítulo 40

–El templo está acabado –declaró Hiram–. Hace más de seis años que mi cofradía inició la obra. Que hoy os sea confiada, rey de Israel.

Salomón se levantó, bajó los peldaños del estrado donde estaba sentado en el trono y se puso frente al arquitecto.

–Que Dios proteja a sus servidores. Condúceme hacia Su morada, maestre Hiram.

Ambos hombres salieron del palacio, pasaron por el gran patio inundado de ardiente sol y penetraron en el área sagrada por el pasaje que unía la mansión del rey a la de Yahvé.

Se detuvieron ante dos columnas de bronce de diez metros de altura que soportaban unos capiteles también de bronce adornados con granadas.

–Estas columnas están vacías y sólo sostienen los frutos que contienen las mil y una riquezas de la creación –indicó Hiram.

El maestro de obras pensaba en el árbol que había albergado el cadáver de Osiris. En el ser del dios, la resurrección había vencido la muerte. Las dos columnas, análogas a los obeliscos que precedían el pilón[1] de acceso, anunciarían a quien se dirigiera al santuario la necesidad de morir al mundo de las apariencias, el paso a través del fuste vertical para renacer en forma de granada y, luego, estallar como un fruto maduro en el deslumbramiento de lo sagrado.

1. El pilón, símbolo de la región de la luz donde resucita cotidianamente el sol, es un macizo monumental que señala la entrada del templo egipcio.

Salomón se aproximó a la columna de la derecha y le impuso su sello.

–Dios establecerá aquí su trono para siempre –afirmó–. Por ello te llamo *Jakin*[1].

Luego hizo lo mismo con la columna de la izquierda.

–¡Que Dios se regocije en la fuerza de Dios! Por ello te llamo *Booz*[2].

Para el monarca, las dos columnas se levantaban como árboles de vida cuya irradiación se abría al universo que había soñado y que veían materializarse ahora. Con su genio, Hiram hacía posible el regreso al Paraíso, al bendito lugar previo a la caída y al pecado.

Más allá de aquella frontera, una estancia de diez metros de ancho y cinco metros de largo, vestíbulo vacío de cualquier objeto, con las paredes decoradas con flores esculpidas, palmas y leones alados cubiertos de oro fino, brillando la viva luz. Hiram había traspuesto así la sala del templo egipcio que precedía al santuario secreto.

–Este lugar se llamará *ulam*, «el que está delante» –decidió Salomón–. Aquí se purificarán los sacerdotes.

Un tabique de madera cerraba aquel nártex. En el centro, una puerta cuyas pesadas hojas de madera de ciprés abrió el rey.

Descubrió una gran sala de veinte metros de largo, diez de ancho y quince de alto. Ventanas con barrotes de piedra dispensaban una débil claridad. Salomón se acostumbró. Vio en las paredes, cubiertas de madera de cedro, guirnaldas de flores y palmas de oro. En el dintel, un triángulo. En el suelo, un entablado de ciprés.

Hiram había colocado cinco candelabros de oro a la izquierda de la entrada y cinco a la derecha. A uno y otro lado del centro, un altar de oro y una mesa de bronce. Así había traducido la cámara del centro y la sala de las ofrendas donde oficiaba el faraón de Egipto.

1. Juego de palabras ritual con el término «establecer, erigir».
2. Juego de palabras ritual con el término «fuerza».

Salomón se descalzó.

–Quien penetre en este lugar, el *hêkal*, andará con los pies desnudos. En el altar se depositarán incienso y perfumes, para que Dios se alimente cada día con la sutil esencia de las cosas. En la mesa, los doce panes de la ofrenda. En el corazón del Santo, un candelabro de siete brazos[1] cuya luz simbolizará el misterio de la vida en espíritu.

Salomón iba de sorpresa en sorpresa. Hiram no sólo había creado el templo perfecto sino que, además, un espíritu hablaba a través del rey, dictándole las palabras que daban nombre a las partes del edificio.

Se detuvo cerca de la cortina que separaba el *hêkal* de la última estancia del templo.

–¿Está sumida en las tinieblas?

–No entra luz alguna –respondió Hiram, que se había inspirado en el naos, lugar secreto donde el faraón comulgaba con la divinidad.

¿No revelaban las Escrituras que Yahvé exigía vivir en la oscuridad?

Salomón levantó el velo. Hiram impidió que volviera a caer; el monarca pudo así contemplar el interior de aquella enorme piedra cúbica de diez metros de arista, desprovista de ventanas.

–Éste es el *debîr*, la cámara oculta –murmuró.

Los muros del Santo de los santos estaban cubiertos con el oro de Saba, siempre invisible para el profano. Aquí sólo entraría el rey y su delegado, el sumo sacerdote.

El suelo se levantaba por encima del de las demás estancias, de acuerdo con el simbolismo egipcio que hacía unirse en el infinito la bóveda celeste, que iba descendiendo poco a poco, y el enlosado terrestre que se levantaba hacia ella.

Debajo, el gigantesco bloque de granito caído del cielo.

---

1. Durante el saqueo de Jerusalén, los legionarios del emperador romano Tito consideraron ese candelabro como la pieza más preciosa del botín. Simbolizaba el misterio del universo y el conocimiento de sus leyes.

–Aquí se conservará el Arca de la Alianza, el relicario que mantiene entre su pueblo la presencia de Dios –decidió Salomón.

El rey se volvió hacia Hiram.

–Dejadme solo.

La cortina cayó.

Sumido en las tinieblas del Santo de los santos, Salomón saboreó la paz del Señor. En aquel instante de plenitud, en el seno del aislamiento que exigía la invisible luz de Dios, el monarca llegó al apogeo de su reinado. Lo que había esperado, no para sí mismo sino para gloria del Único, se había convertido en realidad. Al final del camino, había aquel vacío implacable y sereno.

De aquí en adelante, Salomón vendría a implorar la sabiduría.

Cuando salió del templo, el rey se sintió deslumbrado por el sol. Lo que vio, le asombró hasta el punto de creer en una alucinación.

En el atrio, no enlosado todavía, se levantaban dos personajes alados de cabeza humana, de cinco metros de altura. Hechos con madera de olivo cubierta de oro, se parecían a las esfinges que custodiaban las avenidas que conducían a los templos de Egipto. Maestre Hiram les había dado el rostro de Salomón.

–He aquí la gran obra de los maestros –dijo Hiram.

Salomón contempló las pasmosas esculturas. Ni un solo defecto mancillaba su magnificencia. ¿Quién sino el rey de los cielos podía contemplar aquellos ángeles a quienes las Escrituras llamaban querubines?

–Que sean colocados en el Santo de los santos y que desaparezcan de la vista de los hombres –decidió Salomón–. Sus alas protegerán el Arca de la Alianza. Encarnarán el aliento de Dios. Se llevarán, en su vuelo, las almas de los justos.

El rey admiró de nuevo las dos columnas, recorriendo con su espíritu el eje del templo.

–¿Podemos proceder a la inauguración, maestre Hiram?

–El atrio y los edificios anexos no están terminados.

–¿Son necesarios?

–¿No los consideráis indispensables? Sin ellos, el templo no estaría completo.

Salomón calmó su impaciencia. Maestre Hiram tenía razón.

–Además, quiero dar nacimiento a una obra –añadió el arquitecto–. Toda la cofradía trabajará, ayudada por los fundidores.

–¿Durante cuánto tiempo?

–Algunos meses, si me concedéis vuestro apoyo.

–¿Cómo podría ser de otro modo, maestre Hiram? Si las palabras pudieran decir...

El rey se interrumpió. Dar las gracias al arquitecto por haber cumplido su contrato sería rebajarse. Un monarca no tenía derecho a expresar sentimientos de agradecimiento a su servidor, aunque fuera maestro de obras. A Salomón le habría gustado testimoniar su amistad a aquel huraño arquitecto, compartir con él sus inquietudes y sus esperanzas. Pero su función se lo impedía.

Sentado entre las columnas, Hiram asistía a la puesta de sol. Agotados, los miembros de la cofradía descansaban antes de reemprender los trabajos. Serían muy peligrosos. El arquitecto tomaría todas las precauciones posibles para evitar poner en peligro la existencia de sus artesanos. Pagaría con su propia persona, pero necesitaría ayuda. La muerte de uno de sus compañeros de obra le sería insoportable. Sin embargo, era imposible abandonar la idea que había germinado en su espíritu. Para coronar el templo y purificarse del sobrehumano esfuerzo realizado durante aquellos largos años de exilio, su visión debía tomar forma.

Hiram lamentaba que su entrevista con Salomón, en el inconcluso atrio, hubiera sido tan corta. Habría deseado gritarle la admiración que sentía por un rey embriagado de sacralidad, decirle la amistad nacida a través de las pruebas. Pero Salomón reinaba sobre Israel y él sobre su cofradía. El monarca no había manejado los útiles, derramado sudor, no se había despellejado las manos. Nunca sería aquel hermano en las penas y en las alegrías. Lo que el rey y él habían llevado a cabo los superaba sin unirles.

Con los últimos rayos del ocaso, Hiram vagabundeó por la obra. Dentro de unos días desmontaría el taller del trazo. No quedaría rastro alguno del trabajo y los sufrimientos de los constructores. El edificio que habían creado se les escapaba para siempre.

El pie del maestro de obras golpeó un fragmento de calcáreo que cubría un agujero. Saliendo de su escondrijo, un escorpión negro huyó en busca de otro refugio.

El escorpión de la diosa Serket. La que oprimía las gargantas, impedía que el aire pasara y preparaba la llegada de la muerte... ¿El asesino de oscuro caparazón era portador de algún presagio? ¿De qué muerte se hacía mensajero?

Capítulo 41

–Exijo la muerte –dijo Sadoq.

–¿Por qué tanta severidad? –se asombró Salomón.

–Porque vuestra esposa es culpable de magia negra. Varios sacerdotes la han visto rendir homenaje a falsas divinidades, hacer brillar una lámpara en pleno día y pronunciar hechizos antes de caer en un éxtasis impío. En nombre de Yahvé y de la ley de Israel, exijo un proceso ejemplar. Nadie está por encima de la justicia.

La cólera de Sadoq no era fingida. Además del odio que sentía por la egipcia estaba su exigente fe de sumo sacerdote.

–¿Tus testigos están dispuestos a comparecer ante mí?

–Lo están, majestad.

–Así pues, la acusación será formulada.

Salomón sabía que el pueblo murmuraba. En las puertas de la capital, donde se celebraban los mercados y se contrataba a los jornaleros, los creyentes, escandalizados por el comportamiento de la reina, reclamaban un castigo. Las conversaciones eran frecuentes. ¿Cuándo iba a gozar Yahvé del más hermoso templo jamás construido? ¿Cómo admitir que una extranjera le desafiara con ritos paganos?

Si la sabiduría ayudaba a Salomón en sus empresas, ¿no sufría con la presencia de una diablesa? ¿No era Nagsara responsable de los males que afligían a los ancianos, de la prematura muerte de los recién nacidos, del agostador khamsin, de las escasas cosechas, de los inviernos demasiado duros? ¿No estaba de acuerdo con los demonios de la noche y las nubes de insectos? La sentencia del pueblo había sido pronunciada: Nagsara, la egipcia, debía desaparecer.

Desmontado el taller del trazo, ocupado el atrio por quienes colocaban el pavimento, maestre Hiram vivía de nuevo en la sala subterránea, acompañado por su perro y por Caleb. El cojo, a quien no le gustaba la atmósfera de la obra, consagrada exclusivamente al trabajo, tenía de nuevo ocasión para brillar preparando excelentes platos que el arquitecto apreciaba, casi tanto como *Anup*.

Utilizando fragmentos de calcáreo que luego rompía con los dedos, para suprimir así cualquier huella de su trabajo, dibujaba plano tras plano, mejorando sin cesar el diseño de la obra que debía erigirse en el área sagrada y hacer ilustre, por los siglos de los siglos, el templo de Salomón.

Caleb sirvió a Hiram un cordero asado con romero. Pese a la desaprobación del cocinero, el perro recibió un buen pedazo.

–¿Puede ser condenada la reina?

–Salomón no tiene elección –repuso Caleb–. Hay numerosos testigos. Las lenguas se han soltado. Hace mucho tiempo que la egipcia practica la magia negra.

–¿Y a qué pena pueden condenarla?

–A la lapidación.

–¿Cómo puede defenderse?

Caleb reflexionó mientras bebía una copa de vino.

–Habría un modo... Un ritual muy antiguo...

–¿Cuál?

–La prueba del agua amarga. La acusada bebe un horrible brebaje en el que se han mezclado polvo, excrementos de animales y desechos de plantas. Si vomita, su culpabilidad queda probada. El castigo se aplica en el acto. De lo contrario, se la reconoce inocente.

–Perfecto –dijo Hiram.

El cojo frunció el entrecejo.

–¿Perfecto? ¿Qué significa eso? ¿Os alegráis acaso de la ejecución de una mujer? Nunca lo habría creído.

El arquitecto permaneció en silencio.

La reina de Israel, informada por el secretario de Salomón de que debería comparecer ante el tribunal real acusada de magia negra, permanecía encerrada en sus aposentos del nuevo palacio. No había conseguido reconquistar a su marido. La diosa Sekhmet no había tenido tiempo de acudir en su ayuda. Aunque se hubiera agotado consultando la llama, Nagsara no había obtenido el medio de quebrar a Hiram y precipitarlo al reino de las tinieblas. Aquel reino en donde, por sentencia del hombre al que amaba, pronto iba a penetrar.

Nagsara no quería morir. Tenía suficientes fuerzas para proseguir la lucha, suficiente poder mágico para vencer todo Israel. Su imprudencia arruinaba legítimas esperanzas. La humillación de recibir al que detestaba, al arquitecto del templo, se añadía a aquel desastre. Por medio de Caleb, le había solicitado audiencia. Decidida a negarse primero, luego había reflexionado. ¿No era aquélla una ocasión de extirpar el mal desde la raíz? Cuando maestre Hiram entró, Nagsara estrechó la empuñadura del puñal que había ocultado en un pliegue de sus vestiduras.

–¿Queréis perseguirme más aún?

–Ayudaros, majestad. Conozco el triste destino que os acecha. En cuanto la acusación sea formulada, exigid la prueba del agua amarga.

Hiram se la describió detalladamente a la reina.

–¿Por qué debo obedeceros?

–Para salvar vuestra vida.

–Extraña solicitud.

–La injusticia me parece insoportable. Sólo os acusan por vuestro origen egipcio.

–¿Qué sabéis vos? –Se acercó al maestro de obras–. He practicado la magia y seguiré practicándola. Quiero que Salomón me ame. Si mi conducta os escandaliza, condenadme también.

Blandir el arma, herir, herir de nuevo... Unos gestos, sencillos, vivaces, precisos y Nagsara se vería liberada del demonio que le impedía ser feliz.

–Os lo repito, majestad: he venido a ayudaros, no a juzgaros.

–No lo comprendo.

–Verted en la copa de amargura esa redoma de áloe púrpura que os entrego. Esa mixtura os impedirá vomitar.

Desorientada, Nagsara arrojó el puñal al suelo. Hiram no dirigió una sola mirada al arma que debía matarle.

–Que los dioses os protejan, majestad.

La reina escuchó sin protestar las acusaciones que Sadoq formulaba. Buscó en vano una sonrisa en el rostro de Salomón, un aliento en su mirada. Permanecía frío, lejano, limitándose a presidir el tribunal de Yahvé.

Sadoq llamó a los testigos de cargo. La reina no los contradijo. Al terminar su declaración, exigió la prueba del agua amarga. El sumo sacerdote, seguro del resultado, no se opuso. Antes de beber, dando la espalda al tribuna, Nagsara vertió el antídoto. El miedo se apoderó de ella. ¿No le habría dado Hiram un veneno que apresurara su fin y le evitara la lapidación? ¿No habría representado una abominable comedia?

Bebió de un trago.

Un atroz sabor invadió su boca. El fuego abrasó sus entrañas.

Pero no vomitó. Tras haber saludado a Salomón, pasó ante Sadoq con la cabeza erguida.

Mientras el pueblo aclamaba a Nagsara, absuelta por el juicio de Dios, el sumo sacerdote reunió a sus aliados, Elihap y Jeroboam. Tras aquel nuevo fracaso, Sadoq sentía deseos de renunciar. La lucha era demasiado desigual. También él creía ahora que la sabiduría inspiraba el pensamiento y los actos de Salomón. Quien se levantaba contra él, sufría una derrota. ¿No prescribía la razón que el sumo sacerdote se limitara a cumplir sus funciones y servir fielmente a su rey?

–Tengo excelentes noticias –dijo Jeroboam, exaltado–. Varios aprendices están muy descontentos con su suerte. Maestre Hiram les trata como esclavos. Impone cada vez mayor trabajo y se niega a aumentar la paga. Su alojamiento es insalubre.

–¿No sois responsable de ello? –se extrañó Elihap.

–Sí –admitió Jeroboam alegre–. Pero he convencido a un grupo de descontentos de que cumplía órdenes de maestre Hiram, que despreciaba a los aprendices. Por la cofradía circula un rumor. Al parecer, el arquitecto tiene la intención de crear una obra inaudita para coronar el templo. Para lograrlo, necesitará la ayuda de todos, incluso la de los fundidores de Eziongeber. Si fomentamos una revuelta de los aprendices, le llevaremos al fracaso. Su caída producirá la de Salomón.

Sadoq pareció trastornado. El odio que Jeroboam sentía por el rey le arrastraba a sacar conclusiones precipitadas. Pero debilitar la cofradía y a maestre Hiram sería, en efecto, un apreciable resultado.

–¿Has pagado a esos hombres?

–Algunos aprendices lo han rechazado, otros lo han aceptado... Con el tiempo, los compraré a todos. Maestre Hiram creerá reinar sobre una cofradía que nos pertenecerá.

Sadoq seguía siendo escéptico. Compañeros y maestros sabrían explicar que algunos mediocres no afectan la coherencia del grupo. El prestigio de maestre Hiram era demasiado sólido para que lo afectaran las picaduras de algunos insectos malignos.

–¿Puedes hacerte con parte del tesoro de Salomón? –preguntó Jeroboam a Elihap–. Cuanto más generosamente paguemos, más partidarios tendremos.

–Tal vez no sea necesario.

El gigante pelirrojo se sulfuró.

–¿Te opones a mi plan?

–El destino lo completará encerrando a maestre Hiram en las redes de una maldición. Tengo otra buena noticia: en la ciudad baja acaba de morir un obrero, de disentería.

Capítulo 42

El estío desecaba las gargantas. Los fuertes calores agotaban los organismos más robustos. Cinco obreros habían muerto de disentería. Más de un centenar sufrían la enfermedad. Nubes de mosquitos procedentes de las marismas cercanas al Jordán habían invadido Jerusalén. El polvo, en torbellinos con los abrasadores vientos, penetraba en los ojos y provocaba numerosas oftalmías.

Los médicos no conseguían fabricar bastante cantidad de colirio a base de antimonio. Aquellos cuyas entrañas eran torturadas por los demonios, debían beber tisanas de romero, ruda y jugo extraído de la raíz de las palmeras.

Una veintena de aprendices solicitó ver al maestre Hiram. *Anup* gruñó. Caleb repuso que el arquitecto trabajaba en los planos de su obra maestra y que los llamaría dentro de poco. Ante la insistencia del cabecilla, Caleb aceptó importunar a Hiram.

Éste abandonó su trabajo y salió al encuentro de sus aprendices. Su hosco rostro impuso silencio en sus filas.

−¿Qué significa eso? ¿Habéis olvidado nuestra jerarquía? ¿Ignoráis que debéis dirigir las peticiones al maestro encargado de vuestra instrucción?

El cabecilla, un joven de unos veinte años y frágiles hombros, se arrodilló ante el maestro de obras y arrojó al suelo varias monedas de plata.

−Sólo vos podéis intervenir. Algunos hombres del trabajo forzoso intentan sobornarnos. Resistiremos, pero ¿por qué debemos vivir en tan sórdidas viviendas? ¿Somos acaso bestias enfermas?

–¿No es Jeroboam quien se ocupa de alojaros?

–Afirma obedecer vuestras órdenes. Preferíamos las tiendas. Nos ha obligado a cambiar recurriendo a vuestra autoridad.

De modo que, en el propio interior de la cofradía, el nombre de Hiram podía ser utilizado con malos fines. La fraternidad que había tejido resultaba muy frágil.

–Llevadme a vuestras viviendas. Quiero verlas.

Hiram se vio dolorosamente sorprendido. Los aprendices habían sido amontonados en casas bajas, sin aire y sin luz, de leprosas paredes llenas de rojizas cavidades donde hormigueaban las cucarachas. Los enfermos yacían en esteras infectas.

–Salid inmediatamente de estos cuchitriles y regresad a las tiendas –ordena Hiram.

Cuando el maestro de obras quiso salir de la capital por la puerta principal para dirigirse sin tardanza al templo de Jerusalén, topó con una vociferante muchedumbre compuesta por hombres destinados al trabajo forzoso. Varios obreros enfurecidos proclamaban la huelga. Se quejaban de insuficiente salario, de que la paga se retrasaba, de que la comida era malsana.

Hiram hendió sus hileras y se colocó entre ellos. Les dejó aullar durante largos minutos. Nadie le puso la mano encima. La revuelta se apaciguó. Cuando los clamores se acallaron, el arquitecto tomó la palabra.

–Vuestras reivindicaciones son justas –reconoció–. ¿Dónde está vuestro jefe?

–Jeroboam viaja por las provincias –respondió un anciano–. ¡Vos sois nuestro jefe! ¡Sois el responsable de nuestras desgracias!

La tensión subió de nuevo. Brotaron algunas injurias.

–Quienes calumnian a su jefe se hacen indignos del trabajo que se les confía –dijo Hiram–. No pertenecéis a mi cofradía sino al trabajo que Jeroboam debe organizar. No me dirigiré a vosotros, sino al rey. Como maestro de obras, obtendré lo que debe seros concedido. Si uno solo de vosotros duda de mi promesa, que me arroje una piedra al rostro.

El círculo de obreros se abrió. Brotó un grito: «¡Gloria a maestre Hiram!», seguido de muchos otros.

–He reunido el consejo de la Corona para examinar un importante documento que acabo de recibir –explicó Salomón.

Jerusalén sólo hablaba de la destitución de Jeroboam, exigida y obtenida por maestre Hiram, nombrado ahora jefe del trabajo forzoso. El poder del arquitecto seguía aumentando. Su popularidad, tras haber sido satisfechas las exigencias de los obreros, amenazaba con igualar la de Salomón. Los miembros del consejo estaban convencidos de que el rey les convocaba para estudiar tan peligrosa situación.

Pero no le preocupaba.

–He aquí la carta que he recibido –prosiguió el monarca:

A mi hermano Salomón, poderoso rey de Israel, de su hermana, reina de Saba. Los árboles que crecen en mi país fueron plantados el tercer día, en la pureza de la Creación, antes del nacimiento de la humanidad; los ríos que riegan mis tierras tienen sus fuentes en el Paraíso; la gente de Saba ignora la guerra y el manejo de la espada. Escribo como mensajera de paz. Te envié mi oro pues deseabas construir un templo. Hoy, desearía contemplarlo, saber para qué han servido las riquezas de Saba. ¿Me invitará mi hermano a su corte?

Sadoq, Elihap y Banaias quedaron pasmados. Evidentemente, Salomón gozaba de todas las felicidades. La reina de Saba nunca había salido de su país. ¡Y ahora se proponía iluminar con su presencia la Jerusalén del hijo de David!

–Que esa mujer se prosterne primero ante ti –exigió el general Banaias, desconfiado–. Olvida que todos los soberanos de la tierra deben rendir homenaje a tu sabiduría. Si se niega, mi ejército se lanzará contra ella.

Salomón apaciguó al guerrero.

–Recibamos la paz que nos propone –dijo el rey–. Su viaje será un homenaje a Yahvé.

–Desconfiad de esa mujer –recomendó Sadoq–. Si esa reina se purifica en los ríos del Paraíso, si se alimenta con los frutos de los árboles nacidos antes de la caída y el pecado, si su riqueza es la más abundante, ¿no será su sabiduría mayor que la vuestra?

–Acepto el riesgo –indicó Salomón–. ¿Tenéis más objeciones a la venida de la reina de Saba?

Los tres miembros del consejo callaron.

–Sólo debo consultar ya a una persona. Elihap, mantente listo para escribir mi respuesta.

Salomón habló con maestre Hiram justo antes de su partida hacia Eziongeber. Ambos hombres caminaron, uno junto a otro, por la gran carretera pavimentada que une Jerusalén y Samaria.

–Yahvé nos gratifica con un milagro: la próxima visita de la reina de Saba. El consejo de la Corona ha dado su aprobación. ¿Qué opináis vos, maestre Hiram?

–Sois vos quien gobierna Israel, majestad.

–¿Deseáis que esté presente la reina en la inauguración del templo?

–A mi entender, sería un error. Ese momento está reservado al diálogo entre el rey y su dios. Ningún monarca extranjero debe turbarlo.

–Sabia precaución –reconoció Salomón–. ¿Cuándo fijaríais vos la llegada de la reina?

–Cuando el templo haya sido inaugurado, cuando el palacio y los edificios anexos estén terminados. El rey de Israel hará admirar una obra concluida.

–¿Cuánto tiempo, maestre Hiram?

–Un año, majestad.

Jeroboam dejó estallar su cólera. Perdido su puesto de jefe del trabajo forzoso, era un simple intendente de los establos de Jerusalén. Los aprendices habían simulado una traición para avisar a

Hiram de lo que se tramaba contra él. La tentativa de revuelta de los obreros forzosos había fracasado. Hiram había utilizado en su provecho el acontecimiento.

El arquitecto parecía tan intocable como el rey. La protección divina se extendía sobre ambos hombres.

–Satisfaceos con vuestra suerte –dijo Elihap–. El propio Hiram defendió vuestra causa ante Salomón. Aun exigiendo vuestro despido por incompetencia, imploró clemencia.

–¡He sido ridiculizado ante un rebaño de corderos a los que ayer mismo mandaba! –rugió el gigante pelirrojo–. Yo, el futuro rey de este país, me veo reducido a la condición de un criado del que se burlan.

–Renunciemos a la conspiración –propuso el secretario de Salomón–. La suerte nos es contraria.

–Nos queda una última oportunidad –estimó Sadoq–. La idea de Jeroboam era excelente, pero la hemos aplicado mal. Los aprendices son demasiado fieles a Hiram.

–¿Pretendéis corromper a los maestros? –ironizó el antiguo jefe de los trabajos–. ¡Se dejarían matar por Hiram!

–Pienso en los compañeros. Dejemos la corrupción y pensemos en la ambición. Algunos desean, ardientemente, convertirse en maestros y descubrir la contraseña que les abra las puertas de los grandes misterios. Debilitemos, primero, el prestigio de Hiram. Hagamos fracasar su obra. Luego, convenzamos a dos o tres compañeros para que obliguen a ese mal arquitecto a revelarles los secretos del magisterio. Así destruiremos el corazón de la cofradía. Finalmente, probemos que Salomón es un rey indeciso, que compromete la seguridad de Israel y traiciona las intenciones de Yahvé.

Elihap, pese al temor que dificultaba su respiración, no se atrevió a protestar. Jeroboam, lleno de esperanzas de nuevo, se pasó la mano por los cabellos. El sumo sacerdote era un espíritu notable pero peligroso. Cuando Salomón fuera depuesto, sería indispensable eliminar a Sadoq.

El país de Saba vivía en paz y felicidad. Vastos bosques por los que saltaban los monos adornaban las cimas de colinas recorridas por ríos flanqueados de jazmines. Las llanuras se adornaban con gardenias gigantes donde anidaban centenares de pájaros, de plumaje rojo, verde y amarillo.

Cuando salió el sol, Balkis, la reina de Saba, apareció en la terraza superior de su templo, adornada con esfinges y estelas dedicadas a la diosa egipcia Hathor. Admiró los jardines colgantes donde se erguían olivos centenarios que, según la leyenda, habían sido plantados por el propio dios Thot, durante uno de sus viajes a Saba.

La reina tendió los brazos hacia el sol naciente, dirigiéndole una larga plegaria en homenaje a los beneficios que dispensaba a su país y a su pueblo. Hoy como ayer, las montañas ofrecerían su oro, algunos especialistas cosecharían el incienso, la canela y el cinamomo; los pescadores amontonarían perlas. Aquellos esplendores serían llevados a palacio, donde la reina reclamaría para ellos la bendición del sol y de la luna.

Una plateada moñuda se posó en el pétreo borde de la terraza. ¿No anunciaba la inminente llegada de un mensajero procedente de Israel? De hecho, el primer ministro no tardó en entregar a Balkis una misiva.

La leyó con alegría.

–Iré –murmuró–. Dentro de un año, Salomón, iré a Jerusalén.

Capítulo 43

Inspirándose en los estanques purificadores del atrio de los templos egipcios, Hiram concibió el proyecto de una monumental alberca de bronce y se disponía a crearla a orillas del Jordán. Los maestros, al ver los planos, habían denominado «mar de bronce» la obra maestra del arquitecto, temiendo las casi insuperables dificultades técnicas que los fundidores deberían afrontar.

Se habían levantado muros de ladrillos alrededor de un gigantesco molde excavado en la arena. Allí se vertería la colada de bronce procedente de las abiertas fauces de varios altos hornos.

Hiram se sentía inquieto. La empresa se anunciaba peligrosa. Múltiples desagües permitirían desviar el río de fuego si algún incidente se producía. Pero las precauciones tomadas no tranquilizaban al maestro de obras. Pidió a todos los que trabajarían en la obra que interrumpieran su trabajo a la primera señal de peligro. Sintió incluso la tentación de dejar su proyecto en simple sueño, pero el entusiasmo de los maestros era tal que consintió en seguir adelante.

Hiram verificó uno a uno los andamios que se colocaron alrededor del futuro mar de bronce, examinó profundamente el horno colocado debajo e hizo que los obreros repitieran diez veces sus gestos. La exaltación de las grandes horas animaba todos los corazones.

De acuerdo con la tradición de los fundidores el trabajo se inició cuando fueron visibles las estrellas. Por la noche, la menor anomalía sería advertida inmediatamente. La mirada podría seguir los meandros del río de fuego.

Aquél fue el momento elegido por Jeroboam y dos trabajadores forzados para actuar. La vigilancia de la obra se había relajado y la oscuridad favorecía sus designios. Rajaron el molde principal por varios lugares.

Hiram levantó la mano derecha. De lo alto de las torres de ladrillo, el metal fluyó por los canales que lo llevarían hacia el horno. La rojiza colada quebró las tinieblas, iluminando las aguas del río y la campiña vecina. Los artesanos, estupefactos, tuvieron la impresión de que un sol reventado brotaba de las profundidades de la tierra, luz de ultratumba alimentada con las llamas del infierno. El río incandescente parecía brotar de un mundo prohibido, regido por leyes desconocidas.

El chorro ígneo fue hinchándose, amenazando con desbordarse. Pero los fundidores consiguieron regularlo para que permaneciera en los canales. Hiram y los maestros rompieron personalmente los tapones de terracota que obturaban los distintos pasos hacia el horno.

Cuando el conjunto de arroyos estuvo lleno de aquella lava metálica, su red formó un paisaje de fuego irrigado por cien ríos que convergían hacia un foco central de insaciable apetito. Fascinados, los artesanos contemplaron la colada que iba llenando, lenta y solemne, las cavidades del mar de bronce. Unas sonrisas se dibujaron en los rostros enrojecidos por el calor. La obra maestra tomaba forma.

De pronto, el líquido ardiente desbordó uno de los canales y amenazó con incendiar uno de los andamios de madera.

–¡Los botes para el fuego! –aulló el maestro de obras.

Desde lo alto de las torres, varios fundidores utilizaron grandes varas a cuyo extremo había unos botes que zambulleron en el torrente de metal reduciendo así su masa y su flujo. La operación se llevó a cabo rápidamente y la gigantesca alberca no sufrió daño alguno.

El bronce sobrante se derramó por tierra y murió entre chisporroteo.

Hiram se aseguró de que ningún obrero hubiera resultado herido. Respiró mejor. La colada iba ocupando el lugar que le estaba destinado, comenzando a trazar el inmenso círculo del mar de bronce y dando nacimiento al macizo cuerpo de los doce toros que lo soportaban.

Un grito de terror le atravesó el corazón.

–¡El molde! ¡El molde está a punto de estallar!

El fundidor que acababa de observar la grieta fue rociado por una furiosa lava que comenzaba a escaparse. Con el rostro y el pecho calcinados, murió inmediatamente.

En todo su curso, el río de fuego intentó abandonar su lecho. Unos minutos más, y el mar de bronce habría nacido.

Un compañero se precipitó hacia Hiram.

–Maestro, debemos detener la colada. Si se desborda, todo quedará destruido y habrá decenas de muertos.

–Si intervenimos demasiado pronto, será peor aún.

El molde se agrietó más aún. Pero el bronce se solidificaba. El compañero, creyendo que el maestro de obras había perdido su espíritu y que sólo se preocupaba de su obra maestra, olvidando a los hermanos, subió a lo alto de una de las torres de troncos que contenían miles de litros de agua. Aterrorizado, liberó el diluvio.

Mientras la colada seguía haciendo gemir el molde, la ardiente superficie, en contacto con el agua, se transformó en géiseres. Una lluvia de fuego cayó sobre los obreros, que huyeron aullando. Los andamios, contra los que se precipitaron muchos de ellos, no tardaron en inflamarse.

Salomón admiró la creación de maestre Hiram. El mar de bronce, humeante todavía, brotaba de la noche de sufrimiento y de desgracia durante la que había sido engendrado. En cuanto se anunció la catástrofe, el rey había salido de Jerusalén para dirigirse a las fundiciones a orillas del Jordán.

Más de cincuenta obreros muertos, un centenar atrozmente abrasados. Pero el mar de bronce había soportado, victorioso, la prueba.

Nacida en el espíritu de un genio, la alberca purificadora de los doce toros formaba parte, ya, de las mayores maravillas realizadas por mano humana.

La belleza en el seno de la devastación.

–¿Dónde está maestre Hiram? –preguntó el rey al vigilante de las funciones.

–Nadie lo sabe. Ha organizado los socorros y, luego, ha desaparecido.

–Que transporten la obra hasta el atrio del templo. Que no le ocurra nada malo.

Salomón ordenó que una escuadra de soldados pertenecientes a su guardia personal permaneciera en la obra. Ningún soldado fue autorizado a acompañarle, él, sólo él debía encontrar al arquitecto.

Caminó a lo largo del río y llegó a un cañaveral. Estaba convencido de que maestre Hiram, cruelmente herido por la muerte de aquellos a quienes gobernaba, había buscado refugio en la soledad. Apartando la cortina vegetal, Salomón se introdujo en un universo hostil donde pequeños carniceros atacaban los nidos del los pájaros. Algunos tallos rotos probaron al monarca que el maestro de obras había seguido aquel camino. En su adolescencia, el rey había cazado en aquellos apartados lugares, donde le gustaba soñar en la sabiduría.

Cuando llegó a la cima del promontorio de tierra rojiza que dominaba el lago de los hibiscos, un minúsculo estanque rodeado de plantas olorosas, Salomón vio a Hiram. Desnudo, se lavaba frotándose la piel con natrón. El rey hizo crujir unas ramitas. Hiram levantó la cabeza, divisó al intruso pero no modificó el ritmo de sus gestos. Concluidas sus abluciones, vistió la túnica blanca y roja y, luego, se sentó a orillas del lago. Salomón se sentó a su lado.

–Es una inmensa victoria, maestre Hiram. El mar de bronce es un prodigio.

–La más horrible de mis derrotas. Por mi culpa han muerto hombres.

–Os equivocáis. Estoy convencido de que ha habido un sabotaje. Obtendremos la prueba y castigaremos a los culpables.

–Mi obligación era preverlo e impedirlo.

–Sólo sois un hombre. ¿Por qué cargar sobre vuestros hombros todas las desgracias?

–Era mi obra. El desastre me incumbe.

–Sois demasiado vanidoso. ¿No se ha hecho realidad vuestra obra maestra?

–Su precio es excesivo. Ninguna creación justifica la pérdida de vidas humanas. Amaba a esos hombres. Eran mis hermanos. A mi modo de ver, soy indigno para siempre. El mar de bronce me hace impuro. Nada borrará esa mancha.

–Para mí, habéis alcanzado el objetivo que os habíais fijado. No tenéis nada que reprocharos, pero no hubierais debido mentirme.

El arquitecto volvió la cabeza unos instantes.

–Estáis circuncidado –prosiguió Salomón–. Si fuerais hebreo, eso sería la marca visible, en vuestra propia carne, de la alianza con Dios. Los tirios no están circuncidados. Y vos no sois hebreo, ni tirio. Salvo la gente de mi pueblo, sólo los egipcios de alto linaje practican ese rito sagrado. Me ocultasteis vuestros orígenes. ¿Cómo poder admitir que un egipcio ha construido el templo de Yahvé? Debería mataros con mis propias manos. ¿No habréis colocado en los muros del santuario algún secreto pagano que lo desnaturalice?

–¿No buscáis la sabiduría, majestad? ¿Ignoráis cuál es la luz oculta en el corazón de los templos de Egipto? Fui educado, allí, por los hijos de los constructores de pirámides. Ellos formaron mi espíritu. Amón o Yahvé... Sólo varían los nombres del principio, Él permanece. La sabiduría es radiación, no doctrina. Nada la oscurece. Quien la venera desde la aurora tal vez la encuentre, por la noche, sentada a su puerta. Quiera Dios haberme permitido permanecer fiel a las enseñanzas de los antiguos y no haberos traicionado.

–Prefiero la sabiduría al cetro y el trono –dijo Salomón–. La prefiero a la riqueza. Ningún tesoro puede comparársele. Ante ella, todo el oro de Saba es sólo un grano de arena. La prefiero a la belleza y la salud. Ella me dio la ciencia del gobierno, ella me hizo conocer las leyes de este mundo, la sellada naturaleza de los elementos, el lenguaje de los astros, los poderes de los espíritus, las virtudes de las plantas. Pero escapa, huye a lo lejos... ¿La habéis encerrado en las piedras del templo, maestre Hiram? ¿Cómo he podido permitir que un egipcio dirigiera los obreros de mi reino? He demostrado ser un mal rey.

–No conocía vuestro pueblo ni vuestra tierra. He aprendido a amarlos.

–Pero seguís siendo egipcio.

–¿Qué nos separa, majestad?

–El acontecimiento que se celebrará cuando se inaugure el templo: la salida de los hebreos de Egipto, la liberación de mi pueblo oprimido por el vuestro.

–Sabéis tan bien como yo que no se produjo como estáis diciendo. Los hebreos fabricaban ladrillos en Egipto. Recibían un salario por su trabajo. Nadie les había reducido a una condición miserable. La esclavitud nunca ha existido en Egipto. Es contraria a las leyes del cosmos, del que el faraón es hijo y garante ante sus súbditos. Moisés ocupaba un alto cargo en su corte. Salió de Egipto para fundar Israel con el acuerdo del faraón a quien servía.

–Maestre Hiram, ni vos ni yo debemos divulgar este secreto. Nadie está preparado todavía para escucharlo. La memoria de mi pueblo se ha nutrido con el relato contenido en nuestro libro sagrado. Es el fundamento de nuestra historia y es demasiado tarde para modificarla.

–No os creo, majestad. Con el templo erigido en la roca de Jerusalén, habéis decidido establecer un nuevo pacto entre Dios e Israel, que será una nueva alianza entre Egipto e Israel. Desunidos, ni el uno ni el otro conocerán la paz.

Hiram leía en el alma de Salomón, Salomón en el alma de Hiram. No se lo confesaron, temiendo romper el mágico vínculo que les unía.

Salomón sabía que el maestro de obras no iba a perdonarse nunca la muerte de sus obreros, y, por su parte, Hiram sabía que el rey le reprocharía haber ocultado su origen egipcio. Pero el secreto que compartían les hacía hermanos en espíritu.

–El templo es la carne de Dios –prosiguió Hiram–. El rey lo hace vivo. Vos sois el único mediador entre vuestro pueblo y Yahvé. El único, majestad.

Capítulo 44

Tras la partida de Salomón, Hiram regresó a la obra. Había prometido al rey no abandonar el templo, velar por la instalación del mar de bronce y terminar el atrio. Pero también había exigido permanecer solo, en el desierto, durante tres días y tres noches. Sentía la necesidad de alejarse de cualquier presencia humana y buscar en su interior una nueva claridad.

El maestro de obras se cruzó con bandadas de damanes, especie de marmotas que huían al menor peligro. Escuchó la risa de las hienas y el lamento de los chacales. Vio zorros y jabalíes, se impregnó de un sol ardiente, caminó por la arena ocre, durmió al abrigo de las rocas olvidadas por la mano de quien moldeó el desierto. ¿Cuál era aquella presencia que ascendía de la inmensidad como una columna de incienso, si no la del Creador?

A Hiram le gustaban las palabras minerales, la ausencia abrumada por el color, la abnegación de una tierra que había renunciado a la fertilidad para acoger mejor la invisible percepción del Ser.

Nada escapaba al desierto. El maestro de obras le ofreció la muerte de sus compañeros de trabajo. Enterró su recuerdo en la santidad del rojizo ocaso, confió sus almas al espíritu del viento que se las llevaría a los confines del universo, junto a la fuente donde no habían nacido todavía las tinieblas.

Cuando tomaba de nuevo la pista que llevaba al Jordán, Hiram vio una tienda roja y blanca erigida en un pedregoso montículo.

Lo comprendió entonces. Había llegado la hora. La alegría que hubiera debido sentir, le laceró.

Hiram penetró en la tienda. Un nómada vestido como un beduino estaba sentado allí en la postura del escriba. Su corta barba puntiaguda lo identificaba como un semita. De unos cincuenta años, con los ojos penetrantes, ofreció al recién llegado una copa llena de agua fresca con un poco de vinagre.

–Bienvenido, huésped. Séame permitido darle asilo hasta que la sal que coma haya abandonado su vientre.

Hiram aceptó la sal de la tierra, ofrecida en un plato de alabastro.

–¿Cómo me habéis encontrado en este desierto?

–Recorro la región desde hace más de un mes. Anunciaron vuestra llegada a las fundiciones. Desde las colinas asistí al nacimiento de vuestra obra maestra y no le quité la vista de encima. A lo lejos, vi que Salomón se os acercaba. Luego, seguí respetando vuestro aislamiento. Tengo que hablaros antes de que volváis al mundo.

–Hace más de siete años que salí de Egipto... ¿Os envía el faraón?

–Naturalmente, maestro Horemheb. Él y yo somos los únicos que conocemos esta misión. ¿No aguardabais una señal del rey de Egipto cuando vuestra tarea estuviera terminada?

Hiram tomó su cabeza entre las manos, como un viajero agotado al término de un largo periplo. Había soñado durante siete largos años en aquel momento. Lo había imaginado como una liberación, una felicidad con sabor a miel, un sol de rayos bienhechores. Pero se había producido el drama del mar de bronce y la entrevista con Salomón, junto al lago perdido entre altas hierbas. El arquitecto deseaba regresar a Egipto pero no tenía ya derecho a abandonar Israel. Colaborar con Salomón, ayudarle a consolidar su trono y la paz, terminar el templo que sacralizaría su pueblo eran deberes a los que no se sustraería.

–¿Estáis satisfecho de vuestra obra, maestre Horemheb?

–¿Qué arquitecto lo sería si no colocara en su jardín el seco árbol de la vanidad? El templo hubiera podido ser más vasto y noble... Pero sólo disponía de la superficie de la roca.

–¿Habéis conseguido inscribir en sus muros la sabiduría de nuestros antepasados?

–Egipto está en el corazón del santuario de Salomón. Quien sepa leer Karnak descifrará Jerusalén. Quien lea el templo de Yahvé conocerá los misterios y la ciencia de la Casa de la Vida.

–Fuisteis el fiel servidor del faraón. Por eso merecéis honores y dignidades. Pero la felicidad de Egipto parece exigir otra cosa...

–¿Qué queréis decir?

–El faraón esperaba veros regresar a su lado. Os habría nombrado jefe de todos los trabajos del rey. Lamentablemente, las ambiciones de Libia han despertado de nuevo. Siamon teme una tentativa de invasión. ¿Cómo actuará Israel? ¿Será Salomón un aliado? Sólo vos, por vuestro conocimiento de este país y su monarca, podríais avisarnos de una eventual traición. Por ello el faraón os pide que prolonguéis vuestro sacrificio.

Hiram bebió el agua avinagrada. ¿Quién podía discutir una orden del faraón? Siamon no le dejaba elección posible. ¿Cuándo regresaría a Egipto? ¿Debería sufrir siete años más de exilio?

Sólo el viento del desierto conocía la respuesta.

La jornada no tendría igual en la historia de los hombres. Para la fiesta de la inauguración del templo, las calles de Jerusalén se habían llenado de una exuberante muchedumbre. Las aldeas parecían abandonadas. Ningún hebreo quería perderse el más excepcional de los acontecimientos. Cuando Salomón anunciara el nacimiento del santuario de Yahvé, Israel habría sido creado por segunda vez, accediendo al rango de Estado poderoso, capaz de clamar hasta los cielos su fe y su esperanza.

Circular por las callejas era casi imposible, pues las masas de curiosos se hacían cada vez más compactas. Por todas parte se veían sacerdotes vestidos con túnicas blancas. Los jefes de las tribus de Israel, precedidos de una cohorte de servidores, se hallaban al pie de la roca. Ni una sola pulgada de la pendiente que salía de la ciudad de David y se dirigía al templo de Salomón estaba libre de ocupantes. Todos admiraban el muro y las tres hileras de piedras de talla. ¿Cuándo se abrirían las puertas, custodiadas por los soldados de Salomón, dando libre acceso a la explanada, objetivo de la peregrinación de miles de creyentes?

Aquel día se conmemoraría como el más glorioso de la aventura de Israel, aquel en el que un dios nómada había encontrado por fin su morada de paz. Su santuario sería el lugar de sacrificio que unía la tierra y el cielo. Las demás divinidades y los demás cultos quedarían suprimidos, aniquilados por el formidable poder del Único.

Salomón revistió a Hiram con un manto de púrpura.

–He aquí la insignia de dignidad que deberéis lucir el día en que vuestra obra esté terminada.

–¿Lo estará alguna vez, majestad?

–El tiempo se ha detenido en el umbral del templo, maestre Hiram. Supera a su creador.

Ambos hombres estaban solos en el atrio. A oriente se erguía un sublime pórtico, con su triple alineamiento de más de doscientas columnas. A través de ellas se dibujaban las formas del valle del Cedrón y las verdeantes colinas, transidas de sol.

–Quiero olvidar todo el pasado –declaró Salomón–. Una hora pasada en este lugar vale por mil días de Paraíso.

Con el corazón en un puño, el arquitecto contemplaba el paraje que, pronto, ya no le pertenecería. El majestuoso atrio tenía en el centro un altar, a la izquierda del cual se erguía el mar de bronce, sostenido por doce toros metálicos, tres en cada punto cardinal. La enorme alberca recordaba el lago sagrado de Tanis donde, al alba, los sacerdotes se purificaban antes de tomar un poco de agua que serviría para sacralizar los alimentos ofrecidos a los dioses. El mar de bronce tenía un borde esculpido en forma de pétalos. Simbolizaba el loto naciente de las aguas primordiales, sobre el que se había levantado el sol de la primera mañana. A su alrededor, diez piletas de mil litros cada una, instaladas sobre carros que los sacerdotes desplazarían según los imperativos rituales. Ellas proporcionarían el líquido indispensable para limpiar los animales del sacrificio.

El propio Salomón abrió las puertas del recinto. Sadoq y varios sacerdotes, portando el Arca de la Alianza, las cruzaron lentamente. Las Tablas de la Ley abandonaban para siempre la antigua ciudad de David. En adelante residirían en el Santo de los santos del templo de Salomón.

El sumo sacerdote se inclinó ante el rey, quien se acercó al Arca y la tocó con veneración. Recordó aquel bendito día cuando, pensando en una paz imposible, había realizado el mismo gesto. La ley divina había satisfecho su más ardiente deseo. Cerró los ojos, soñando en un mundo donde los hombres hubieran matado la guerra y el odio, donde sus miradas se dirigieran sin cesar hacia el templo, en busca de la sabiduría.

–Ayudadme, maestre Hiram.

El arquitecto levantó los soportes posteriores del Arca, el rey los anteriores. El peso, que era considerable, les pareció ligero. Pasaron juntos entre las dos columnas, atravesaron el vestíbulo, luego el *hêkal* donde se hallaban el altar de los perfumes, la mesa de los panes de ofrenda y los diez candelabros de oro, y penetraron por fin en el *debîr* donde velaban los querubines, uno junto a otro.

Éstos llegaban a media altura del Santo de los santos; sus alas exteriores tocaban los muros laterales, las extremidades de las alas interiores se tocaban, formando una bóveda bajo la que fue depositada el Arca de la Alianza.

El maestro de obras se retiró.

Salomón presentó al Arca la primera ofrenda de incienso. En la olorosa nube se reveló la presencia divina. El rey se sintió revestido de cálida luz. Los ojos de oro de los querubines brillaban.

Salomón se mostró a su pueblo. Levantando las manos, con las palmas vueltas al cielo, entregó el templo a Yahvé. Miles de fieles se arrodillaron con los ojos llenos de lágrimas.

–¡Que Dios bendiga Su santuario y a los creyentes! Así renovarán su alianza con Él. Así será misericordioso y nos concederá Su ayuda contra los poderes de las tinieblas. Que el Señor esté con nosotros como estuvo junto a nuestros antepasados, que no nos abandone, que incline a Él nuestros corazones para que avancemos por Su camino. Yahvé, dios de Israel, no hay ningún dios parecido a ti, arriba en los cielos, aquí en la tierra, eres fiel a Tu pacto. Que Tus ojos se abran día y noche a este templo, a este lugar donde vive Tu nombre.

Mientras las aclamaciones subían hacia el rey, la angustia le dominó. ¿Viviría realmente Dios en la tierra con los hombres? Si los cielos de los cielos resultaban demasiado pequeños para contenerle, ¿qué decir del templo de Jerusalén?

Dos sonrisas apaciguaron a Salomón. Primero, la de Hiram, soberbio con su manto de púrpura ante el mar de bronce.

Luego, la de la reina Nagsara, vestida de gala a la izquierda del sumo sacerdote y algo más atrás.

Una y otra expresaban alegría y orgullo. Tranquilizado, Salomón subió los peldaños del gran altar de diez metros de altura colocado a un extremo del atrio.

El maestro de obras, el sumo sacerdote y la reina compusieron un triángulo cuyo centro era el rey de Israel. A su alrededor, los sacerdotes. Los guardias abrieron de par en par la puerta del recinto, dando libre paso a los peregrinos que invadieron la explanada.

Se hizo un profundo silencio. Con los ojos clavados en Salomón que encendía el fuego del holocausto, los espectadores de aquel rito de «la primera vez», contuvieron su aliento. La llama, que ya no se extinguiría, pareció llegar al cielo. Con una oveja en los brazos, un sacerdote llegó junto al rey. Degolló al animal cuya sangre corrió por los canalillos que llegaban a los cuatro ángulos del altar. Las cenizas caerían a través de una reja horizontal.

Tras un signo de Salomón, sonaron las trompetas, entregando el altar a una multitud de celebrantes que sacrificaban los animales que serían consumidos en el gigantesco banquete. Más de veinte mil bueyes y cien mil ovejas serían inmolados a la gloria de Dios.

Salomón lo había conseguido. El templo había nacido. Un maestro de obras genial, Hiram, había dado cuerpo al insensato proyecto de un monarca ebrio de absoluto.

Salomón lloraba de alegría, inmóvil y solitario, en el Santo de los santos.

Hiram, abrumado por el peso del exilio y la muerte de sus hermanos, se ocultaba en la caverna en compañía de su perro.

La reina Nagsara, sola en su magnífica alcoba de palacio, lloraba por su amor perdido.

Caleb el cojo, borracho de alegría y vino, festejaba en la mesa de los ricos que cantaban la fama de Salomón el sabio y de Hiram el maestro de obras.

Capítulo 45

Desde su inauguración, el templo se convirtió en el corazón de Jerusalén. En la explanada, se acudía a pasear, charlar e incluso hacer negocios. Nadie tenía que golpear el enlosado con un bastón. Sólo se podía caminar con los pies desnudos o con sandalias de perfecta limpieza. Algunos sacerdotes, que circulaban permanentemente, se aseguraban de que ninguna moneda entrara en el lugar.

Sadoq descubrió con satisfacción los alojamientos que, por orden de Salomón, maestre Hiram había construido para los religiosos. Una gran galería de madera, a lo largo del templo, unía las pequeñas habitaciones, luminosas y bien ventiladas. Allí vivirían los subordinados directos del sumo sacerdote, encargados de organizar el trabajo de los quince mil sacerdotes que oficiaban cada día en el templo. Tras el baño purificador de la mañana, revestían una túnica de lino blanco y sacrificaban tres animales, entre ellos un toro. Su sangre, mezclada con el óleo sagrado, servía para consagrar a un nuevo clérigo, que pertenecería a una de las veinticuatro clases de sacerdotes que se ocupaban por turnos de los lugares santos. Los candidatos eran numerosos, atraídos por la importancia de las ganancias que correspondían a aquella función: donación de vestiduras y de abundantes alimentos. La atribución de los distintos servicios del templo se decidía por un sorteo vigilado por el sumo sacerdote. La quema de perfumes era la más deseada, pues daba derecho a carne de buey y a vino de excelente calidad.

Salomón daba a Sadoq una importancia sin igual; colocado a la cabeza de una poderosa administración, el sumo sacerdote gozaba de incomparables honores. ¿No se había convertido en el personaje más rico del reino tras el monarca?

El sumo sacerdote no caía en las trampas de Salomón. El rey había creído adormecer su vigilancia colmándole de beneficios. Pero éstos no le hacían olvidar la única realidad que contaba: el monarca concentraba en sus manos el poder político y el poder religioso. Pese al prestigio de que gozaba, Sadoq era sólo un segundón de quien el dueño de Israel podía desembarazase en cualquier momento.

Puesto que el templo había nacido y satisfacía al pueblo, era preferible preservarlo. A condición de eliminar el maléfico trío que arrastraba Israel a su perdición: un maestro de obras ambicioso, una reina impía y un rey omnipotente.

La cabaña de los útiles, erigida al borde del campamento, a la sombra de una vieja higuera, era lo bastante grande como para albergar a tres campesinos. Aquella mañana de cálidos colores, daba asilo al sumo sacerdote Sadoq, a Jeroboam y a Elihap.

–Las investigaciones sobre el accidente de la fundición progresan –indicó el secretario de Salomón–. Se producirán arrestos. Los culpables hablarán. Si se pronuncia demasiado el nombre de Jeroboam...

El antiguo jefe de los trabajos, vistiendo una pobre túnica de labrador, había salido discretamente de Jerusalén, imitado por Elihap. Sadoq, por su parte, había renunciado a sus soberbias vestiduras de sumo sacerdote, adoptando una simple túnica oscura, ceñida al talle por un amplio cinturón.

–No desesperemos –recomendó Jeroboam–. Salomón cuenta con Hiram para asegurarse el apoyo de una cofradía sólida que reúna obreros hebreos extranjeros. Pero es mucho menos coherente de lo que ambos creen.

–¿Habéis comprado conciencias? –preguntó el sumo sacerdote.

–Casi. Varios compañeros se sienten muy descontentos de la actitud de Hiram hacia ellos. Tres: un albañil sirio, un carpintero fenicio y un herrero hebreo exigieron un ascenso que les ha sido negado. Alentémosles a obtener la contraseña de los maestros y a descubrir sus secretos. A cambio de nuestro apoyo, nos los transmitirán y, así, el arquitecto se verá descalificado y el rey tendrá dificultades.

—Contad conmigo para salir adelante —aseguró Sadoq—. Libradme de Hiram y yo echaré a Salomón del trono.

Elihap no sabía ya si debía unirse a esa nueva conspiración. Pero temía demasiado a sus acólitos como para protestar.

¿Qué quedaba del hombre tras su desaparición de la tierra? Un rastro luminoso, una sombra, una emoción... ¿No se reunirían acaso en la región tenebrosa donde reinaba el silencio, tan lejos del mundo que incluso la cólera de Yahvé, atronadora como miles de tempestades, no conseguía alcanzarla?

Hiram asistía en el atrio del templo a la salida del sol, con el espíritu agitado por sombríos pensamientos. La muerte revoloteaba a su alrededor, como un pájaro nocturno que resistiera la luz naciente.

Cuando resonaron las trompetas, las puertas del santuario se abrieron y las primeras oraciones ascendieron a Yahvé. Luego, Sadoq procedió al sacrificio del alba. Corrió la sangre, chisporroteó la carne de la oveja. La humareda del templo se orientó hacia el norte, anunciando un futuro lluvioso.

La alegría había abandonado a Hiram. No le gustaba desempeñar el papel de un espía. Crear un templo para transmitir, en una nueva forma, la antigua sabiduría era digno de la Casa de la Vida. Traicionar a un rey por quien sentía admiración y amistad le indignaba. Le sería insoportable rebajarse a sus propios ojos. En sus sueños merodeaban formas amenazadoras, que regresaban noche tras noche... ¿No debía atender aquellas señales del más allá?

—Estáis muy pensativo, maestre Hiram.

—Majestad, vos...

–A veces estoy solo, tan solo como vos, y vengo aquí antes de que amanezca, para contemplar vuestra obra. Dios me concedió la ayuda de un arquitecto genial, tal vez incluso un amigo. ¿No seréis un emisario de esa sabiduría que busco en todas las cosas?

–No, majestad. Soy un simple artesano.

–Un maestro de obras egipcio –rectificó Salomón–. Un hombre educado por los sabios. Un hombre distinto a los demás.

–Un hombre para el que ha llegado la hora de regresar a su país, majestad. Mi trabajo aquí ha concluido. El mar de bronce está en su lugar. Ninguna piedra del templo se moverá antes de que transcurran muchos siglos. Liberadme de mi tarea, majestad. Necesito vuestra aprobación.

–Sois orgulloso y huraño, maestre Hiram. Pero sabéis manejar a los hombres y dirigirlos.

–Sólo para construir. Gobernar es cosa vuestra, no mía.

–¿Cuándo pensáis poneros en camino?

–En cuanto termine esta postrera entrevista. Solo y sin escolta. En Egipto, permaneceré mucho tiempo en el desierto. Tal vez así me purifique.

–Merecéis una gran recompensa. Apenas bastaría un verdadero tesoro.

–Nada deseo, majestad.

–¿Y los miembros de vuestra cofradía? ¿Qué será de ellos cuando os marchéis? Habéis organizado gigantescas obras, emprendido grandes tareas, contratado y formado a centenares de artesanos, miles de jornaleros. Habéis puesto en marcha toda una sociedad. ¿A quién van a obedecer si no sois su jefe?

–A su rey, majestad.

–No, maestre Hiram. Os necesito todavía. Cada año llegan a Jerusalén grandes riquezas. El trabajo de las provincias, el comercio, las expediciones lejanas me procuran más de veintitrés toneladas de metales preciosos. Los más ricos soberanos me envían regalos. Gracias al templo, Israel se ha convertido en un gran país coronado por la fortuna. Con el oro de Saba, fabricaréis doscientos escudos de tamaño normal y trescientos más pequeños. Mi guardia de élite mostrará los primeros al pueblo, durante las grandes fiestas. Con los segundos, formarán la base de un tesoro que se albergará en el edificio que vos construiréis. El resto del oro quedará oculto en el subsuelo del Santo de los santos. Sería utilizado si mi país atravesara una época de miseria. Es mi voluntad, maestre Hiram.

El arquitecto se lanzó con ardor a la nueva tarea. Maestros, compañeros y aprendices se sintieron felices de proseguir su aventura a las órdenes de aquel a quien veneraban. Tras haber presentado una maqueta al rey, Hiram rodeó tres de los costados del templo con edificios de tres pisos, que se comunicaban entre sí por medio de trampillas. Los pisos iban reduciéndose. Allí se depositarían las riquezas del reino.

A lo largo de la ruta que llevaba a la ciudad se levantaría la más importante de aquellas construcciones, la casa del bosque del Líbano. En el interior de aquel imponente tesoro, de cincuenta metros de largo, veinticinco de ancho y quince de altura, Hiram había previsto gran cantidad de troncos de cedro que sostendrían el techo. Arriba se desplegaría una sabia maraña de vigas talladas con las ramas de unos sesenta árboles.

Transcurrió más de un año en plena fiebre de trabajo comunitario, que dio los más hermosos frutos durante un otoño en el que las cosechas de uva y aceitunas fueron de excepcional abundancia. En los campos, los labradores que azuzaban a los bueyes que tiraban del arado admiraron la elegante silueta de la casa del bosque del Líbano. Aquella visión les consolaba de un trabajo que la sequedad de una tierra rocosa donde crecían los cardos hacía muy duro.

El año nuevo, marcado por la fiesta del Gran Perdón, fue precedido por un período de arrepentimiento durante el que Israel expió ritualmente sus pecados. En la convocatoria de otoño, cuando todo el pueblo imploraba a Dios que le concediera su gracia, toda actividad estaba prohibida so pena de muerte. Se imponía un severo ayuno.

Salomón autorizó, sólo en aquella ocasión, al sumo sacerdote a penetrar en el Santo de los santos, al que purificó de la mancha del alma agonizante ofreciéndole la sangre de un toro mezclada con la de un carnero. Iniciada al resonante toque de las trompetas, se organizó una procesión hacia el templo. Los cánticos habían santificado la campiña donde, hincados de rodillas, los campesinos habían escuchado la voz de los antepasados que les recordaba que sólo el Señor hacía fértil la tierra.

Alrededor de Jerusalén fueron levantándose, por todas partes, chozas de follaje e improvisadas tiendas. Miles de peregrinos se alojaban en ellas, al igual que los ciudadanos abandonaban sus moradas durante la fiesta de los Tabernáculos, que seguía a la del Gran Perdón. Así se conmemoraba el eterno vagar del hombre en este mundo. Así se evocaba el exilio de una raza desgarrada entre nómadas y sedentarios.

Al lado de Salomón, en el atrio del templo, Hiram escuchó el coro de los sacerdotes que evocaba la piedra angular que los constructores habían desdeñado y que Yahvé había convertido en piedra fundamental. Él, el arquitecto del templo, se sentía excluido como aquel piramidión que sólo Dios sabía colocar para concluir el edificio. ¿Hacia qué ángulo del universo se orientaría, en adelante, su vida? Egipto le rechazaba, Israel le encarcelaba.

–¡El chivo! –gritó un oficiante–. ¡He aquí el chivo emisario que cargará con nuestras impurezas y nuestros pecados!

El sumo sacerdote, ayudado por dos asistentes, condujo un soberbio animal, rebelde e indisciplinado, hasta el pie del altar central.

–Señor –rogó Sadoq–. Tu pueblo ha pecado. Ha cometido crímenes y violado Tu Ley. Concédele Tu perdón. Sé misericordioso. Expulsa ese animal al desierto. Dirígelo a un precipicio para que muera expiando nuestras faltas. Que perezca en soledad. Que nadie le ayude.

Sadoq se apartó. Un sacerdote azotó los lomos del chivo, que saltó hacia delante.

El animal se detuvo a un metro de Hiram. Las miradas del maestro de obras y del condenado se cruzaron. El primero no leyó angustia alguna en los ojos del segundo. Sólo un orgullo que ninguna desgracia podría apagar. El chivo levantó la cabeza, exhaló un suspiro que salía de sus entrañas y se lanzó hacia la muerte.

Caleb comía pan muy cocido y queso fresco. *Anup* pedía algo de alimento y el cojo se lo concedía parsimoniosamente, mientras Hiram trabajaba en los nuevos planos.

–Pero ¿no vais a descansar nunca?

–La reina de Saba se ha puesto en camino hacia Jerusalén. Salomón exige una capital más bella todavía. Mis artesanos tendrán que hacer milagros.

–El propio Dios se toma su tiempo.

–Pero no es servidor de Salomón.

–¿No es el rey vuestro mejor amigo?

Hiram dejó su cálamo y miró a Caleb.

–¿Es esto un reproche?

El cojo bajó la mirada y se concentró en su escudilla.

–Nadie puede ser amigo de un rey. Gran parte del pueblo os admira y os respeta. ¿Qué monarca puede soportar por mucho tiempo la presencia de un rival? Habéis tenido mucha suerte. El templo está terminado y seguís con vida. Debierais aprovecharlo para poneros en camino.

El maestro de obras trazó una línea roja en el papiro. Su mano actuaba con una precisión y una rapidez que casi asustaban a Caleb. ¿No la guiaría algún espíritu?

–Fuiste un profeta de la desgracia, mi buen Caleb, pero nada ha sucedido. Gracias a mi cofradía, Israel es un país rico y magnífico. ¿Sería justo que abandonase a quienes construyeron templo y palacio? ¿No me comportaría como un cobarde?

Caleb no tenía ya hambre. Dejó en el suelo la escudilla, que el perro se apresuró a lamer.

–El cazador nunca pierde la misma presa dos veces consecutivas. Salomón os matará, maestre Hiram.

–Éste es mi regalo de año nuevo –dijo Salomón a Nagsara.

Los sirvientes desplegaron, sobre el enlosado de los aposentos de la reina, una inmensa alfombra de seda, del color de la esmeralda, tramada con hilos de oro. En el ángulo oriental, colocaron un trono de marfil; en el de mediodía, un lecho de púrpura; en el septentrional, una mesa de oro cubierta de vajilla de oro; en el de occidente, jarras de aceite, odres de vino y jarras llenas de miel.

La reina contempló a aquel a quien amaba con un amor que la reclusión había hecho más ardiente todavía. Habían transcurrido más de siete años y Salomón no había envejecido. Ni la menor arruga se veía en su rostro de tan puras líneas, adornado ahora con una magnífica barba de azabache que reforzaba más aún su natural autoridad.

–Os agradezco vuestra bondad, majestad. Pero no necesito esos tesoros. Sufro. Mi corazón está dolorido. La diosa Hathor no responde ya a mis plegarias. Cada noche interrogo la llama; tampoco me responde ya. Privada de vuestra mirada, no tengo porvenir. Sois demasiado sabio, demasiado perfecto, estáis demasiado lejos de la humanidad. ¿No aceptaríais, como vuestro padre David, de quien con tanta emoción hablan los cortesanos, sucumbir a ciertas debilidades, olvidar el Estado para preocuparos por la angustia de una mujer?

Salomón abandonó el ala del palacio reservada a la reina. No pensaba en ella sino en Hiram.

Hasta entonces, se había resistido a las calumnias de que era víctima su maestro de obras. No había tenido en cuenta las advertencias y los rumores, pues la amistad no se adapta a la duda. Pero el veneno comenzaba a abrasarle el alma. Tal vez Hiram fuera un hombre muy distinto. Un ambicioso, un monarca que silenciaba su nombre. Salomón no tenía derecho a estar ciego, aunque su lucidez debiera desgarrar el más precioso de sus sentimientos.

De pronto, sintió deseos de abandonar Israel a los juegos del azar y de ordenar a los vientos del espacio que lo hicieran desaparecer en la inmensidad del cielo.

Tercera parte

Soy negra, pero hermosa, hijas de Jerusalén...
Dime tú, amado de mi alma,
dónde pastoreas, dónde sesteas al mediodía,
no venga yo a extraviarme tras de los rebaños de tus compañeros.

Cantar de los Cantares, primer poema.

Capítulo 46

Desde la frontera de Israel hasta Jerusalén, la reina de Saba pasó entre dos hileras de campesinos que le ofrecían sus más preciosos objetos; aclamaban a la visitante llegada del país más rico del universo. En las cercanías de la capital, Salomón había cubierto la pavimentada carretera con perlas y diamantes. Desde lo alto de la barquilla colocada a lomos de un elefante blanco que presentía la menor de sus órdenes, Balkis descubría la Tierra Prometida.

De embriagadora belleza, con los negros ojos subrayados con un trazo de maquillaje verde, risueña la boca, flexible el cuerpo apenas velado con una túnica de lino teñida con púrpura de múrex, adornada la garganta con un pectoral de lapislázuli, con brazaletes de oro en las muñecas y los tobillos, la reina de Saba imponía respeto a quien se le acercaba. La fuerza de un ingenio vivo como el águila de las montañas se unía al encanto que hechizaba el corazón más seco.

Con un chal echado a los hombros, Balkis iba a la cabeza de un desfile de elefantes, camellos y caballos ornamentados con piedras preciosas, sedas y aromas. Los conducían más de un millar de sabeos de negra piel. Su reina tenía la piel cobriza, como una egipcia del profundo sur. Al final del cortejo, pesados carros cargados de frascos de mirra, nardo, lirio, jazmín, rosa y cinamomo.

Ante la gran puerta de Jerusalén estaba Salomón, sentado en un trono de oro colocado en un atrio de cristal donde se reflejaba el transparente cielo de otoño. A su alrededor, los dignatarios vestidos con túnicas de seda adornadas con franjas coloreadas y un cinturón de lana que daba varias vueltas alrededor de su talle. Los hábitos de los sacerdotes, realzados con borlas, eran de color azul jacinto. Sadoq, a petición de su soberano, lucía sus vestiduras de sumo sacerdote, aunque fuera hostil a la llegada de una reina que adoraba divinidades paganas.

«Ojalá me enseñe un poder mayor que mi poder –pensaba Salomón–, una sabiduría más grande que la mía. Ojalá me enseñe a consolidar la paz que es la clave de la felicidad de los pueblos.» El rey pensaba en Nagsara, cuya presencia le había permitido comenzar la obra, cuando un aroma de nardos anunció la llegada de Balkis.

El sol de mediodía bañaba la barquilla del elefante blanco. La reina de Saba se irguió, tocada con una corona púrpura. Unos servidores agitaban abanicos ante el paquidermo para disipar el humo de aromas que perfumaba el cortejo.

Salomón se levantó en cuanto la impresionante montura se hubo inmovilizado. Sadoq, indignado por el impudor de aquella extranjera que se permitía dominar así al rey de Israel, se volvió hacia un lado.

–Reina del rico país de Saba, sed huésped de mi país y de mi pueblo.

El elefante se arrodilló. Dos sabeos ayudaron a su reina para que bajara. La mujer quedó a pocos metros de Salomón.

–El universo entero celebra vuestro poder, rey Salomón. Vengo de un paraíso construido por arquitectos que tallaron montañas, condujeron agua gracias a los canales y fertilizaron el desierto. Mis antepasados excavaron lagos, plantaron árboles e hicieron reverdecer la estepa. He traído mil tesoros para donároslos. Cuando he visto el camino de vuestra capital empedrado de perlas y diamantes, me he avergonzado. ¿No habría sido mejor arrojar a los arroyos la miserable riqueza de Saba? Ante vos, cualquier opulencia es pobreza.

–Mi palacio os aguarda.

–No puedo responder favorablemente a vuestra invitación, majestad. Mañana es día de sabbat. Una extranjera no debe turbar el culto de Yahvé. Antes de que salgan las estrellas, mi séquito habrá plantado las tiendas a orillas del Cedrón.

Salomón, deslumbrado por la cantarina voz de una reina que tan bien conocía las costumbres de Israel, aceptó los deseos de Balkis. ¿Cómo, entre el concierto de aclamaciones en honor a la soberana de Saba, habría podido oír el llanto de su esposa Nagsara, sola en un espléndido palacio que la horrorizaba?

Cuando apareció el primer rayo del sol naciente, la reina de Saba montó en un caballo blanco y entró en Jerusalén. La admiró una recogida muchedumbre. El más humilde de los curiosos sentía que el destino de Israel se decidía en aquel solemne instante. El sumo sacerdote, que no había sido consultado, seguía dominado por la cólera. En privado, amenazaba a la extranjera con el rayo divino. Algunas mujeres deploraban la funesta suerte que había caído sobre Nagsara. Y todos advertían la extraña ausencia del maestro de obras Hiram.

En cuanto puso pie a tierra, al inicio de la vía que llevaba al templo, Balkis saludó al sol. Su plegaria escandalizó a la cohorte de sacerdotes. Pero Salomón no dirigió reproche alguno a la reina de Saba que, con su vestido verde claro de sobrias líneas, estaba más resplandeciente que la víspera. Le rogó que se colocara a su lado, en la silla de manos, de madera dorada, que habían creado los carpinteros de Hiram.

Balkis tenía los cabellos cortos, de un negro brillante y tan finos como sus pestañas. Su rostro, gracioso como el de una gacela, tenía la ternura de las palomas y el frescor de los lises.

–¿Cuál es la verdadera razón de vuestra venida?

–Ver el templo cuya perfección proclaman todos los pueblos, descubrir el país gobernado por un monarca cuyo penetrante ingenio se alaba y cuyas palabras se beben. Bienaventuradas vuestras mujeres, bienaventurados vuestros servidores que están perpetuamente a vuestro lado. Bendito sea el Dios que os ha colocado en el trono de Israel.

–Esas palabras son demasiado elogiosas.

–¿Acaso Yahvé no ha concedido a Salomón una inteligencia tan vasta como la arena de las playas? ¿No es vuestra sabiduría más gloriosa que la de todos los hijos de Oriente?

–Nadie posee la sabiduría.

–No seáis tan modesto. Vuestra reputación ha cruzado las fronteras de Israel.

Salomón desconfió. ¿Intentaría la reina de Saba plantearle uno de aquellos temibles enigmas que ridiculizaban al más sabio y arruinaban la más asentada fama? Quien no encontraba la solución, perdía su honor.

–Sin embargo, tengo que haceros un reproche.

–¿Cuál? –se extrañó el rey.

–El rumor afirma que mandáis a los demonios, que comprendéis el lenguaje de los animales y las plantas. ¿Accedéis tal vez a reinos prohibidos?

–¿Existe algún reino prohibido para quien busca la sabiduría?

Balkis sonrió.

–Jerusalén es una ciudad espléndida –dijo con dulzura.

–La tierra es un círculo rodeado de agua –reveló Salomón–. Lo trazó el arquitecto de los mundos. En el centro, colocó Israel. Y en el centro de Israel, la roca de Jerusalén, donde su espíritu se encarnó, invisible presencia que alimenta las almas de los justos.

La reina de Saba se mostraba atenta, bebiendo como miel las palabras del rey.

–Vuestra boda con la hija del faraón Siamon causó un gran revuelo –recordó–. ¿Por qué no está a vuestro lado?

–No es la costumbre. Sólo es la primera de mis esposas. La veréis durante el banquete que se celebrará en vuestro honor.

Salomón ofreció su brazo a Balkis, ayudándola a bajar de la silla de mano. Subieron juntos los peldaños que llevaban a la explanada, donde sacerdotes y cortesanos le rindieron homenaje. La reina de Saba descubrió la sala del juicio, la casa del bosque del Líbano, la columnata que daba al valle del Cedrón, el palacio y el templo.

Se llenó la mirada con aquellas maravillas. La belleza de Balkis, quien había sabido hacerla más resplandeciente con la sencillez de su atavío, fascinaba a la corte de Salomón. La perfección de las construcciones, que superaba la de los edificios de Saba, dejó a la reina muda de sorpresa.

—¿Quién es el autor de tales obras maestras?

—Maestre Hiram.

—Me gustaría conocerle.

Salomón ordenó a su secretario que fuera a buscar al arquitecto.

—No es necesario —respondió la grave voz del maestro de obras, de pie en el techo de la sala de juicio.

Balkis levantó hacia él los ojos. Aunque se acercaba a la cuarentena, el maestro de obras no había perdido la robustez de sus músculos. Su ancha frente, adornada de profundas arrugas, lucía el rasgo más característico de un rostro huraño. Su aparición sembró la turbación en la concurrencia. Dominando a Salomón y la reina de Saba, afirmaba una serena majestad que algunos consideraron ofensiva.

La reina no dejaba de mirarle. Al igual que Salomón, sabía entrar en los reinos prohibidos donde dialogaba con las fuerzas invisibles. Con el pensamiento, Balkis penetraba en la apariencia de los seres, introduciéndose hasta el fondo de sus secretas cavernas.

Salomón poseía la estatura de un gran rey y la inteligencia de los elegidos de Dios. Hiram se le parecía, pero en él ardía otro fuego, más oscuro, más atormentado. Juntos, aquellos dos hombres se hacían mutuamente capaces de las más increíbles obras. Separados, sufrirían el más cruel destino. Pero ni el uno ni el otro tenían plena conciencia de ello.

—¿Ignoráis que el día de hoy debía ser festivo? —preguntó Elihap, irritado.

—El sabbat era ayer —repuso Hiram—. Hoy, mis obreros festejarán en honor de sus majestades. Yo trabajo, el techo tiene que terminarse.

Elihap se volvió hacia Salomón, esperando el apoyo de su rey. Pero fue Balkis la que intervino.

–¿Por qué no reunís a vuestros obreros, maestre Hiram? ¿No deberíais asociarles a ese momento de paz en el que dos grandes reinos se encuentran en armonía?

Hiram jamás había visto mujer más hermosa. La elegancia de su silueta y la finura de su rostro rivalizaban con las de las más hermosas egipcias. Sus labios reían, sus ojos pensaban gravemente. En ella se desposaban la alegría de una enamorada y la seriedad de una reina.

Hiram se había prometido no utilizar nunca el poder que poseía. Pero Balkis le sometía a una prueba de la que no debía salir vencido. Cediendo a un impulso que ascendió de las profundidades de su ser levantó los brazos, formando dos escuadras en un gesto que los egipcios denominaban el *ka*. Permaneció así, inmóvil, durante largos minutos, como un vigía petrificado bajo el sol.

Irritado, Salomón consideró insensata aquella actitud. ¿Cómo podría el arquitecto reunir a los obreros dispersos por la ciudad y la campiña? El rey sintió deseos de interrumpir aquella comedia, pero Balkis miraba a Hiram con insistencia.

De pronto, en la entrada del atrio nacieron unos murmullos. Los cortesanos se empujaban; apretujándose unos contra otros, dejaban paso a los maestros y compañeros que, con aspecto agresivo, cercaron la explanada. Por las callejas ascendían columnas de aprendices, seguidos por los jornaleros. Talladores de piedra, canteros, albañiles, carpinteros, fundidores, herreros, se dirigieron hacia el templo, respondiendo a la llamada del maestro de obras.

Formaron un ejército silencioso y pacífico cuyo poder, sin embargo, era evidente. En menos de una hora, Hiram había reunido a miles de hombres que, tras una sola señal, se colocaban bajo sus órdenes con mucho más celo y rigor que soldados experimentados.

Los cortesanos tenían miedo, Salomón permaneció impasible. Gracias a la reina de Saba conocía, ahora, los límites de su poder: no reinaba solo en Israel.

El arquitecto cruzó los brazos sobre su pecho.

–Vuestro deseo está satisfecho –dijo a la reina de Saba.

Tened cuidado, maestre Hiram.

Capítulo 47

Soplaba la suave brisa de otoño, que transportaba por encima de Jerusalén correos de pequeñas nubes blancas que anunciaban el final de los grandes calores. Para las alegres pandillas de jóvenes se acercaba el tiempo de acampar entre las viñas, bajo las higueras y los olivos plantados entre las cepas que no se cortaban. Los más experimentados enseñaban a los novicios a manejar la podadera para cortar enormes racimos de granos bermejos, hinchados de sol. Por lo común, no se daban prisa; esta vez, los más robustos se apresuraban a llenar los cestos de mimbre y a verter el contenido en una tina donde algunos jóvenes pisoteaban con ardor la uva.

El mayordomo de palacio había solicitado mucho vino fresco para el banquete de homenaje ofrecido por Salomón a la reina de Saba. Había colocado numerosas mesas; todos los cortesanos deseaban asistir a la recepción. Dirigiendo un ejército de cocineros y coperos, corría de un lugar a otro por temor a retrasarse.

Sin embargo, le llamó la atención la extraña actitud del secretario que se encaminaba a su despacho pegado a los muros. El mayordomo salió a su encuentro.

–¿Qué ocurre, Elihap?

–Nada... Unos papiros que debo clasificar.

El secretario mentía mal.

–Con todas esas fiestas, tengo mucha prisa –indicó el panzudo dignatario–. Pero estáis preocupado. ¿Por qué?

Elihap estrechaba contra su pecho un arrugado documento.

–Mostrádmelo.

–No...

–Algunos secretos son demasiado graves para soportarlos a solas.

El miedo de Elihap era tan manifiesto que no opuso resistencia al mayordomo de palacio cuando se apoderó del papiro.

Su lectura le desorientó.

–Avisad inmediatamente al rey, Elihap.

Salomón estaba acabando de prepararse cuando su secretario le pidió audiencia. Importunado, aceptó.

–Sed breve.

–Majestad... Se trata de un informe...

–¿Tan importante es?

–Eso temo.

La curiosidad del rey despertó.

–¡Habla!

–Las conclusiones de la investigación son indudables. Hombres que obedecían órdenes de Jeroboam sabotearon las instalaciones del mar de bronce. Son culpables de la muerte de decenas de hombres.

–Jeroboam... Que el informe se mantenga en secreto. Si fuera divulgado, os consideraría responsable de ello.

Elihap se inclinó.

Salomón y la reina de Saba presidieron un suntuoso banquete del que estuvieron ausentes Nagsara, retenida en su alcoba por una fuerte fiebre, y maestre Hiram, ocupado con sus mejores artesanos en terminar la sala del juicio.

–Esta comida es un acto sagrado –dijo Salomón antes de que distribuyeran los alimentos–. Que se ofrezca a Dios como Dios la ofreció a nuestro padre Abraham bajo el roble de Mombre.

Algunos carros habían llevado a palacio cebada, trigo, aceitunas, melones, higos, uva, granadas, almendras, alfóncigos, moras y algarrobas. Mieles de abeja, uva y dátiles sazonaban los panes y las carnes asadas. El vino, cuya elaboración había sido revelada por Dios a Noé, corría en abundancia. Las copas de cerámica recibieron el brebaje de un caluroso rojo contenido en las jarras y los odres.

El rey ofreció a Balkis una rara mirra procedente de los arbustos espinosos de la siniestra región del Ghor, cuyas soledades custodiaban el origen de los más preciosos perfumes.

Los poetas leyeron magníficos versos que glorificaban la belleza de Israel y las virtudes de sus hijos. Salomón temía que la reina de Saba eligiera aquel momento para plantear un enigma. Pero Balkis se limitó a saborear las viandas, y a responder con sonrisas las admiradas miradas de los comensales.

Jeroboam se quitó el capuchón que le cubría la cabeza. Se había cortado la barba, teñido de negro sus cabellos y borrado su cicatriz de la frente con maquillaje.

—Corro un gran peligro viniendo aquí, majestad.

—No teníais elección —dijo Nagsara cortante—. Un súbdito no discute las órdenes de su reina.

El coloso se rió, sarcástico.

—Ya no tengo rey ni reina... Ese palacio no volverá a ver cómo me inclino ante su autoridad.

—¿Por qué tanta acritud?

—¿Por qué esta entrevista secreta?

Nagsara, por medio de Elihap, había convocado al hombre a quien el secretario del rey consideraba ya un renegado y un rebelde.

En el ala del palacio ocupada por la reina, sólo quedaba un anciano ciego que pasaba durmiendo la mayor parte del tiempo. Los demás servidores se encargaban de las mesas del banquete.

La egipcia tuvo miedo de sí misma. De Jeroboam emanaba la violencia de un ser zafio, tozudo, capaz de llevar su odio hasta el final. Pero Nagsara no podía ya retroceder. La llama le había hablado por fin. Obtendría la felicidad al precio de un acto espantoso.

—Os necesito, Jeroboam.

La angulosa barbilla del antiguo jefe de los trabajos forzosos se levantó. La reina de Israel se humillaba ante él.

–Os escucho, majestad.

–¿Deseáis ser rico?

–Mañana, Salomón me hará detener. La fortuna no salvará mi vida.

–¿Qué desearíais?

–Una carta de vuestro puño y letra para que me reciba vuestro padre, el faraón. Huir de Egipto es el único modo de salvar la vida.

Nagsara tomó un cálamo y redactó unas columnas de jeroglíficos en un precioso papiro.

–Aquí está, Jeroboam, gracias a este mensaje, tus deseos serán satisfechos.

–¿Qué servicio debo prestaros?

La mirada de la reina se animó con un fulgor inquietante.

–Matad a la reina de Saba.

Resonaron las siete trompetas de plata que anunciaban el comienzo del ritual cotidiano.

La reina de Saba acudió a la parte del atrio reservada a los paganos. Sadoq y los sacerdotes tenían la seguridad de que no iría más lejos. Sólo un auténtico creyente tenía derecho a cruzar aquella frontera.

Resplandeciente en su vestido de oro y púrpura, Balkis se inmovilizó.

Salomón acudió a su encuentro. Le ofreció la mano y la introdujo en el atrio de las mujeres.

Escandalizados, varios sacerdotes se apartaron. Cuando el rey de Israel y la reina de Saba atravesaron el atrio de Israel, accesible a los dignatarios, Sadoq, indignado ante tanto impudor, subió al altar principal sobre el que habían depositado pasteles de flor de harina amasados con aceite, panes, una mezcla de incienso, ónice y gálbano, y el muslo de un buey. Prefería consagrarse a la celebración del culto y no asistir a la violación de las costumbres.

Cuando una mosca mancilló la vianda, el sumo sacerdote supo que iba a ocurrir una desgracia. Ningún insecto, hasta entonces, había hecho impuro un alimento consagrado al Señor.

Volviéndose, Sadoq vio a Balkis y Salomón accediendo al atrio de los sacerdotes...

Sadoq encendió el fuego del sacrificio y se prosternó, alabando el nombre de Yahvé. Los músicos del templo cumplieron con su oficio. El de más edad se llevó a la boca el cuerno de carnero, recordando el son que Moisés había oído cuando escalaba el monte de la Revelación. Luego intervinieron los arpistas, los tocadores de flautas oblicuas, de cítaras, de liras y tamboriles.

El humo de la ofrenda y la música de los ritos se elevaron hacia las nubes, Sadoq bajó del altar.

–Rey de Israel, me opongo firmemente a la violación de la Ley, aquí estamos en el atrio de los sacerdotes y nadie más...

–Que todos evacuen el lugar santo –ordenó Salomón–. Quiero quedarme a solas con la reina de Saba.

Dominando su furor, el sumo sacerdote obedeció.

Balkis apreció la grandeza que Salomón le concedía. El templo de Yahvé bajo el sol, sólo para ella. Sólo para ella la magistral obra de maestre Hiram. Considerando que la luz era demasiado cruda, la reina de Saba, con voz melodiosa, pronunció el nombre de varios pájaros que, brotando de las nubes, oscurecieron el sol. Una molluda se posó en el hombro izquierdo de Balkis. El templo de Yahvé estaba lleno de aleteos, alegres revoloteos y cantos cristalinos.

–¿Habláis acaso el lenguaje de los pájaros? –preguntó Salomón.

–Nos ofrecen un poco de frescor, majestad. ¿No se reencarnan las almas de los justos en estas frágiles criaturas que viven de luz y habitan en los cielos?

Salomón no veía ya el azur, olvidaba el atrio del templo. Se ahogaba en la mirada de aquella mujer procedente de lejanas tierras, donde la respiración de las montañas se transformaba en oro. Un desconocido sentimiento invadió el corazón del rey de

Israel, un sentimiento que le confería la fuerza de una eterna juventud y el deseo de un impetuoso torrente.

La molluda emprendió el vuelo.

Las piedras del templo se habían aureolado con una luz dorada nacida en el alba de los tiempos.

Jeroboam no podía soñar en una ocasión mejor. La reina de Saba bajaba, sola, los peldaños del atrio de los sacerdotes. Salomón no la seguía, como aturdido por una gracia cuya medida iba tomando lentamente.

La reina caminaba con paso lento, tomándose el tiempo de admirar la arquitectura nacida del genio de maestre Hiram. Los sacerdotes, obedeciendo las exigencias de Salomón, se habían alejado.

Cuando Balkis doblara la esquina de la casa del bosque del Líbano, Jeroboam, invisible, golpearía.

Salomón se decidió por fin a seguir a la reina. Pero se sentía aprisionado, como si Balkis hubiera impuesto entre ambos una distancia que no conseguía colmar. La joven se metió en el pasaje que separaba la sala del juicio y el Tesoro real.

Jeroboam saltó tendiendo el lazo de cuero con el que se disponía a estrangular a la reina de Saba.

Balkis no tembló. Supo enseguida que el hombre con la cabeza oculta por un capuchón tenía la intención de matarla. Le miró sin temor y llamó de nuevo a sus ejércitos de pájaros.

Jeroboam dio un paso hacia delante pero chocó con una invisible barrera. Enfurecido, logró rodearla. Se hallaba muy cerca de Balkis cuando sintió el primer picotazo en el cráneo. Tras la molluda llegaron los cuervos, los arrendajos, las urracas, cernícalos cuyos acerados picos se hundían en su carne. Ensangrentado, Jeroboam emprendió la huida.

Capítulo 48

Frente a frente, en el vestíbulo del templo de Yahvé, Salomón y el sumo sacerdote se enfrentaban abiertamente. Sadoq no retrocedería. Ultrajada su fe, no admitía el comportamiento del soberano. Consciente de los riesgos que corría, quería ser digno del hábito que llevaba.

–La reina de Saba es una hechicera, majestad. Ella manda en los pájaros. Actuando de ese modo, en el propio atrio del santuario de nuestro Creador. Le desafía y nos humilla. Que vuestra esposa no pertenezca a nuestra raza es ya por sí solo una grave ofensa a Yahvé. Que autoricéis a esa hereje, llegada de un país de libertinaje, a comportarse de ese modo, es un pecado que Israel pagará con su sangre y sus lágrimas. Expulsadla y arrepentíos. Implorad la clemencia de Dios. De lo contrario, la desgracia caerá sobre vuestro pueblo.

Sadoq tenía amplio el gesto y autoritario el verbo. Salomón no lamentaba haberlo nombrado sumo sacerdote. Se regocijaba de la visita de la reina de Saba que había reavivado en el anciano intrigante un adormecido ardor. Por fin intentaba estar a la altura de sus funciones.

El rey no perdió aquella calma que seducía los espíritus y apaciguaba las angustias.

–Representas tu papel a la perfección, Sadoq, pero el sumo sacerdote, gracias a Dios, no gobierna el reino. Tiene la fortuna de vivir en el universo del templo, desdeñar lo que existe más allá de los atrios y el recinto. Como rey de Israel debo compaginar el aquí y el más allá. El Señor nos envía la reina de Saba. Su oro nos ha permitido construir el templo. Que permanezca mucho tiempo entre nosotros. Su presencia es la más preciosa aportación a la paz que gozamos desde hará pronto diez años. Es preciso seguir construyéndola. Ruega por Israel, Sadoq, y déjame reinar.

«¿Un rey cegado por amor –pensó Sadoq– sigue siendo capaz de reinar?»

Los maestros y los compañeros habían abandonado las obras del pórtico del trono; allí se instalaría el tribunal de Salomón, contiguo a la gran sala destinada a la recepción de los embajadores. Hiram permanecía solo, consagrado a su tarea. Un oscuro sentimiento le ordenaba no perder ni un solo segundo. La exigencia de crear se hacía tan intensa que no le concedía reposo alguno. Desde el suelo al techo, tablas de cedro hacían aquel tribunal solemne y austero. El arquitecto estaba terminando personalmente el esculpido del trono de marfil y oro, cuyos brazos tenían la forma de un león.

La noche estaba muy avanzada ya cuando el maestro de obras dejó el mazo y el cincel. Dormiría dos o tres horas al abrigo de la gran columnata y, luego, volvería a abrir la obra en cuanto aparecieran las primeras luces del alba.

La fachada del futuro tribunal, bañada en un azul profundo por la luna llena, se componía de un largo porche sostenido por poderosos pilares, que se parecían a los del templo de Osiris en Abydos. A la derecha del enlosado se iniciaba una abrupta pendiente que descendía hacia Jerusalén. Sería preciso tallar amplios escalones para facilitar el ascenso de los litigantes que reclamarían justicia al rey.

–Es tarde, maestre Hiram.

El arquitecto reconoció la elegante silueta de la reina de Saba, apoyada en una columna y contemplando el sol nocturno.

–Majestad..., pero cómo...

–Me gusta pasear sola, bajo las estrellas. Mis súbditos duermen. Las almas están en paz. Las cargas de la realeza parecen menos pesadas. Estoy pidiendo al cielo que me inspire y me guíe.

Hiram sólo llevaba un gastado delantal de cuero. Sus manos, sus brazos, su torso se habían ensuciado con el trabajo de la jornada. Nadie habría podido distinguirle de un sencillo obrero si no hubiera tenido aquel porte de hombre acostumbrado al mando.

–¿De dónde venís, maestre Hiram? ¿Cuál es vuestra patria?

–Mi patria es la obra. Vengo de un trabajo concluido y voy a un trabajo que debo realizar.

–¿Dónde aprendisteis vuestro arte?

–En el desierto, contemplando las piedras y la arena. Son los materiales de la eternidad.

–Sólo un egipcio puede expresarse así. Pero Salomón no hubiera podido aceptar que un egipcio construyera el templo de Yahvé.

Hiram calló. Tenía la sensación de haber caído en la trampa. Dialogar con la materia le era familiar. Responder a las preguntas de aquella mujer de ágil espíritu le sometía a una ruda prueba. Pero escuchar su voz le procuraba un delicioso placer.

–He iniciado tan largo viaje por vos, maestre Hiram. Vuestro amigo, mi primer ministro, pertenece a vuestra cofradía de arquitectos. Insistió para que mi oro contribuyera a la construcción del templo. Yo quería verlo.

–¿Os ha decepcionado?

–Muy al contrario. He descubierto también a un gran rey.

–¿No sois heredera de una antigua sabiduría, majestad? ¿Podríais proponeros una alianza, o algo peor todavía, con un hijo de pastores, jefe de un pueblo revoltoso y sin tradición alguna?

La reina de Saba miró al maestro de obras con estupor.

–¡Qué sorprendente cólera! ¿Ignoráis que Israel no es ya una nación débil? ¿No le habéis ofrecido vos mismo, al construir ese templo, la tradición de la que carecía? ¿Estáis celoso de Salomón?

Hiram golpeó con el puño un pilar y desapareció, abandonando a los rayos de la luna a la reina de Saba, cuyo admirable cuerpo se transparentaba, bajo su túnica de lino, en el azul nocturno.

Hiram esculpió durante toda la noche. La fiebre se había apoderado de él. Tallando un bloque de granito, le dio la forma de Balkis, mujer de sombra y de luz, lejana diosa que había venido a frecuentar el mundo de los humanos, aparición del más allá demasiado próxima como para ser olvidada. Modeló sus redondos pechos, las delicadas caderas, el vientre plano, las largas piernas. Su mano no temblaba. Daba a la existencia la belleza oculta en la piedra, hacía nacer una reina a la que acariciaba y que le pertenecía sólo a él.

Por la mañana, destruyó su obra.

Salomón subió los seis peldaños que llevaban al trono. Se sentó en el sitial de oro y se apoyó en los brazos de marfil.

Observó a la numerosa y callada concurrencia. En primera fila, Sadoq y los sacerdotes; tras ellos, los dignatarios del reino. A la izquierda del trono, bajo el estrado, el mayordomo de palacio; a la derecha, Elihap, provisto de un escritorio y una serie de cálamos. Gracias a la madera de cedro, la sala del tribunal parecía un oratorio donde ninguna voz se abandonaría a la pasión.

Salomón presidía su primer tribunal de justicia en el edificio construido por maestre Hiram. Éste estaba dando los últimos toques a la casa del bosque del Líbano. Estaba haciendo los escondrijos en los que pronto se colocarían los escudos de oro.

—Debemos pronunciarnos sobre el indigno comportamiento de quien fue el jefe de los trabajos forzados, Jeroboam. Está acusado de deserción y de crimen. No ha respondido a la convocatoria del secretario. ¿Sabe alguno de vosotros dónde se esconde?

El general Banaias pidió la palabra.

—Yo, majestad. Acabo de recibir un informe que no deja duda alguna sobre la villanía de Jeroboam. Se ha refugiado en la corte de Egipto. Nuestra ley no conoce más que un solo castigo para los asesinos y los traidores: la muerte.

Nagsara lloraba, infantiles lágrimas, abundantes y cálidas, imposibles de contener. Su miserable maquinación había fracasado. La reina de Saba seguía conquistando el corazón de Salomón. Mañana, reinaría sobre Israel, relegando para siempre a la esposa egipcia del rey en la desesperación y la vergüenza.

Nagsara no albergaba resentimiento alguno contra Salomón. Era presa de una hechicera nacida en una tierra maldita y que había venido para sembrar la desgracia en el país de Yahvé. Víctima de fuerzas maléficas, su esposo había sido cegado por los hechizos de Balkis.

La egipcia no renunciaría.

Despertaba en ella el orgullo de una raza que había construido pirámides y templos, fertilizado el desierto, exaltado la sabiduría en el seno de las instituciones humanas. Renacía en ella la nobleza de un linaje de reinas que habían sabido gobernar el Estado más poderoso del mundo.

Nagsara subió al techo del ala del palacio donde residía. Depositó una lámpara y encendió su mecha. La llama ascendió en el luminoso aire.

Con la punta de un estilete, Nagsara laceró su carne en el lugar donde estaba grabado el nombre de Hiram. Desde hacía unos días, tenía la impresión de que estaba desapareciendo. Cuando su sangre corrió, la reina de Israel la recogió en la palma de sus manos e introdujo éstas en la llama.

–Mi vida por su muerte –imploró.

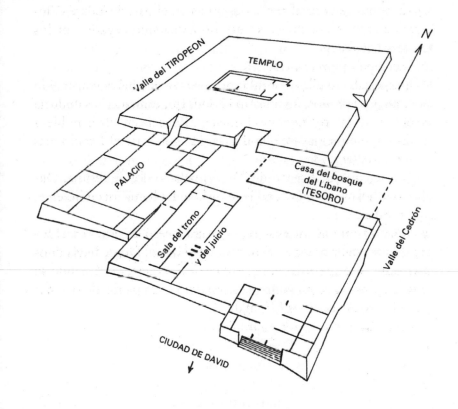

El templo del rey Salomón

Capítulo 49

El agua fresca corría por los jardines plantados de laureles, sicomoros y tamariscos. De los verdes valles de Judea y de Samaria ascendía el perfume de los lises y las mandrágoras, transportado por la brisa que revoloteaba en la claridad de una cálida tarde.

–¿Os gusta esta morada, Balkis?

Salomón condujo a la reina de Saba hasta el umbral de un palacio de madera, de balaustradas adornadas con jarrones llenos de flores y con las ventanas cubiertas de purpúreas cortinas. En el techo, arrullaban las palomas.

–Viví aquí durante varios meses cuando era niño. Fueron tiempos felices. Me había prometido no regresar mientras no hubiera disfrutado un auténtico gozo.

–¿El de haber terminado el templo?

–El de haberos conocido, Balkis.

La reina de Saba, evitando la mirada de Salomón, avanzó en dirección a un olivo. Tomó un bastón, golpeó sus ramas y cayeron al suelo gruesas aceitunas maduras, algunas de las cuales degustó.

–Aprendí a hacer aceite con una pequeña muela, detrás de la casa –añadió el rey–. Era mi juego preferido.

Salomón quitó las vigas que impedían el acceso a la casa campesina.

–Tengo sed –dijo Balkis.

El rey buscó una copa, la limpió y la llenó de agua fresca del pozo. La reina derramó en el suelo su contenido.

–¿Tú, cuya reputación de sabiduría es tan grande, puedes presentarme esta copa llena de un agua que no proviene del cielo ni de la tierra?

Salomón mantuvo su sangre fría. Con un arte consumado, Balkis había elegido aquel momento de descanso para pasar al ataque y plantear un enigma. La respiración del rey siguió siendo regular. Se sentó en el brocal del pozo y reflexionó, sin crispar sus pensamientos. Al contemplar los dos fogosos caballos que habían tirado de su carro, vio la solución. Soltando uno de ellos, lo montó y galopó por la campiña. De regreso a la casa, colocó la copa en los flancos del caballo y la llenó de gotas de sudor.

La reina de Saba abrió la mano derecha. En su palma brillaba una esmeralda.

–Observa esta piedra preciosa, rey de Israel. La perforan doce espirales casi invisibles. ¿Serán tus dedos lo bastante hábiles para pasar un hilo por ellas?

Salomón recogió el tesoro. Ningún artesano, por hábil que fuera, tendría la menor oportunidad de conseguirlo. Estrechando la piedra contra su pecho, tomó un camino de piedra seca que conducía al vergel. A menudo, meditar bajo un árbol le había dado la respuesta a las más arduas preguntas. Pasó entre los olivos, rozó el tronco de un sicomoro y descubrió la salvación hacia la que le había orientado su espíritu: una soberbia morera cuyas hojas, de ramificada nervadura, presentaban dos faces distintas. Tras haber elegido cuidadosamente el lugar donde depositar la esmeralda, se reunió con Balkis.

–Se la he confiado al gusano de seda para que trace con sus hilos doce espirales y recree el zodíaco inscrito en la piedra. ¿No me pedíais, de ese modo, que respetara siempre las enseñanzas del cosmos?

La reina sonrió.

–No habéis usurpado vuestra reputación, grande es vuestra sabiduría.

Salomón se ensombreció.

–¡Una pobre sabiduría, en verdad! He observado la naturaleza, como el más humilde de los campesinos. Mi ciencia es inmensa, dicen los ingenios. Pero sólo es una acumulación de saber que pesa como un odre demasiado lleno. Esa ciencia no procura felicidad ni sabiduría. Es un cielo gris y bajo. Demasiado saber provoca dolor y pesadumbre. Aumentarlo sin cesar conduce a la locura. ¿Quién puede percibir las leyes de la creación? ¿Qué sabio accederá al conocimiento de Dios, más allá de la forma, más allá incluso de la luz en la que se oculta? No soy un hombre cuerdo y prudente, Balkis. He escrito tratados sobre los secretos de las plantas, los minerales, los animales y las piedras. Nadie conoce mejor que yo la palabra de los vientos o el mensaje de los espíritus subterráneos. En los siglos por venir, los magos utilizarán la llave de Salomón para abrir la puerta de los misterios de la naturaleza. Gracias a ella, compartirán mi poder, pero eso es sólo vanidad. ¿Qué más puedo desear? ¿No se afirma que los más vastos poderes están en mis manos? ¿No se advierte que practico el arte de curar y apaciguar los sufrimientos del alma? ¿No se admira mi éxito y la realización de mis designios? Nada quedará de esas falsas riquezas. Son sólo ilusiones. No soy un hombre cuerdo y prudente, Balkis, pero necesito vuestro amor.

La moñuda bajó de las nubes y se posó en el hombro derecho de la reina de Saba. En su canto, la joven reconoció las palabras del antiquísimo poema que revelaba la emoción de la enamorada: «Antes de que sople la brisa nocturna y se extiendan las tinieblas, ve a la montaña de la mirra, a la colina del incienso. Te esperará allí y te hará perder el sentido».

Ningún hombre era más apuesto que Salomón. Ninguno tenía mayor prestancia. Humillado, desgarrado por tormentos que no ocultaba, mantenía la nobleza de un monarca que las tempestades agitaban sin lograr destruir. Lo que Balkis sentía superaba la admiración de una reina a un rey. Lanzarse hacia él, acurrucarse en sus brazos, abandonarse... ¿Por qué el destino le impedía comportarse como una mujer ebria de pasión?

–Sois la descendiente del ilustre Sem, padre de los hebreos y los árabes –recordó Salomón–. Si aceptáis desposaros conmigo, recrearemos la unidad perdida. Habremos apartado para siempre el espectro de la guerra.

–Grave error –objetó Balkis–. El reino que formaríamos suscitaría demasiadas codicias. Nuestros vecinos se aliarían para derribarlo. ¿Y quién de los dos aceptaría someterse al otro? No soñéis, Salomón. No tenéis derecho a hacerlo.

–Soñé la paz, Balkis, y la obtuve. Soñé en el templo y se construyó. Soñé el amor y llegasteis vos. ¿Por qué rechazar la esperanza?

–Saba está tan lejos...

–Pensadlo, os lo suplico.

Balkis estaba a punto de ceder cuando, en el camino, vio una nube de polvo ocre. Apareció un jinete perteneciente a la guardia del rey. Se dirigió al rey Salomón y, entre jadeos, habló precipitadamente.

–Perdonadme, majestad... Vuestra madre se está muriendo.

De acuerdo con sus deseos, Salomón no había vuelto a ver a Betsabé desde el día en que había decidido abandonar la corte para retirarse a una vasta morada cercana al mar de Galilea, donde David la había amado, olvidando durante todo un verano las exigencias del poder.

En su lecho de muerte, Betsabé se dejaba acunar por apasionados recuerdos en los que el monarca de la lira le hechizaba con sus poemas.

Cuando Salomón se acercó a su lecho y se arrodilló para besar la mano de su madre, los sufrimientos del óbito asaltaron de nuevo a la anciana dama.

–Por fin has llegado, hijo mío... Antes de zambullirme en el reino de las sombras, quisiera hablarte por última vez.

–¿A qué vienen tan sombríos pensamientos, madre?

–Una reina debe reconocer su muerte, aceptarla como una benevolente amiga. Pero mi corazón sangra por ti.

–¿Qué pena os he causado?

—¿No olvidas acaso a la mujer que te ama? ¿No buscas placeres que se transformarán en tristeza?

—Sólo deseo la paz, madre mía.

—La reina de Saba no la reforzará. Nagsara te la dio. Ignorarlo es una gran falta. Vete ahora, debo prepararme. Sé justo, Salomón. Sé digno de tu padre.

Balkis había decidido pasar la noche en la casa de campo. El sol había salido ya cuando llamaron a la puerta. La joven se apresuró a abrir, esperando ver a Salomón, en quien había soñado durante toda la noche. Pero era sólo un pájaro carpintero de roja cabeza que emprendió el vuelo enseguida.

Decepcionada, caminó descalza en el rocío, degustando la claridad matinal y el canto de los pájaros. ¿Seguiría rechazando por mucho tiempo la proposición de Salomón? Casándose con el rey de Israel, haría que Saba perdiera su autonomía. ¿Actuar de ese modo no supondría una traición a la tierra de sus antepasados? ¿Merecía tal sacrificio el amor de Salomón?

Viendo a unas mujeres que sacaban agua de un pozo, regresó a la casa y se puso una jarra al hombro. Vistiendo una sencilla túnica, se reunió con ellas. Desconfiadas primero, pronto fueron conquistadas por la sonrisa de Balkis y aceptaron hablar con ella. Caminaba sola y sin séquito, sólo podía ser una sirvienta.

La reina escuchó sus quejas por los duros trabajos del campo, la violencia del khamsin y las predicciones de los magos que anunciaban un invierno glacial.

—¿Qué ocurre en Jerusalén? —preguntó—. ¿No recibe una extranjera los honores de la corte?

—La reina de Saba... Se dice que ha conquistado el corazón de Salomón.

—¿Habrá boda?

—¡Sería una calamidad! —afirmó una campesina—. La esposa de Salomón es Nagsara la egipcia, y nadie más. El pueblo la aceptó. El rey es prudente, no cederá a los deseos de un instante.

–Se dice que es muy hermosa –declaró su compañera–. Nuestro rey es un hombre tan seductor...

–¡Que se entreguen a los placeres del amor, pero que Salomón respete su boda!

–¿La unión con la soberana de Saba no favorecería la paz? –preguntó Balkis.

–¡Pura ilusión! –dijo la campesina más vehemente–. Gracias a la hija del faraón, Egipto e Israel viven en armonía. Saba sólo nos traería desgracias. Salomón haría mejor preocupándose por el arquitecto tirio.

–¿Por qué?

–Con su ejército de obreros, el tal Hiram es el verdadero dueño del país. Puede crearlo todo, construirlo todo. Tiene el porte de un príncipe. Y le ayudan los demonios.

–¿Qué debe hacer Salomón?

–¡Que se desembarace de él! De lo contrario, por su causa, perderá el trono. En nuestro país no hay lugar para dos reyes.

Cuando la jarra estuvo llena, Balkis vagabundeó por el vergel cercano y luego se sentó bajo una higuera. Dulzura de la fruta en la lengua, frescura de la sombra, ternura del aire… Israel parecía un paraíso. Un paraíso del que no sería la reina.

Capítulo 50

Soplando del este, unos vientos violentos llevaron a Jerusalén la nauseabunda humareda del holocausto. Incienso y carnes abrasadas compusieron un hedor abominable. Un frío repentino había caído sobre la ciudad y muchos sacerdotes, obligados a caminar con los pies desnudos sobre las losas del templo, enfermaron. Resfriados y disenterías les apartaron del culto, cuya organización comenzó a ser deficiente.

Salomón permanecía encerrado en su palacio. Desde hacía más de una semana, no concedía audiencias. Tras anunciarle la reina de Saba su irrevocable negativa a casarse con él, se había encerrado en el silencio, negándose incluso a recibir a Sadoq y Elihap.

Los últimos aposentos de los sacerdotes estaban ya terminados. Hiram había dado la orden de quitar los andamios y revocar las fachadas. El área sagrada de Jerusalén, sobre la roca domesticada por el arquitecto, brillaba ahora con un concluso esplendor.

¿Cómo podía alegrar a Salomón si estaba sufriendo el primer fracaso de su existencia, la más dolorosa de sus derrotas?

De Eziongeber a orillas del Jordán, Hiram iba de obra en obra. Concluidos los trabajos de Jerusalén, atribuía nuevas funciones a los gremios que dependían de su autoridad. Había sustituido la anarquía por la organización de su cofradía. A la cabeza de cada profesión artesanal había colocado un responsable que daba cuentas de sus actividades ante el consejo de los maestros. En unos pocos años, Israel sería el nuevo Egipto. Carpinteros y talladores de piedras reconstruirían las aldeas, erigirían nuevos templos, harían espléndidas ciudades.

Anup acompañaba al maestro de obras por todas partes, mientras Caleb se ocupaba cuidadosamente de la gruta donde Hiram seguía residiendo, rechazando cualquier otra vivienda. Allí se permitía unas horas de descanso entre dos viajes. El cojo había abierto un camino hasta el manantial vecino, oculto en una espesura en la que se mezclaban matorrales, jazmines y jóvenes palmeras. El propio Salomón, al inicio de su reinado, había encontrado aquella fuente gracias al bastón de zahorí heredado de su padre. El arquitecto se lavaba allí cada mañana.

No esperaba encontrar a la reina de Saba, desnuda, rociándose graciosamente con un agua que brillaba al sol.

–No huyáis, maestre Hiram. ¿Os asusta acaso la visión de una mujer? ¿Las mujeres desnudas no tocan en Egipto música durante los banquetes?

El arquitecto volvió sobre sus pasos y se apoyó en el tronco de una palmera.

–Éste no es vuestro lugar.

–¿No puede conversar una reina con el hombre más poderoso de este país?

–¿Quién se atreve...?

–El pueblo, maestre Hiram. Su voz es una enseñanza.

–Sólo conozco la de mis obreros. Gobernar no es mi oficio.

–¿Estáis celoso de Salomón?

–No os caséis con él, majestad.

La reina salió del agua, se secó con un lienzo blanco y se cubrió, sin prisas, con una túnica ligera.

Hiram no había dejado de mirarla. Ni un solo instante intentó Balkis ocultarse.

–No me casaré con Salomón –reveló–. Pero eso no me impide amarle.

–Vos no le amáis. Os intriga. Os fascina como el león de las montañas. Os asfixiará.

–Somos de la misma naturaleza. Nada tengo que temer del rey de Israel.

–Debo marcharme, majestad.

–¿Por qué huir de nuevo? ¿Por qué refugiaros en un trabajo que no satisface ya vuestras aspiraciones?

Balkis tomó agua con su mano derecha.

–¿La oís correr entre mis dedos? ¿Pensáis en vuestro destino, que está agotándose en este país y se reavivaría en Saba?

–Demasiadas preguntas, majestad.

Balkis le vio alejarse. Se le escapaba por segunda vez.

Cuando el azul del cielo se oscureció y se cubrió de estrellas, Nagsara acudió al pie de la roca. Con la cabeza cubierta por un velo, con los pies desnudos, se parecía a las criadas encargadas del transporte del agua.

La angustia se había apoderado de ella. ¿Respondería maestre Hiram a su invitación? ¿Le habría dado el cojo su mensaje? Sobre su cabeza, el área sagrada la aplastaba con su imponente masa. ¡Cómo había cambiado la capital de Israel! La ciudad de David se había convertido en el dominio de Salomón. Nadie pensaba ya en discutir el prestigio del rey, que igualaba el del faraón. Dios había dado a su pueblo un guía excepcional, cuyo recuerdo sería más glorioso aún que el de Moisés.

Nagsara habría podido ser feliz si le hubiera concedido un poco de amor, como una fiera regresando al cubil tras largas jornadas de caza. Ella habría aceptado siempre, de buena gana, ser sólo una presa, vivir sólo por el fulgor, demasiado escaso, de una fugitiva mirada. Al olvidarla, Salomón estaba aniquilándola. Aquella maldita Balkis había desplegado los artificios de una magia que la hija del faraón no lograba contrarrestar.

Descubrió a Hiram que subía por un abrupto sendero. También él había ocultado su rostro, pero a duras penas lograba disimular su imponente aspecto y su porte de jefe. Era, con Salomón, el único hombre que había impresionado a Nagsara hasta hacerla vacilar. No poseía la solar belleza del rey, pero su severidad y su poder le hacían igualmente hechizador.

–Aquí estoy, reina de Israel.

–Os necesito, maestre Hiram.

El arquitecto percibió la emoción de la reina.

Su voz temblaba. Cuando un rayo de luna iluminó sus rasgos, comprobó que había adelgazado mucho.

–Ayudadme a salvar a Salomón. Debemos arrancarle de los maleficios de la sabea. Sois egipcio, estoy segura. Pertenecemos a la misma raza. El Nilo es nuestro padre y nuestra madre. En esta tierra extranjera donde el destino me condena a vivir, sois mi único apoyo. Por eso llevo vuestro nombre grabado en el pecho.

Con irreflexivo impulso, Nagsara se acurrucó contra el pecho del maestro de obras.

–Abrazadme... Tengo frío y estoy cansada, tan cansada... Sólo quisiera ser amada. ¿Por qué no lo comprende Salomón?

–El rey no se casará con Balkis –reveló Hiram.

La joven egipcia comenzaba ya a calentarse. ¡Qué bien se sentía tan protegida! ¡Cómo hubiera deseado que aquel torso, aquellos brazos, aquel rostro fueran los del hombre al que adoraba!

–Es preciso echar a esa mujer –se obstinó–. Nos trae la desolación. El oráculo de la llama me ha puesto en guardia. Sed el instrumento de mi venganza.

–¿Qué exigís de mí?

–Que convenzáis a Salomón para que la devuelva a Saba.

–¿No es una niñería?

–Sois el dueño en la sombra del país. Si vuestros obreros comienzan una huelga, el rey se verá obligado a obedeceros.

–Mis obreros sólo dejan el trabajo cuando ya no están en condiciones de hacerlo correctamente. La huelga es como una guerra. No debe servir para chantaje alguno.

–¡Matad entonces a Balkis!

Nagsara se deshizo del abrazo de Hiram. En su grito había brotado el odio acumulado durante noches de insomnio.

–Mis manos están destinadas a construir, no a dar muerte. Lo que pedís es una locura.

–Vos también me detestáis...

Nagsara se derrumbó en la roca. ¿Qué ayuda podía prestarle Hiram en la oscuridad en la que se sumía?

Por orden de Salomón, tras un intercambio de correspondencia diplomática, Elihap había aprovechado el invierno para ponerse en camino hacia Egipto y resolver el problema planteado por la estancia del traidor Jeroboam en la corte del faraón. Si la alianza entre Israel y Egipto no podía ser cuestionada, a causa de la presencia de Nagsara en Jerusalén, la costumbre habría exigido que un enemigo de Salomón fuera extraditado por Siamon y viceversa.

Elihap descubrió que la paz instaurada por el hijo de David no era un engaño. Viajando con una escolta muy reducida, atravesó ciudades y aldeas felices, en las que los artesanos de la cofradía de Hiram restauraban antiguas mansiones y construían otras nuevas. El secretario de Salomón descubrió, hasta llegar a la frontera, un país tranquilo y próspero. Se encargó de él un destacamento del ejército egipcio que le condujo hasta la fastuosa ciudad de Tanis, atravesada por canales rodeados de jardines y parques donde se ocultaban las villas de los nobles.

A Elihap le impresionó el silencio que reinaba en las calles. Los egipcios tenían fama de ser gente alegre y risueña. En los mercados se discutía mucho. Por las arterias de la ciudad circulaban, por lo general, numerosos carros. Pero Tanis parecía inerte, como abandonada por sus habitantes.

Los corredores de palacio estaban desiertos. Ni un solo grupo de cortesanos conversando. Un intendente introdujo a Elihap en el vasto despacho del visir, cuyas ventanas de claraboya daban a un estanque de nenúfares. El primer ministro de Egipto era un hombre alto y autoritario. Un pequeño bigote negro no atenuaba el rigor de su rostro.

–Perdonad el mediocre recibimiento, pero las circunstancias son muy sombrías. El faraón está gravemente enfermo.

–¿Teméis un fatal desenlace?

–Los mejores médicos están a la cabecera de Siamon. No pierden la esperanza.

–Sin duda, mi visita os parece inoportuna.

–En absoluto. Pero comprenderéis que muchos asuntos, por urgentes que sean, deban esperar. Sin embargo, nada nos impide abordarlos.

–El caso de Jeroboam, por ejemplo...

–Actualmente reside en una ciudad del Delta. Nuestros dos países son aliados. Los ciudadanos hebreos que respeten nuestras leyes pueden circular libremente por Egipto.

El secretario de Salomón advirtió que la suerte le sonreía. La sucesión de Siamon se anunciaba difícil. Muchos susurraban el nombre de un libio que, si subía al trono, sólo pensaría en romper la paz y favorecer a los adversarios de Salomón. Jeroboam, el exiliado, tal vez fuera uno de los grandes de la futura corte de Egipto. Elihap debía tocar varios registros. Su éxito le parecía seguro, siempre que eliminara a un adversario peligroso que nunca lograría integrar en su estrategia.

–Por mi boca, el rey de Israel y su pueblo desean un rápido restablecimiento de nuestro hermano el faraón. Por lo que a Jeroboam se refiere, sabremos mostrarnos pacientes y aguardar la decisión de Siamon.

Aquella actitud alegró al visir. El alma de Siamon pronto llegaría al umbral del más allá. Ningún médico le salvaría. En la sombra, el libio se preparaba. Sus partidarios eran numerosos y decididos. Jeroboam, que sentía odio por Salomón, había hablado ya con él. Al no verse obligado a expulsarlo, el visir ganaba el tiempo necesario para estudiar mejor la nueva situación que se instauraría en los próximos meses.

–La prudencia de Salomón es digna de elogio –reconoció–. Egipto sabrá agradecerle su tolerancia.

–Nos entristece una preocupación mayor –reveló Elihap.

–¿Cuál?

–La excesiva influencia del maestro de obras que ha construido el templo, Hiram de Tiro. Los miembros de su cofradía están, en Israel, por todas partes. Sólo le obedecen a él. Salomón se siente irritado, pero ¿cómo actuar contra el constructor del templo de Yahvé? Me gustaría conocer la posición de vuestro gobierno con respecto a maestre Hiram.

El visir, que debía de ser los ojos y los oídos de Faráon, sabía que Hiram no era sino el arquitecto Horemheb, salido de la Casa de la Vida. Hacía mucho tiempo que se estaba preguntando por qué permanecía en Israel, tras haber concluido los trabajos en la roca de Jerusalén. Sólo Siamon conocía aquel secreto.

–No tenemos por qué pronunciarnos sobre la suerte de un arquitecto extranjero –dijo el visir.

–Pues él se pronuncia de un modo vehemente contra Egipto –indicó Elihap, indignado–. No deja de proclamar su odio al faraón, hasta el punto de que Salomón se ha visto obligado a imponer silencio.

De modo, se dijo el visir, que el ex Horemheb se había convertido realmente en Hiram. Conquistado por las ventajas de su posición, había olvidado su nacimiento y traicionado sus orígenes. Como todos los renegados, se mostraba feroz adversario de la tierra que le había acunado.

–Salomón es un rey indulgente –aseguró Elihap–. Sus altos dignatarios deberán defenderle de una excesiva bondad, en especial hacia maestre Hiram. ¿Se ofendería Egipto?

–Os repito que no tenemos por qué preocuparnos de un arquitecto extranjero.

Capítulo 51

El séquito de la reina de Saba se había instalado en una florida pradera, frente a Jerusalén. Los artesanos de Hiram habían construido quioscos y pabellones de materiales ligeros, edificando un elegante palacio de madera para la soberana.

Dormitando bajo la higuera, Balkis soñaba en un amor fuerte como la muerte, en un fuego tan inmenso que las aguas más vivas no lograrían apagarlo. La reina había perdido el sueño. Al anunciar su decisión a Salomón había creído liberarse de un insoportable peso. Pero, muy al contrario, lo había aumentado. ¿Cómo renunciar a Hiram, aquel maestro de obras cuya verdadera naturaleza era la de un rey? ¿Cómo abandonar a Salomón, aquel rey que haría de ella una esclava?

Irritada contra sí misma, bajó a un jardín donde entre granados, habían plantado una viña. Los más delicados espectáculos de una generosa naturaleza no la alegraban ya. Caminaba al azar, aguardando un signo, una promesa. De pronto, se detuvo. ¿No se oía el ruido de las ruedas de un carro en el empedrado de la carretera? ¿No oía a su amado, saltando sobre las montañas, brincando por las colinas, como un cervatillo? ¿No estaría detrás del muro, oculto por la viña?

–¡Quédate! –gritó–. ¡No te vayas!

El carro se había detenido. ¿No estaría Salomón cometiendo una falta al acudir allí, al confesar a Balkis que no podía apartarla de su sueño?

La reina de Saba era hermosa como un luminoso día de primavera. Su ligero vestido amarillo dejaba desnudos los hombros

339

y descubría el nacimiento de los pechos. Un cinturón rojo subrayaba la figura de su talle. Salomón tuvo miedo. Miedo de quedar más hechizado aún.

–Quédate –imploró ella–. Danzaré para ti.

Sus desnudos pies esbozaron una espiral en la que su cuerpo se acurrucó, lentamente, como una hoja revoloteando alrededor de la rama de la que se desprendía. Dibujó invisibles curvas, creando un ritmo silencioso que coincidía con el murmullo de las flores.

Salomón se lanzó hacia ella y la tomó en sus brazos.

–¡Cuánto te amo, Balkis...! Tus labios son de miel, tus ropas perfumadas. Eres un jardín cerrado, una fuente sellada, una olorosa caña, el agua que fecunda los jardines... Tu amor es más embriagador que el vino, el aroma de tu piel el más exquisito de los milagros...

Los ojos de la reina se convirtieron en un cielo de esperanza. Salomón supo que ella no estaba ya jugando con su propia pasión. Al finalizar un largo beso, la obligó dulcemente a inclinarse y luego la tendió en la rala hierba, caldeada por el sol. Con mano suave y precisa, la desnudó. Ni un solo instante sus ojos dejaron de mirarse. Cuando el amor inflamó su ser, una moñuda se posó en la copa del granado que les protegía de un mundo ausente.

–Ya no me necesitáis –afirmó el cojo.

–Te confié una misión –recordó Hiram.

–La he cumplido –estimó Caleb–. El templo y el palacio están terminados. Ya no tengo que vigilar a nadie en la roca. Vos vais de obra en obra. Yo me quedo solo en esta húmeda gruta.

–Está muy seca y es bastante confortable.

–Es malo para el hombre dormir solo en una casa, aunque sea tan miserable como ésta. Será víctima de un demonio hembra. Quiero escapar de tan triste suerte.

–¿De qué modo?

Molesto, el cojo se ocupó de la marmita donde hervían unas legumbres.

–Feliz el marido de una buena esposa –dijo Caleb convencido–. El número de sus días se doblará. Una mujer fuerte alegra a su marido y le asegura años de paz. Esa mujer es la mayor de las fortunas. El Señor la otorga a los verdaderos creyentes..., aunque sea pobre, el marido de tal esposa será feliz. La gracia de una mujer honesta sacia a su marido. Conserva el vigor en sus huesos. Le mantiene joven hasta la vejez.

Hiram probó el caldo.

–¿Significa ese hermoso discurso que piensas casarte?

El cojo frunció el ceño.

–Tal vez... Seguramente, quiero decir. Con una sirvienta laboriosa y ahorradora.

–¿La que expulsaste cuando llegamos a Jerusalén?

Pasmado, Caleb miró a Hiram como si fuera un diablo surgido de las profundidades.

–¿Cómo lo sabéis?

–Simple deducción. ¿Estás seguro de ser feliz?

El arquitecto llenó una taza y la ofreció a su perro, que lamió el caldo aplicadamente.

–Claro. No tengo dote que ofrecerle, pero le basto yo.

–¿Adónde iréis?

–A una aldea de Samaria, donde sus padres tienen una granja.

–¿No temes el exceso de trabajo?

–Es preferible a la muerte lenta que estáis infligiéndome aquí.

–¿Tan cruel soy?

–La atmósfera de esta ciudad no me conviene. Ser vuestro servidor comienza a ser arriesgado.

–¿No exageras?

–Sois un gran hombre, maestre Hiram, pero no sabéis ver el peligro. Vuestro poder acabará importunando a Salomón. Y no tendrá compasión.

–Tus profecías no suelen cumplirse.

–Si fuerais razonable, os marcharíais conmigo.

–¿Me abandonas realmente, Caleb?

Volviéndole la espalda, el cojo se enjugó una lágrima.

–Ella me obliga, maestre Hiram. Comprendedme.

–Eras mi amigo.

Caleb no tenía ya hambre.

–Corro a su lado. Si me quedara más tiempo, no tendría valor para hacerlo.

El paso del cojo se hizo más pesado.

Hiram tuvo ganas de retenerle. Pero ¿con qué derecho podía oponerse al destino de un hombre que buscaba otra felicidad? El arquitecto lamentó no haber hablado bastante con él, no haberle iniciado en los misterios del trazo; eran sólo vanos pensamientos. El cojo ya se alejaba por el sendero, llevando del ronzal un asno cargado con sus magros bienes. Un húmedo hocico acarició la mano de Hiram. Su perro le agradecía la excelente comida. En los ojos del animal había un amor tan claro como el agua de una fuente que brotara de la montaña.

Cuando vieron aparecer a Nagsara en la avenida central de su campamento, los servidores de la reina de Saba se apresuraron a advertirla. Avisados por el rumor, sabían que la esposa de Salomón sentía un feroz odio por Balkis.

Precedida por dos soldados y seguida por varios servidores, Nagsara llevaba un manto de gala sujeto por una fíbula de oro. En sus cabellos brillaba una diadema de turquesas. Con sus vestiduras confería a la visita un carácter oficial.

Balkis almorzaba en la terraza de su palacio de madera. Una sirvienta le perfumaba los cabellos. Otra vertía vino fresco en una copa. La visita de la reina de Israel pareció encantarla. Se levantó y se inclinó.

–¡Qué agradable sorpresa, majestad! Perdonad mi aspecto... Si me hubierais avisado, os habría recibido con los fastos debidos a vuestro rango.

–Olvidemos el ceremonial, ¿no os parece?

–¿Puedo invitaros a mi mesa?

–No tengo hambre ni sed.

–Hablemos bajo la higuera. Creo que, en Israel, simboliza la paz.

Ambas reinas bajaron por una suave pendiente que llevaba al vergel. Nagsara parecía débil, casi frágil. La sabea propuso a la egipcia que se quitara el manto y la diadema. Ella se negó secamente. Balkis se sentó al pie del árbol, Nagsara permaneció de pie.

–Volved a vuestro país –exigió–. Vuestra presencia aquí es perniciosa.

–Vuestra voz tiembla –observó Balkis–. Estáis agotada. ¿Por qué no descansáis a mi lado?

–¡Porque os detesto!

–No lo creo. Sufrís, sois desgraciada. Y sabéis que yo no soy responsable de ello.

La turbación dominó el alma de Nagsara. Se había preparado para un violento enfrentamiento, para una pelea tan viva que habría utilizado todas sus fuerzas para destruir al adversario. Se habrían agredido, Nagsara habría apretado la garganta de Balkis con sus manos, había apretado y apretado más aún... Pero la reina de Saba le recibía con la bondad de una hermana, sin agresividad. Su sonrisa la desarmaba, su dulzura la hechizaba.

–No me casaré con Salomón, declaró Balkis. Me ha amado, es cierto, pero como a una de sus concubinas. ¿Qué puede importaros esa pasión pasajera, a vos, la reina de Israel, la garante de la paz entre Egipto y vuestro país? Mostraos digna de vos misma, Nagsara. Vuestro papel es inmenso.

La egipcia rompió a sollozar, cubriéndose el rostro con el manto. Balkis se levantó y la tomó tiernamente de los hombros.

–Sentaos junto a mí.

Rota, Nagsara obedeció. Balkis le quitó la diadema, secó sus lágrimas. Ambas compartieron un higo.

–Somos mujeres y somos reinas. Ésa es la única verdad. Salomón es el hombre del Señor de las nubes. Ningún amor terrestre atará su corazón. Conservad en el estuche de vuestra memoria los momentos de felicidad que habéis vivido con él. Lo mismo haré yo. Salomón está más allá de este tiempo y este país, Nagsara; vive en un espacio que nos es ignorado, en compañía de ángeles y demonios que le ayudan a construir su pueblo.

–No puedo soportar que no me ame.

–¿Quién podría soportarlo? Toda mujer, y vos más que cualquier otra, desearía mantenerle en las redes de su pasión. Pero ninguna lo logrará.

–¿Renunciaríais vos?

Los ojos de Nagsara lloraban de esperanza. La reina de Israel no era más que una niña extraviada por los caminos de su locura. Balkis comprendió que sería inútil hacerla razonar. No tenía más razón de vivir que la creencia en el recuperado amor de Salomón.

–Sí, renuncio –dijo Balkis gravemente–. No veáis ya en mí una rival.

–¿Os quedaréis mucho tiempo en Jerusalén?

–Un mes tal vez. Debo ver de nuevo al rey para poner a punto nuestros convenios diplomáticos y comerciales.

Nagsara se inquietó de nuevo.

–¿No..., no le tentaréis más?

–No temáis.

La egipcia se sentía presa de un torbellino. Veneraba a aquella a quien hubiera debido odiar. Pero Balkis le devolvía su desaparecida felicidad. La llama había vencido pues. Ofreciéndole su vida y su juventud, Nagsara había apartado a la reina de Saba. ¿Qué le importaba sentir que sus días huían como la gacela del desierto, si nadie le impediría ya reconquistar a Salomón?

Capítulo 52

Las últimas lluvias de invierno habían aumentado el curso de los ríos y hecho verdear las praderas. Judea, Samaria y Galilea se cubrían de flores en un concierto de azul, rosado, rojo, amarillo y blanco. En el aire transparente se vertían los silvestres perfumes, portadores de la resurrección de la tierra.

Israel se embellecía. El país saboreaba una tranquila felicidad que nunca antes había conocido. Todos alababan la sabiduría de Salomón, el elegido de Dios. Todos admiraban el encarnizado trabajo de la cofradía de maestre Hiram que, viajando sin cesar de una aldea a otra, inauguraba constantemente nuevas obras. Con su colegio de nueve maestros, dirigía un pacífico ejército que construía casas, granjas, fundiciones, barcos, carros, abría canteras, renovaba el urbanismo de las ciudades. Presa de un frenesí de creación, el maestro de obras prolongaba el impulso engendrado por la edificación del templo y le daba un formidable florecimiento.

Jerusalén la magnífica despertaba la envidia de las naciones. Presidiendo la roca, dominando las provincias, el templo de Yahvé y el palacio del rey afirmaban la grandeza del Estado hebreo.

Salomón salió de sus aposentos, atravesó el patio a cielo abierto, tomó el pasaje que llevaba al atrio que, tras el sacrificio matinal, estaba siendo abandonado por los sacerdotes. El olor del incienso impregnaba las piedras. Sentado en los peldaños que llevaban al templo, maestre Hiram había respondido a la convocatoria del rey.

–Hacía ya mucho tiempo que no hablábamos.

–Pocas veces estoy en Jerusalén, majestad.

–¿No os basta ya mi capital?

–Tengo que proponeros algunos proyectos. Tendríamos que arreglar la ciudad baja, suprimir las callejas insalubres, crear más plazas sombreadas.

El sol, fogoso como un carnero, daba ya un intenso calor.

–Vayamos al vestíbulo del templo.

Hiram se mostró reticente.

–¿No escandalizará a los sacerdotes mi presencia en el edificio?

–Lo habéis construido vos, ¿no es verdad? Soy todavía el dueño de este país. Todos mis súbditos me deben obediencia.

Salomón no estaba enojado. Hablaba con aquella sonriente firmeza que desarmaba a sus adversarios. El arquitecto sintió que el monarca había decidido someterle a dura prueba. En su voz se adivinaban los reproches.

Ambos hombres, ante la indignada mirada de algunos religiosos, subieron los peldaños que les separaban de las dos columnas. Hiram admiró las granadas que coronaban los capiteles. Casi había olvidado su brillo.

Cuando pasó entre *Jakin* y *Booz*, el arquitecto experimentó una sensación de orgullo. Había confiado a aquellas piedras parte de su ser. Había dado a ese templo lo mejor de su arte.

En el vestíbulo del templo reinaba el frescor y el silencio. La estancia vacía apartaba las pasiones humanas. Salomón había esperado que el lugar fuera apaciguador y le quitara el deseo de hablar con Hiram. Pero Yahvé no le concedió aquella gracia. La lengua debía expresar lo que el corazón del rey había concebido.

–Mi pueblo es feliz, maestre Hiram. Israel disfruta la paz del Señor. Sin embargo, he reforzado el ejército. Siamon agoniza. Temo que un libio suba al trono de Egipto. Sabré conjurar ese peligro procedente del exterior. Hay otro, más grave, contra el que se me cree impotente: vos, el arquitecto del templo.

Hiram, con los brazos cruzados, observaba las losas del templo de junturas perfectas, que rivalizaban en belleza con las de Karnak.

–¿Qué amenaza puedo suponer yo?

–Vuestra cofradía y sus misterios me perjudican.

–¿De qué modo?

–No los controlo. Sois su único dueño. ¿Aceptaréis ponerla en mis manos y colocarla bajo mi soberanía?

Hiram recorrió los muros del vestíbulo. Los artesanos habían realizado el plan de obra con el más exigente rigor. El templo vivía, respiraba. El arte del trazo había transformado unos bloques inertes en materia vibrante.

–No, majestad.

–En ese caso, tendréis que desmantelarla.

Hiram hizo frente a Salomón.

–Soy el más despreciable de los ingenuos. Creí que sentíais amistad por mí.

–No os equivocabais. Pero un rey no puede admitir que otro poder se oponga al suyo en el interior de su propio país.

–No es ésta mi intención —protestó Hiram.

–No importa. Sólo la realidad cuenta.

–¿No comprendéis que construí a este país a imagen de Egipto? Con la obra que se está realizando, gracias a mi cofradía, os convertís en el faraón de Israel.

–Soy consciente de ello, pero habéis actuado al margen de mí. Vuestra cofradía se ha desarrollado sin que yo lo supiera. Mañana os dominará la embriaguez del poder. Y no sabréis resistir.

–No me conocéis, majestad.

–Debo protegeros contra vos mismo.

–Si no fuerais rey...

–¿Sentiríais deseos de golpearme para extinguir vuestro furor? Reflexionad, maestre Hiram. Sabéis que tengo razón. Si habéis trabajado por la grandeza de mi reino, entregadme las llaves de vuestra cofradía.

–Jamás.

Hiram salió del templo, incapaz de contenerse por más tiempo. Salomón había previsto esa reacción. Era indispensable remover el hierro en la herida. Al oponerse al hombre que más admiraba, el rey salvaba Israel.

A Hiram sólo le quedaba una solución: salir del país, regresar sin tardanza a Egipto. Su sangre hervía en las venas. Estar tan cerca del objetivo y fracasar por culpa de un monarca que se transformaba en déspota... Ante todo, era preciso dispersar a los maestros, compañeros y aprendices para que escaparan a la venganza de Salomón.

Ante la entrada de la gruta, se levantaba una tienda; blanca y roja. Uno de sus faldones estaba levantado. Sentado en una silla plegable, el enviado del faraón.

–Vuestro perro no ha dejado de ladrar mientras me instalaba.

–¿Dónde está?

–Detrás de mí, dormido. Ha comprendido que venía como un amigo.

–¿Qué misión os han confiado?

–Ninguna. Actúo a título personal. Siamon agoniza. El faraón no puede ya protegeros.

Anup salió de la tienda y buscó caricias.

–¿Protegerme?

–El visir y la alta administración os consideran un traidor. No regreséis a Egipto. Seríais detenido y condenado. No volveremos a vernos. Yo no quiero juzgaros, os estimo.

Atónito, Hiram contempló al emisario egipcio que desmontaba su tienda, la doblaba, la colocaba a lomos de su dromedario y se alejaba.

Un paria... A eso quedaba reducido el arquitecto del templo de Yahvé. Israel le expulsaba, Egipto le rechazaba. Su tierra y su país de adopción le negaban al mismo tiempo. El deseo que había conseguido ahogar se desencadenó como una tormenta de estío llena de hirviente agua los secos uadis.

Hiram y Balkis atravesaron los famosos jardines de Jericó, junto a la desembocadura del Jordán. Cuando el invierno enfriaba la tierra de Israel, esa parte del paraíso conservaba una agradable suavidad. La primavera era allí más precoz que en parte alguna. Los frutos se desarrollaban deprisa, adquiriendo florecientes formas donde abundaba el jugo. En aquella ciudad de las palmeras, donde el bálsamo corría por el tronco de los árboles, el maestro de obras, silencioso durante el viaje desde Jerusalén, habló por fin con la reina de Saba.

—Es un país espléndido.

—Gracias os sean dadas por hacérmelo descubrir, Hiram.

—Es la imagen de un amor feliz y rico en promesas.

Balkis recordaba la llegada de Hiram, al amanecer, montando un garañón bayo de nervioso temperamento. Sin decir palabra, había ofrecido un caballo negro a la reina. Ella había montado sin vacilar y se lanzó al galope tras la estela del arquitecto. Juntos se habían embriagado de velocidad y aire perfumado. Juntos habían llegado a ese Edén.

—¿Nos quedaremos aquí? —interrogó la reina.

—No tengo ya edad para soñar. Vayamos más lejos.

Los caballos se lanzaron en dirección al Mar Muerto. Más allá de la barrera de los alisos, la reina y el arquitecto penetraron en una pesada atmósfera, donde la respiración se hacía opresiva; se enfrentaron con un paisaje desolado, casi sin vida. Insoportable, una luz blanca golpeaba las rocas desnudas que rodeaban una inmensa extensión en las que se perdían miserables uadis. Aquí y allá, costras de sal y conos de cristal.

—Nadie puede respirar en esa desolación —advirtió Hiram—. Ni animal, ni vegetal... Sólo las miríadas de mosquitos que atraviesan la piel.

Balkis descabalgó. Penetró en un agua turquesa que le pareció aceitosa. Intentó bañarse, pese al hedor de mineral descompuesto que agredía su nariz. Pero su cuerpo se vio rechazado. Nadar era imposible.

—Este mar se hunde en la tierra —estimó Hiram—. Como las

montañas que la amurallan, rechaza la presencia humana. Una puerta del infierno...

—¿Por qué me habéis traído aquí?

—Eso es lo que sufro desde hace varios meses, majestad. Hoy, he tomado mi decisión. Quiero conocer los jardines del Paraíso.

—¿Habéis elegido ya?

—Partir hacia Saba y construir otros templos, otros palacios: ése es mi deseo.

A Balkis, el desolado paisaje le pareció radiante. En el turquesa del Mar Muerto vio reflejarse las verdeantes colinas de Saba, sus montañas de oro, las floridas cuencas de su capital. Su perseverancia triunfaba por fin. Había conseguido seducir a Hiram, aquel hombre inaccesible, demasiado altivo para aceptar amor. Una indecible felicidad llevó a la reina de Saba hasta las riberas plantadas de tamariscos del río infantil en el que su cuerpo de mujer había despertado al deseo. El maestro de obras la arrancaba al pasado, al tiempo que desgastaba las almas; la volvía despreocupada y alegre.

Algunas sombras le impedían todavía creer en el milagro.

—¿Abandonaréis acaso vuestra cofradía?

—Sería indigno y despreciable. Muchos compañeros me seguirán. E indicaré a los maestros el modo de sucederme; se dispersarán. El arte del trazo va a transmitirse.

Balkis se acercó a Hiram.

—Aceptáis por mí la desaparición de vuestra obra...

—El templo es sólo un templo. Lo que mis manos han construido, otras lo destruirán. Sólo la obra del mañana cuenta.

—¿Se ha roto vuestra amistad con Salomón?

—He abandonado ya esta tierra.

Los labios de la reina de Saba rozaron los de Hiram. Sus pechos se hincharon de savia. Sus ojos se llenaron de embriagadas lágrimas.

—No aquí y no ahora —imploró Hiram—. En Saba, reina mía.

Tras la partida del maestro de obras, Balkis permaneció mucho rato a orillas del Mar Muerto. Grabó en su memoria aquel universo mineral y hostil en el que su existencia revestía un manto de esperanza y maravillas. Hiram llevaba a cabo el más exigente sacrificio al entregar su obra maestra a un rey que no había percibido la grandeza de su arquitecto. ¿Había más resplandeciente prueba de amor?

Pronto, en Saba, la reina se uniría a Hiram.

Capítulo 53

En la gruta donde habían sido iniciados, Hiram reunió a los nueve maestros colocados a la cabeza de los gremios que formaban la cofradía. En un papiro, trazó los signos de reconocimiento que unirían para siempre aquellos hombres con misterios que sólo ellos conocían. Entregó al más sabio su escuadra y reveló los secretos del codo, las relaciones de proporción que, más allá de cualquier cálculo, le permitirían dirigir la construcción de los más ambiciosos edificios.

Hiram desnudó el brazo derecho de aquel a quien había elegido como sucesor. En la parte interior del codo, imprimió un sello en el que figuraban la escuadra de brazos desiguales y la regla de los maestros de obra.

–En ti se encarna la verdad del trazo. Tu antebrazo será, en adelante, la medida de la que se desprendan las claves de la creación. Que sólo los maestros la conozcan.

Luego, Hiram enseñó a sus discípulos la carta de sus deberes. Exigió un nuevo juramento que les comprometía a no admitir entre ellos más que a los compañeros sometidos a las más duras pruebas. Les pidió que salieran de Israel con los mejores artesanos en cuanto se manifestaran los primeros signos de opresión.

–Ninguno de nosotros es capaz de sucederos –objetó uno de los maestros–. Todos lo sabemos, y vos el primero. ¿Por qué engañarnos?

–Seguid trabajando según las leyes que habéis aprendido. Estad seguros de que nunca os abandonaré, aunque parezcan separarnos grandes espacios.

Varios de aquellos seres rudos, acostumbrados al sufrimiento y a la pesadumbre, lloraron. Uno de ellos exigió la promesa del regreso. ¿Cómo podría la cofradía permanecer unida en ausencia de quien le había dado el alma?

–Ningún hombre posee la sabiduría –respondió Hiram–. La práctica de nuestro arte hará de vosotros y de vuestros hermanos hombres cabales. Olvidaos de vosotros mismos y pensad sólo en transmitir vuestra experiencia. Por mi parte, he decidido conquistar un mundo nuevo. Cuando se hayan erigido templos en los mayores países de la tierra, no habrá ya fronteras entre las almas enamoradas de la luz.

Sabiendo que su empresa estaba condenada al fracaso, los maestros renunciaron a retener a Hiram. Acordaron que el maestro de obras debía escapar primero a la cólera de Salomón, irritado por el creciente poder de la cofradía. Luego, prepararía la llegada del arquitecto a un país de Oriente en el que, de nuevo, sería el jefe de todos los gremios.

La fiesta de otoño había reunido a toda la nación, comulgando en el culto de Yahvé y de Salomón. El pueblo había subido hasta la roca sagrada, conducido por sacerdotes que recitaban salmos y cantaban los himnos compuestos por el rey. Los más afortunados y los más astutos habían conseguido llegar al atrio donde se apretujaban miles de fieles.

Una sorpresa aguardaba a los dignatarios durante la celebración del banquete ofrecido por el palacio: la presencia de la reina Nagsara al lado de Salomón. Adornada con las más preciosas joyas, cuidadosamente maquillada para disimular su delgadez, la egipcia parecía florecer. Durante la comida, sonrió y conversó con una alegría que no había manifestado desde hacía varios años. Escuchó con satisfacción las alabanzas dirigidas al soberano, se interesó por el rumor de la posible decadencia de maestre Hiram, mostró su satisfacción cuando se evocó la probable partida de la reina de Saba, que no había sido invitada a las ceremonias.

Al finalizar el banquete, Nagsara rogó a Salomón que la acompañara a sus aposentos. En el umbral de la alcoba, le suplicó que entrara. El rey se resistió. ¿Acaso no vivían separados desde hacía muchos meses? Cedió por fin ante la insistencia de la egipcia. Cuando ella se apartó para dejarle entrar, descubrió maravillado una alfombra de flores de lis y de jazmín.

–Éste es el jardín donde deseo, de nuevo, gozar de vuestro amor.

Nagsara se quitó la diadema y, arrodillándose ante Salomón, le besó las manos. La noche anterior, había contemplado la llama hasta que penetró en sus pupilas y abrasó sus pasados tormentos. La joven estaba poseída por una fuerza devoradora que la privaba de cualquier libertad. Sólo el amor de Salomón la liberaría.

La egipcia, con la yema de sus dedos de nacaradas uñas, hizo resbalar lentamente los tirantes de la túnica de lino por los estremecidos hombros. Con dulzura, Salomón interrumpió su gesto.

–Os lo suplico... ¡Dejad que me ofrezca a vos!

Salomón percibió la presencia del demonio que torturaba a su esposa.

–Has avanzado demasiado por los caminos de las tinieblas, Nagsara.

–¡No, dueño mío! Estoy segura de que no... Vuestras caricias lo apartarán, vuestros besos lo destruirán.

–Te equivocas. Mi amor ha muerto. Aunque fuera ancho como la crecida del Nilo, no te evitaría los tormentos que tú misma has elegido.

El rey oró al Señor de las nubes. ¿No iba a concederle un nuevo deseo hacia esa esposa adoradora, un nuevo fuego para esa conmovedora mujer? Pero Yahvé permaneció mudo. Salomón contempló compadecido a Nagsara. Cuando sus manos se posaron en la frente de la egipcia, le transmitieron el calor que ponía fin a las más graves enfermedades.

–Amadme...

–Te amo, Nagsara, como un padre ama a su hija.

En el interior de una taberna de los arrabales de Jerusalén, tres hombres conversaban en voz baja. El albañil sirio, barbado y barrigudo, imponía su facundia al carpintero fenicio, astuto hombrecito de fino bigote negro, y al herrero hebreo, un viejo artesano de blancos cabellos y palabra titubeante. Compañeros que pertenecían a la cofradía de Hiram, deploraban la estricta aplicación de la jerarquía, el autoritarismo de los maestros de obra, el trabajo demasiado exigente.

–Hace mucho tiempo ya que hubiéramos debido obtener la maestría –estimó el albañil–. Conozco mi oficio a la perfección. Podría enseñárselo a cualquier hermano. El comportamiento de Hiram es indigno.

–Nunca he protestado –añadió el carpintero–. Pero esta vez es ya demasiado.

–Ésa es también mi opinión –completó el herrero–. Creí que Hiram sería un jefe excepcional. Al no reconocer nuestros méritos, ha demostrado lo contrario. Es un nómada sin patria.

–¿No es originario de Tiro?

–Su saber es excesivo... Sus métodos y sus enseñanzas se parecen a los de un arquitecto egipcio.

–¡Salomón no le habría contratado!

–Eso no importa –interrumpió el albañil sirio–. Hiram posee los antiguos secretos que confieren a los maestros poder y fortuna. Le hemos obedecido durante largos años. Nos debe la maestría.

–Es verdad –admitió el herrero–. ¿Cómo hacérselo reconocer?

–Hablemos con él. Convenzámoslo.

–¿Y si se niega a escucharnos?

–Entonces, utilizaremos la fuerza. Hiram es sólo un hombre. Cederá.

–Imposible –objetó el carpintero–. Salomón nos castigaría severamente.

El sirio sonrió.

–De ningún modo. He mantenido una larga entrevista con el sumo sacerdote Sadoq. Me ha dicho que la amistad entre el rey y el arquitecto estaba a punto de romperse. Salomón quiere tomar el control de la cofradía. Le satisfará ver a Hiram en dificultades. Cuando seamos maestros, lograremos convencer a nuestros colegas de que nos libremos de ese pretencioso arquitecto para colocarnos bajo la autoridad del rey de Israel.

El discurso del albañil convenció al fenicio y al hebreo. Su porvenir se había decidido.

Al finalizar las fiestas de otoño, los creyentes salieron de Jerusalén y regresaron a sus provincias. Maestre Hiram reunió a orillas del Jordán, en la soledad de una salvaje naturaleza, a todos los miembros de su cofradía. Se reunieron varios miles de obreros. Su número había crecido con una rapidez tan sorprendente como inquietante.

La mayoría de ellos eran sólo jornaleros que los aprendices destinaban a trabajos muy precisos. Con un breve discurso, el arquitecto les exhortó a la paciencia y al valor. Si sabían mostrarse humildes y respetuosos, accederían a los mayores misterios de la cofradía. Aquellos hombres jóvenes aclamaron espontáneamente al maestro de obras. Sin embargo, muchos de ellos fracasarían. Pero la voz de Hiram despertaba en cada uno de ellos el deseo de conseguirlo.

Dispersados los jornaleros, el arquitecto compartió el pan con los maestros, los compañeros y los aprendices. Se sirvió vino en unas copas con las que brindaron a la gloria del arte del trazo. El albañil sirio, el carpintero fenicio y el herrero hebreo destacaron por su diligencia en servir a los maestros y, especialmente, a Hiram, para que el patrón de la cofradía, durante el banquete, no careciera de carne asada ni de galletas con miel.

El arquitecto tomó la palabra al finalizar el ágape. Enumeró las obras realizadas por la cofradía, comenzando por el templo de Yahvé y el palacio de Salomón, evocó luego los edificios, las fundiciones, los talleres donde sus hermanos habían aprendido a dominar la materia para que brotara la más oculta belleza. Juntos habían vestido Israel con un primer manto de edificios. Otras conquistas se dibujaban ya.

En el apaciguador atardecer de otoño, el verbo de Hiram se hizo más grave. Anunció que los nueve maestros ejercerían nuevas responsabilidades. Elegirían por unanimidad a los compañeros que serían iniciados en los grandes misterios cuando llegara la luna nueva de primavera.

La fiesta de la cofradía concluía. Maestre Hiram dio el beso de la paz a cada uno de sus miembros. Cuando se presentó ante el maestro de obras, el albañil sirio no pudo resistir el deseo de hacerle la pregunta que le obsesionaba:

—¿Seré yo uno de los compañeros elegidos?

La mirada del maestro de obras expresó tal irritación que el sirio, atemorizado, dio un paso atrás.

—Estas palabras te excluyen por mucho tiempo del pequeño círculo de los futuros maestros. Limítate a practicar tu oficio con rectitud. Si eres digno de los misterios supremos de nuestra cofradía, los maestros sabrán advertirlo. Olvida tu ambición, te llevaría a la perdición.

Como sus hermanos, el sirio se inclinó y recibió el beso de maestre Hiram.

Capítulo 54

Salomón, precedido por los soldados de la guardia real, bajó de su palacio hasta el campamento de la reina de Saba. Avisada por los curiosos, la muchedumbre se amontonó a lo largo del trayecto seguido por el rey. Le aclamó con un entusiasmo que le dejó indiferente. La invitación de Balkis le inquietaba. Su mayordomo le había invitado a una comida durante la que la reina deseaba ofrecerle un raro tesoro. ¿Qué se ocultaba en aquel desacostumbrado ritual?

En el interior de la tienda real se habían dispuesto almohadones de seda roja y verde. Lánguida, casi abandonada, Balkis degustaba los bermejos granos de un racimo de uva. Al parecer se habían previsto numerosas plazas para los comensales, pero ninguna de ellas estaba ocupada.

El mayordomo dejó caer la puerta de tela.

–Tendeos, rey de Israel, y compartid esos alimentos.

En la mesa central, carnes asadas y perfumadas con aromas, legumbres cocidas al vapor en recipientes de arcilla, montones de pasteles y fruta.

–El vino de Judea es delicioso, aunque no tan afrutado como el de Saba. Me quedan algunas jarras todavía. ¿Deseáis saborearlo?

–¿Acaso me habéis elegido como catador?

–Os mostráis muy severo. Os he conocido mucho más amable.

–¿Qué fabuloso tesoro pensáis legarme?

Balkis se levantó con gracia y depositó el racimo en un plato de plata. En sus ojos se mezclaba el placer de desafiar a un monarca de inmenso poder y la desesperación nacida de un fracaso.

–Mi marcha, Salomón. Su valor es inestimable. Os devolverá la serenidad y el amor de vuestra esposa.

En la frente del rey apareció un breve surco.

–¿Creéis poder quebrar una pasión con el alejamiento?

–En mí no amáis a la mujer sino a la reina. Esperáis de ella un tratado de alianza que fortalezca la paz a la que habéis consagrado vuestra vida. Firmaré el tratado. Os concederé esta victoria.

Salomón sirvió vino en dos copas de oro. Balkis aceptó la que le presentaba.

–Si os convirtierais en la soberana de Israel, reinaríamos sobre un inmenso imperio.

–Reinaríais vos, Salomón. Vos y sólo vos. Me vería obligada a inclinarme ante vuestras decisiones y a obedeceros. No acepto vuestras costumbres ni vuestra religión. Las mías me colman. Alianza, sí; dependencia, no. Que me amarais siempre, sí. Envejecer a vuestro lado como una esclava, no.

Balkis se sentó. Salomón la imitó, tomando sus manos entre las suyas.

–No tenéis confianza en mí.

–¿Sería digna de mi función si cometiera semejante tontería? Bebed, Salomón. Brindad por nuestro último encuentro. Alejados, comulgaremos en la misma armonía. Juntos, nos destruiríamos.

–Me niego. En mi palacio os aguardará una copa. ¡Brindaremos por nuestro amor! Cuando la noche se llene de estrellas y las antorchas iluminen nuestra alcoba forrada de seda, vuestro corazón se abrirá.

Salomón creyó que la reina vacilaba. Pero su voz no se inmutó.

–Hay un tiempo para reír –dijo– y un tiempo para llorar, un tiempo para amar y un tiempo para el recuerdo, un tiempo para vivir y un tiempo para morir. Cuando celebréis el sacrificio del alba, me habré marchado para siempre.

Salomón tenía la seguridad de que Balkis le amaba. Sabía también que no cambiaría su decisión.

–Decidme la verdad. Aceptad, al menos, que comparta vuestro secreto.

La reina vaciló.

–Sufriríais.

–Prefiero el sufrimiento a la duda.

Balkis se apartó. No tenía ya valor para mirar a aquel rey de tranquilizadora fuerza.

–Espero un hijo vuestro. Será un muchacho. Le llamaré Menelik y será uno de los sagrados antepasados de mi raza. Adiós, rey Salomón.

Desierta, la sala del tribunal se adormecía en la penumbra. Cuando Sadoq penetró en ella con una antorcha en la mano, vio primero el entablado de cedro y, luego, a Salomón sentado en su trono. Temió, por un instante, que el soberano se hubiera transformado en estatua.

–Majestad..., os he buscado por todas partes.

–No me importunes, sumo sacerdote.

–Perdonad que insista... Es un asunto de la mayor importancia.

¿Existía asunto más importante que la pérdida de la mujer amada, llevando en su seno el hijo de su deseo? Salomón había rogado a Yahvé que le hiciera zambullirse lentamente en la nada y en el olvido. Había soñado que se incorporaba al trono de la justicia, que se convertía en piedra, tan inaccesible al gozo como al dolor.

–¿Permitís que hable, majestad? –interrogó Sadoq, sorprendido por la postración del monarca.

Indiferente, Salomón levantó con cansancio la mano derecha. El sumo sacerdote interpretó el gesto como un asentimiento.

–Vuestro maestro de obras os traiciona.

La mirada de Salomón se oscureció.

–¿De qué modo?

–La investigación que han realizado sacerdotes dignos de confianza no ha llegado todavía a conclusiones claras, pero parece probable que el arquitecto se dispone a vender los secretos de su cofradía a los enemigos de Israel.

Abrumado, el rey se hundió en el trono.

—A mí me los ha negado... ¿Qué puedo hacer? Hiram se marchará.

—Se murmura que no lo hará solo.

Salomón se echó hacia delante, intrigado.

—¿Qué rumor es ése?

—Algunos creen saber que la reina de Saba le ha contratado.

Balkis e Hiram... ¿Cómo podía autorizar Yahvé aquella inverosímil y desafortunada alianza? ¿Por qué ofendía tan cruelmente al rey de Israel, al fiel servidor de su dios? ¿Por qué falta le guardaba rencor?

—He pensado, majestad, que sería conveniente llamar al orden al maestro de obras y hacerle una severa advertencia. Os debe su fortuna y su gloria. Debe pleitesía a Israel. El hombre es orgulloso, rebelde, pero se doblegará ante la autoridad. ¿Me autorizáis a tomar las medidas necesarias?

Salomón no podía ya actuar directamente. Evocar a la reina de Saba ante Hiram hubiera sido envilecerse. Al rey no se le escapaba que, así, Sadoq satisfaría su odio. Pero ¿no había el arquitecto merecido la reprimenda por su indigno comportamiento? Fatigado, dolorido, agotado por un injusto sufrimiento que le alejaba de la sabiduría, el rey aceptó la proposición de su sumo sacerdote que, esta vez, servía los intereses y la grandeza del reino.

Ante la gruta, Hiram pagó por su propia mano a los compañeros y aprendices. Por última vez, entregaba a aquellos hombres el salario correspondiente al esfuerzo que habían hecho. Les conocía a todos, sabía apreciar sus méritos y ganar su estima. Como de ordinario, la ceremonia se desarrolló en silencio.

Cuando el último aprendiz se hubo marchado, el maestro de obras dio de comer a su perro. *Anup* se durmió en cuanto terminó su comida. Hiram subió al templo. Quería contemplar aquella obra a la que había dado tantos años de su vida, aquellas piedras en las que, de acuerdo con su misión, había encarnado la sabiduría de Egipto en una forma nueva. Al alba, Balkis se marcharía a Saba. Unos días más tarde, tras haber dado a su sucesor las últimas instrucciones, Hiram la seguiría. Allí, protegidos por las montañas de oro, se amarían. El arquitecto estaba ya construyendo un palacio de mil aberturas, floridas terrazas, lagos de recreo, un templo en el que el sol entraba a chorros. Reconstruiría Saba en una orgía de luz. Dedicaría los monumentos a sus hermanos muertos a orillas del Jordán, víctimas de la traición de Jeroboam y de su propia imprevisión. ¿Cómo podría expiar aquella falta que obsesionaba su memoria, sino creando más y más?

Los atrios estaban desiertos. Los sacerdotes descansaban. El mínimo creciente de la nueva luna derramaba una débil claridad. El maestro de obras recordó los trabajos, el taller del trazo, los gestos justos en el momento justo, el entusiasmo de los artesanos, el ardor que animaba manos y corazones, la comunión que aniquilaba fatigas y decepciones. Tal vez prefería aquellas horas de angustia y esperanza a la obra terminada, la exaltación de lo desconocido a los muros erguidos y las salas concluidas. Pero sus elecciones no importaban. Su papel era el de conducir el trabajo hasta su término, sin beneficiarse de los frutos de su labor.

Hiram percibió un brillo a occidente, hacia el valle del Tiropeón. Alguien acababa de apagar precipitadamente una antorcha. Intrigado, el arquitecto se dirigió al lugar donde había brillado la llama.

Un hombre estaba en las tinieblas.

–¿Quién eres?

–Un compañero de la cofradía.

Hiram, acostumbrado a la oscuridad, reconoció al herrero hebreo. Sus cabellos blancos brillaban en la noche.

–¿Qué estás haciendo aquí?

–Quería hablaros.

–Dirígete al maestro encargado de tu instrucción.

–Ya no necesito su enseñanza. Soy digno de acceder a los grandes misterios. Dadme la consigna de los maestros e iniciadme en sus poderes.

–¿Has perdido el juicio? Nunca cederé a semejante petición.

–¿Ni siquiera a costa de vuestra vida?

El herrero blandió un martillo. El arquitecto no retrocedió ni un solo paso.

–Dame esa herramienta –exigió Hiram–. Vuelve a orillas del Jordán, ponte de nuevo a trabajar y olvidaré esta locura.

Vacilando, con confusas palabras, el hebreo dio rienda suelta a su cólera.

–La consigna.

Hiram tendió la mano. El compañero le golpeó en la cabeza. Brotó la sangre. Cegado, Hiram caminó hacia el norte. Chocó con el albañil sirio.

–También yo soy compañero. Decidnos la consigna, tenemos derecho a ella.

–¡Nunca! –exclamó Hiram–. ¿Qué demonios os han poseído...?

–Pronto, maestre Hiram. Estoy perdiendo la paciencia.

El maestro de obras intentó alejarse pero su agresor, barbudo y corpulento, le hundió un cincel en el costado izquierdo.

El herrero y el albañil, atónitos por su propia audacia, se reunieron. No se atrevían a perseguir a su víctima: Hiram, pese a sus heridas, logró huir hacia oriente. Pero el carpintero fenicio salió de las tinieblas y le cerró el paso.

–No os obstinéis más. Decidnos la consigna y jurad que no dictaréis sanción alguna contra nosotros.

Amenazador, el hombrecillo del fino bigote negro tenía en la mano izquierda un pesado compás de hierro.

–Vete –ordenó Hiram con voz débil.

–¡Basta ya de obstinación! –se irritó el fenicio–. ¡La consigna!

–Antes la muerte.

–¡Aquí la tienes si la deseas!

Furioso, el carpintero hundió la punta del compás en el corazón del maestro de obras.

–¿Por qué, Salomón, por qué? –murmuró Hiram antes de caer de espaldas.

Su cadáver ocupó tres losas del atrio. Los asesinos lo contemplaron largo rato. Cada uno de ellos atribuyó a los otros dos la responsabilidad del crimen.

–No le abandonemos aquí.

Quitándose los delantales de cuero y anudándolos juntos, los artesanos formaron un sudario con el que envolvieron al arquitecto.

–Qué pesado es –se quejó el fenicio.

–Pasemos por el sendero –recomendó el sirio–. Démonos prisa, podrían sorprendernos.

Balkis había adelantado la hora de su partida. Al consultar el espejo de oro donde estaba oculto el fulgor de la gran diosa de Saba, había escuchado la voz del oráculo ordenándole que saliera de Israel en plena noche.

Cuando el elefante blanco de la reina abandonó el campamento de tiendas, estalló una tormenta. Balkis consiguió calmar al animal, aterrorizado por una sucesión de relámpagos seguidos de una intensa lluvia. Cuando el paquidermo, a pesar del violento viento, adoptó el paso tranquilo que ritmaría el progreso de la caravana de los sabeos, la reina se sintió aliviada. Escapaba por fin del poder de Salomón. Al final de un largo viaje. Subiría a la más alta terraza de su palacio y no dejaría de mirar a oriente, por donde llegaría Hiram, el hombre al que uniría su vida.

La lluvia caía con tanta abundancia que las aguas del Cedrón comenzaban ya a subir. El elefante cruzó el torrente de lodo. Cuando el último sabeo llegó a la otra orilla, el nivel de las aguas había hecho ya desaparecer los vados.

La noche era tan oscura y tormentosa que Balkis no vio, en la ladera del valle del Cedrón, a tres hombres que se dirigían hacia un cerro en el que depositaron su fardo. Allí, excavaron una fosa en la que arrojaron el cadáver del maestro de obras. El sirio y el fenicio pusieron pies en polvorosa. El hebreo, presa de remordimientos, quiso honrar al difunto. Rompió la rama baja de una acacia y la plantó en la tierra que cubría el despojo.

Balkis, camino de Saba, el país del oro y la felicidad, había pasado muy cerca del torturado cuerpo del maestro de obras.

Capítulo 55

Salomón galopaba por la llanura de Jerusalén. Su caballo parecía volar, sus cascos con herraduras de hierro apenas tocaban el suelo. Huyendo de su palacio y de la copa llena de un vino que la reina de Saba no bebería nunca, el rey había recorrido la campiña durante días y días, esperando huir del dolor que le torturaba. No soportaba la ausencia de Balkis. Con su partida se desvanecía la promesa de una felicidad cálida como un lago estival. Aquella mujer le habría mostrado un nuevo camino hacia la sabiduría. Habría formado con ella una pareja capaz de instaurar la paz en el universo.

Cuando el sol de mediodía se tiñó de negro en su entorno, Salomón creyó que sus ojos desfallecían. El fenómeno duró algunos segundos. El rey supo que acababa de morir un ser querido. Aunque el astro hubiera recuperado su fulgor, espoleó su montura y se lanzó al galope hacia la capital.

El sumo sacerdote le recibió en el umbral del palacio.

–Vuestra esposa ha muerto –reveló Sadoq–. No ha dejado de llamaros hasta lanzar su postrer suspiro.

Nagsara estaba tendida en un parterre de jazmines y lises, con las manos crispadas sobre su pecho, en el lugar donde había estado grabado el nombre de Hiram, borrado ahora.

Salomón besó en la frente a la hija del faraón.

–Convocad a mi maestro de obras –ordenó Salomón–. ¿Cuántas veces tendré que repetirlo?

366

–Ha desaparecido –confesó Elihap.

–Pedidle al general Banaias que os ayude.

–Hemos encontrado su perro, *Anup*. Se ha dejado morir de hambre en la gruta.

–Apresuraos. Quiero ver a Hiram de inmediato.

El secretario se inclinó y salió precipitadamente del despacho de Salomón. Aquella misma noche, llevó a palacio unos campesinos que vivían junto al valle del Cedrón. Uno de ellos afirmaba haber visto a tres miembros de la cofradía de Hiram que transportaban un pesado fardo, la noche de la tempestad que había devastado campos y casas. Interrogado por Salomón, se retractó y pidió una copa llena de agua. Él y sus compañeros se lavaron las manos, repitiendo la misma fórmula: «Nuestras manos no han derramado sangre y nuestras ojos no han visto nada». Así se exculpaban ritualmente de un posible crimen.

Al día siguiente, el rey recibió a los nueve maestros que dirigían la cofradía. Le revelaron que tres compañeros se habían vanagloriado ante ellos de su abominable fechoría, esperando que el sucesor de Hiram les agradeciera haberle liberado de un déspota. ¿No habían actuado con la protección del rey Salomón?

–¡Eso es una ignominia! –protestó el monarca–. ¿Dónde están estos hombres?

–Decepcionados por nuestra negativa a concederles la maestría, han huido –dijo el portavoz de los nueve maestros–. Hiram ha sido asesinado. Queremos encontrar su cuerpo.

–Yo puedo ayudaros.

–Vos no formáis parte de nuestra cofradía, majestad.

–No obliguéis a suplicar a un rey. Debo ese homenaje a un genio que fue mi amigo.

Los nueve maestros siguieron a Salomón quien, al salir de la explanada sacra, tomó el sendero más abrupto que llevaba al valle del Cedrón. Su mirada estaba dominada por el personaje del maestro de obras vistiendo el manto de púrpura, durante la inauguración del templo. Las vibraciones del cetro que el rey mantenía ante sí le indicaban el camino a seguir.

¿Qué crimen había cometido él, Salomón, al conceder a Sadoq el derecho a castigar a Hiram? ¿No había traicionado al arquitecto sin querer confesárselo? ¿No había condenado a muerte, con su cobardía, al único hombre a quien había envidiado? Cuando se acercaron al cerro, el cetro comenzó a quemar.

–Aquí es –advirtió uno de los maestros–. Ved la tierra removida y la acacia.

Los hermanos de Hiram cavaron y descubrieron el cuerpo. El rostro del maestro de obras parecía tranquilo, sonriente casi. Su propia sangre le servía de manto de púrpura. Los maestros formaron un círculo alrededor del cadáver y celebraron en silencio la memoria del jefe de la cofradía.

–Maestre Hiram descansará en los cimientos de su templo, bajo el Santo de los santos –decidió Salomón.

Las placas blancuzcas en la piel de los enfermos no dejaban subsistir duda alguna. La lepra se propagaba por los barrios bajos de Jerusalén. Inexorablemente, roería los rostros. La mayoría de los miembros de la cofradía, por orden de los nueve maestros, se habían puesto en camino dirigiéndose a los países vecinos.

La organización creada por Hiram fue desmantelada en los pueblos y en las aldeas. Expulsaron a los últimos aprendices. Artesanos sin experiencia se apoderaron de los talleres y los convirtieron en tenderetes. ¿Para qué habría servido una cofradía de constructores en un país donde las grandes obras habían concluido?

Salomón no se opuso a la destrucción de la comunidad creada por Hiram. ¿Quién habría podido dirigirla?

Cediendo a las súplicas del pueblo, el rey utilizó el anillo del poder para apaciguar los vientos que traían la peste. Terminada la invocación, el precioso objeto cayó en las losas del atrio y se rompió. Sin embargo, la epidemia cesó.

El invierno siguiente al asesinato del maestro de obras, fue el más duro que los ancianos recordaban. La nieve cayó durante días y días, cubriendo incluso las llanuras de Samaria y de Judea. Las laderas de las montañas se habían convertido en glaciares. El culto a Yahvé se reducía a breves ceremonias pues el fuerte viento que soplaba en la roca de Jerusalén impedía a los sacerdotes encender el fuego de los sacrificios. Trocitos de hielo azotaban su rostro, heladas lluvias atacaban los altares. Circular por las calles de la capital se hacía difícil. Los habitantes sólo pensaban en encerrarse en sus moradas alrededor de un hogar o un brasero. El *qudim*[1], soplando del este, barría con sus ráfagas la ciudad de Salomón y creaba torbellinos en el mar de Galilea.

Sadoq, que quería rendir homenaje a Yahvé, murió de una embolia al pie del gran altar. Fue enterrado a hurtadillas. El rey no nombró otro sumo sacerdote. Cuando el general Banaias llegó, a su vez, a los valles de ultratumba, el monarca, ya jefe supremo de los ejércitos, se limitó a formar un reducido estado mayor.

Balkis se había ido, Hiram había sido asesinado y a Nagsara la había consumido la desesperación, ¿en quién podía confiar Salomón? Los tres seres a quienes había amado habían abandonado Israel, como si la paz del rey no hubiera tocado su corazón ni su alma, como si una maldición pesara sobre el destino de la Tierra Prometida.

La sabiduría le había abandonado. No había sabido amar a la hija del faraón. Al traicionar a Hiram, había prescindido del único hombre que nunca le hubiera traicionado. Al no lograr retener a la reina de Saba, había demostrado su incapacidad para hacerse amar por quienes eran más grandes que él.

Salomón se embriagó del mundo y de sus locuras.

Cada noche se celebraba un banquete que llenaba el palacio de danzas, cantos y bromas de borrachos, los comensales se hartaban de carne asada y bebían chorros de vino. Los diplomáticos extranjeros no dejaban de elogiar la hospitalidad del rey y la exuberancia de su corte.

1. Viento que puede ser tan fuerte como el khamsin.

El monarca no sólo les ofrecía los mayores caldos provenientes de las viña de todo Oriente. Muchachas de admirables formas despertaban los más hastiados deseos. Sentándose en las rodillas de hombres depravados, iban desnudándose a medida que los ágapes avanzaban y se transformaban en orgías donde caricias y besos sazonaban las viandas. Jóvenes vírgenes se añadían a las más expertas cortesanas despertando la concupiscencia y contribuyendo al prestigio de las fiestas de Salomón.

Transcurrieron así varios años sin que el rey impartiera justicia. Había abandonado el gobierno del reino a una cohorte de funcionarios dirigidos por Elihap. Serio, trabajador, el secretario del rey suplió con talento a su soberano y sólo solicitaba su opinión en los más delicados asuntos. Había aumentado, con su acuerdo, el número de soldados cuando el libio Sesonq, a la muerte de Siamon, había subido al trono de Egipto. Jeroboam había alentado enseguida al nuevo faraón a preparar la guerra contra Israel. Pero el libio se mostraba prudente por miedo a sufrir una gran derrota. Prefería el *statu quo*.

Las numerosas esposas del rey, originarias de los más diversos países, reclamaron templos y altares para adorar a sus divinidades favoritas. Salomón comenzó negándose. Cuando, uniéndose en una conspiración, todas se le negaron, cedió. En las colinas, en las cimas de las montañas, en el fondo de los valles, tanto en las ciudades como en las aldeas, se erigieron santuarios paganos donde las esposas de Salomón oraban. No se libraron ni los más recónditos lugares, donde había estado el Arca de la Alianza, donde los patriarcas habían escuchado la voz de Yahvé. En las fuentes de los ríos, en las riberas del mar, en el umbral del desierto se veneraron oscuros ídolos que se albergaban en chozas de arcilla, en edificios de madera rodeados de pórticos o precedidos por avenidas de animales monstruosos.

Salomón no creía ya en Yahvé. Rogó a todas aquellas divinidades extranjeras, esperando que una de ellas le concediera el descanso que ya no encontraba en el goce y la embriaguez. El pueblo protestaba en silencio. Salomón violaba la ley del dios único, pero el país seguía siendo rico y próspero, arraigado en una paz duradera, fuente de toda felicidad. ¿No dominaba el rey los espíritus? ¿No poseía más ciencia que cualquier otro hombre en la tierra? ¿No redactaba los más hermosos poemas, declamados por los más famosos aedos en la corte de los más ilustres soberanos? ¿La sabiduría de Salomón no era, acaso, admirada por los poderosos y no garantizaba acaso la alegría de Israel?

Salomón envejecía, pero tomó de nuevo en sus manos las riendas del reino. Tras el placer, se aturdió con el trabajo. El monarca, relegando a Elihap a una función subalterna, examinó cada documento, recibió a cada funcionario, decidió cada detalle administrativo. La claridad de su inteligencia aportó numerosas mejoras a la gestión de las provincias y al comercio con el extranjero. El tesoro fue enriqueciéndose. Todos los hebreos podían saciar su hambre. Todos los nacimientos fueron recibidos como una bendición por las familias, que celebraban las fiestas con fervor y daban gracias al Señor por vivir bajo la autoridad del más benevolente de los soberanos.

El rey sin edad había llegado a la vejez. Su belleza no se había alterado. En aquel rostro perfecto había una sola arruga, apenas visible. La paz había sido preservada, el pueblo era feliz, el país respetado... Salomón no había conocido fracaso alguno en su papel de monarca. Al pronunciar sus sentencias, no había perjudicado a ninguno de sus súbditos.

Salomón estaba solo. No tenía hijos, ni amigos, ni consejeros. Nadie le comprendía. Nadie intentaba averiguar el misterio de su corazón. El rey ya no se rebelaba contra Yahvé. Ya no rezaba a divinidad alguna. La desesperación era su alimento cotidiano. ¿Acaso, justos o malvados, no se dirigían hombres y bestias hacia la misma nada? ¿No nacían del polvo de las estrellas para regresar al de la tierra?

Aquel cuya sabiduría se alababa, chocaba contra un muro infranqueable: la obra divina. No había descifrado ninguno de sus arcanos. Ahora sabía que nadie iba a lograrlo. Todo era vanidad.

Cuando floreció la primavera, Salomón comprendió que iba a ser la última. Salió de palacio y se dirigió al templo, donde no había entrado desde hacía muchos años. Solo en el Santo de los santos, no escuchó la voz de Dios pero vio el porvenir.

Un porvenir en el que la paz se rompía, en el que las tribus de Israel se desgarraban de nuevo, en el que ejércitos ávidos de sangre invadían el país, en el que el santuario de Yahvé era desvalijado y destruido. Un porvenir en el que la Tierra Prometida sería gobernada por hombres débiles, de acuerdo con una política miserable, intentando sólo satisfacer sus más bajos instintos. Un porvenir en el que el pueblo no descansaría ya bajo la higuera y el olivo, gozando del buen tiempo. Salomón supo que, cuando él muriera, su obra quedaría aniquilada. Nada le sobreviviría.

El rey dejó la corona y el cetro, se quitó el manto bordado de hilos de oro, bajó por el sendero que llevaba al valle del Cedrón y partió hacia el desierto. Por el camino, rompió una rama para hacerse un bastón. El joven sol le quemaba la frente. Sus pies estuvieron pronto doloridos. Pero caminó y siguió caminando, como el más humilde de los peregrinos.

Salomón había decidido adentrarse en la soledad hasta que se manifestara una señal de Dios. ¿No tenía ahora la seguridad de que éxito y fracaso eran sólo vanidad, como la alegría y el dolor? Para él, sólo existía un pasado que se desvanecía ya en un roto horizonte. Para su pueblo quedaban años de plenitud y serenidad que dejarían rastro en la memoria de Israel. Tal vez, en un tiempo tan lejano que el pensamiento del rey no podría percibirlo, fuera la levadura de una nueva era de paz.

Las alturas de Jerusalén no eran ya visibles. El templo había desaparecido. Aunque sin fuerzas ya, Salomón seguía su camino. No tenía ya objetivo, no tenía razón para luchar, sólo aquella búsqueda desesperada de una sabiduría inaccesible que le hubiera gustado entrever, si no conquistar.

Cuando le falló el corazón, el viejo soberano se detuvo al pie de una acacia en flor. Dios no le había hablado pero, en la claridad de la primavera, distinguió los contornos de un rostro inmenso, tan amplio como la tierra, tan alto como el cielo, el rostro de maestre Hiram, grave y sonriente, transido de una apacible sabiduría.

El maestro de obras le perdonaba su traición. Le aguardaba al otro lado de la muerte. Salomón se apoyó en la acacia y se durmió en la luz.

NOTAS PARA UNA NOVELA

Salomón fue contemporáneo del faraón Siamon, «el hijo, de Amón», el amado por Maat. Siamon, que pertenecía a la vigésima primera dinastía egipcia, reinó de 980 a 960. Estableció su capital en Tanis, en el Delta. Vencedor de los filisteos comprendió, como Salomón, que en el Próximo Oriente no podría instaurarse una paz duradera sin una real alianza entre Egipto e Israel. Sobre este período, véase, Alberto, R. Green «Salomon and Siamun: a Synchronism between Early Dynastic Israel and the Twenty-First Dynasty of Egypt», *Journal of Biblical Literature*, 97 (1978), pp. 353-367.

Salomón fue un verdadero faraón. Se inspiró en la monarquía egipcia para gobernar Israel. Véase, especialmente, M. Gavillet «L'évocation du roi dans la littérature royale égyptienne comparée a celle des Psaumes royaux et spécialement: le rapport roi-Dieu dans ces deux littératures», *Bulletin de la Société d'Égyptologie de Genève* 5 (1981), pp. 3-14 y 6 (1982), pp. 3-17; A. Malamat, «Das Davidische und Salomonische. Königreich und seine Beziehungen zu Ägypten und Syrien». *Wien, Österreichische Akademie der Wissenschaften, Phil.-hist. Klasse, Sitz.* 407.

Sobre la comparación entre la pirámide de Zóser y el templo de Salomón, dos monumentos que responden al deseo de crear la unidad sagrada de un país, véase J. A. Wainwright «Zoser's Pyramid and Solomon's Temple», *The Expository Times*, Edimburgo 91 (1979-1980), pp. 137-140.

He aquí, expresadas en codos, las principales medidas del templo de Salomón:
Las dos columnas: 18 codos de altura.
Capiteles de las columnas: 5 codos.
Anchura del templo: 20 codos.
Longitud del *ulam* (el vestíbulo): 10 codos.
Longitud del *hêkal* (el Santo): 40 codos.
Longitud del *debîr* (el Santo de los santos): 20 codos.

Sobre la hija del faraón Siamon, esposa de Salomón, véase M. Gorg, «Pharaos Tochter in Jerusalem oder: Adams Schuld und Evas Unschuld», *Bamberger Universitäts-Zeitung*, Bamberg 5 (1983), pp. 4-7 y *Die «Sünde» Salomos, Biblische Notizen*, Bamberg, Heft 16 (1981), pp. 42-59. El autor afirma que la hija del faraón introdujo en la corte de Salomón el culto a la diosa serpiente egipcia Renenutet, «genio bueno» y protectora de la fertilidad al mismo tiempo.

Sobre la influencia de Egipto en la arquitectura y la administración en la época de Salomón, véase G. W. Ahlstrom, *Royal Administration and National Religion in Ancient Palestine*, Leiden, 1982; H. Cazelles «Administration salomonienne et terminologie administrative égyptienne, comptes rendus du groupe linguistique d'études chamito-sémitiques», 17 (1972-1973), 1980, pp. 23-25.

Sobre el origen egipcio de numerosos textos atribuidos a Salomón, véase O. Ploger, *Sprüche Salomons (Proverbia)*, Neukirchen-Vluyn, 1984.

Varios autores árabes afirman que los sabeos, adoradores del sol, iban en peregrinación a la Gran Pirámide. Estimaban que las pirámides de la altiplanicie de Gizeh estaban consagradas a las estrellas y a los planetas. Allí estaba enterrado Sab, hijo de Hermes, que dio nombre a su pueblo.

Sobre un posible vínculo entre la célebre reina-faraón Hatshepsut y la reina de Saba, véase Eva Danelius, «The Identification of the Biblical "Queen of Sheba" with Hatshepsut», *Kronos*, Glassboro, N. J. 1, n.° 3 (1976), pp. 9-24. Sobre la leyenda de la reina de Saba y el contexto histórico y arqueológico, W. Daum, *Die Königin von Saba. Kunst, Legende und Archäologie zwischen Morgenland und Abendland.* Stuttgart und Zürich, 1988.

ÍNDICE

Título de la edición original: *Maître Hiram et le roi Salomon*
Traducción del francés: Manuel Serrat Crespo,
cedida por Ediciones Martínez Roca, S. A.
Diseño: Eva Mutter
Ilustración de la sobrecubierta: *El ídolo roto ante el Arca*
de James J. Tissot. Fotografía © AGE Fotostock
Ilustración de las guardas: *Estudio para el diorama de la inauguración
del templo de Salmón*, 1836 de Louis-Jacques Mande Daguerre

Círculo de Lectores, S. A. (Sociedad Unipersonal)
Travessera de Gràcia, 47-49, 08021 Barcelona
www.circulo.es
5 7 9 3 0 1 1 8 6

Licencia editorial para Círculo de Lectores
por cortesía de XÓ Éditions.
Está prohibida la venta de este libro a personas que no
pertenezcan a Círculo de Lectores.

Depósito legal: B. 39188-2003
Fotocomposición: PACMER, S. A., Barcelona
Impresión y encuadernación: Printer industria gráfica, s. a.
N. II, Cuatro caminos s/n, 08620 Sant Vicenç dels Horts
Barcelona, 2003. Impreso en España
ISBN 84-672-0247-5
N.º 43794